W9-CTZ-161

UNION GÉNÉRALE D'ÉDITIONS
8, rue Garancière — Paris VIe

Du même auteur
dans la même série

SEPTEMBRE EN NOIR ET BLANC,
n° 1680

L'AMOUR
EN SAISON SÈCHE

PAR
SHELBY FOOTE

Traduit de l'américain
par Hervé BELKIRI-DELUEN

10|18

Série « *Domaine étranger* »
dirigée par Jean-Claude Zylberstein

DENOËL

Titre original :
Love in a dry Season

1

1.

LES BARCROFTS

Le major Malcolm Barcroft, le dernier mâle de sa famille, avait soixante-sept ans quand il mourut. Accompagnée, comme elle le fut, de rumeurs sur l'étrange réaction de sa fille, la nouvelle de cette mort poussa les gens à se rappeler bien des choses sur sa vie qu'ils auraient autrement oubliées, ce qui est généralement le cas quand il s'agit d'enterrer un homme riche en attendant la lecture de son testament. C'était une institution à Bristol, un des derniers représentants de ce dont la ville s'était libérée par le progrès. Hiver comme été, il portait des vêtements sombres, des chemises à jabot plissé avec une perle au plastron, des boutons de manchettes en or et un petit nœud papillon. Quand il était seul ou qu'il faisait sa promenade hygiénique du soir, il donnait une impression de haute taille et de raideur ; « Jabot de paon » comme l'appelaient les Noirs ; mais, quand on le voyait avec d'autres hommes, on se rendait compte qu'il n'était pas vraiment grand, et qu'il avait même les épaules légèrement voûtées. Il portait un pince-nez sans monture d'où pendait une jolie chaîne, comme un fil d'araignée en or, jusqu'au bouton à pression sur son revers gauche. Sa moustache et ses cheveux coupés en brosse avaient une couleur gris acier et son nez ressortait comme une lame entre des joues creuses, pâlies par des accès de malaria, et des yeux bruns et fiévreux. Légèrement grisonnants, ses sourcils se terminaient par deux petites touffes, ce qui lui donnait un air quelque peu méphistophélique, démenti toutefois par une voix douce et une courtoisie de la vieille époque.

Il était né au temps de la Reconstruction, en 1873, deux mois après que son père, un ancien officier confédéré qui était revenu de la guerre manchot, eût été tué dans une bagarre à propos d'une urne de scrutin, avec un des agents électoraux importé par le Gouverneur Ames. Élevé par sa mère et une tante célibataire, Malcolm se montrait volontaire, impétueux et autoritaire, jusqu'au jour où, sur le conseil d'un oncle, les deux femmes en eurent assez et l'expédièrent dans une école militaire du Tennessee. Il y trouva des sujets d'intérêts dignes de ses talents, des études de campagne plus complexes que celles qui consistaient à éclipser deux femmes admiratives mais plutôt terrifiées, et il se calma avec un sérieux inattendu. Pendant les vacances, il se morfondait chez lui et lisait des biographies militaires, Jomini et Badeau, pour lesquelles il dessinait des cartes, afin de suivre les batailles en notant ses objections dans la marge, le plus souvent avec des points d'exclamation et des références pour étayer ses opinions. Il prit l'habitude de dire « Bien, Bien », comme paraît-il, le faisait Stonewall Jackson et de lever à l'occasion une main, la paume tournée vers l'avant, comme, dit-on, Jackson le faisait aussi, pour implorer l'aide divine selon les uns, ou simplement, selon les autres, pour ralentir la pression du sang, et, par suite, calmer les douleurs de la blessure qu'il avait reçue à First Manassas. Malcolm prenait tout ceci très sérieusement et si, parfois, cela semblait un peu ridicule, lui, du moins, n'en était pas conscient. Lors de sa dernière année à l'école du Tennessee, il fut nommé « cadet captain » et il avait définitivement opté pour une carrière militaire. La vie semblait se présenter à lui sous d'agréables perspectives : brillantes escarmouches de frontière, ponctuées de périodes ennuyeuses mais éblouissantes à l'état-major de Washington et, peut-être, si les Allemands et les Espagnols continuaient leurs rodomontades, une véritable guerre qui permettrait d'inclure son nom dans les livres d'histoire ou, tout au moins, dans les ouvrages de tactique. Il nourrissait à leur égard un enthousiasme et une admiration que certains jeunes gens de son âge éprouvaient pour Keats. Ils lui semblaient excitants non seulement pour leurs sujets mais pour la langue elle-même qui l'enchantait. La mission de l'infanterie pendant l'attaque, selon la définition du texte : « encercler l'ennemi et le détruire » avait une beauté sauvage, triomphante, presque lyrique, tandis que la mission de l'infanterie pendant la défense « maintenir l'intégrité de la position » n'était rien moins que la plus belle phrase de la littérature. Quand il lisait de semblables choses, son cuir chevelu le démangeait et ses cheveux se hérissaient sur son cou.

Mais, juste trois semaines avant les cérémonies de clôture de ses études, il reçut une lettre écrite sur du papier de famille tout boursouflé de petites cloques, là où les larmes de sa mère avaient séché. Le monsieur chargé des affaires de son père — un homme de loi ami de la famille — avait décampé (« était parti pour le Texas », disait la lettre) avec le peu qui restait, après une mauvaise gestion, pleine d'espoir, mais extravagante. Aussi, après la fin du défilé en grand uniforme, le « cadet captain » Barcroft fit sa malle qui contenait le bel uniforme avec l'épée vierge de sang et les textes brochés dont les éditions futures ne porteraient jamais son nom, et rentra au foyer à Bristol, pour travailler dans les affaires de coton de son oncle célibataire. Il renonça au rêve de pompe et de gloire, à l'étude des évolutions de la ligne et des points les plus subtils de la préséance, et il se mit à étudier les cotes des fibres et les fluctuations sur le marché du coton.

En trois ans, il avait appris le métier assez bien pour que son oncle pût se reposer sur lui, et, au bout de trois autres années, l'oncle se retira des affaires. Si la fortune de Malcolm n'était pas suffisante pour faire de lui le beau parti de la ville, du moins ses origines familiales et sa conduite sérieuse après les malheurs de sa mère firent-elles qu'on l'estima assez digne pour se fiancer avec la fille unique d'un riche planteur retiré des affaires. Après son mariage dont on se souvenait encore dans le Delta à cause des bassines de punch au champagne et des belles robes de la mariée et des demoiselles d'honneur, Mr. et Mrs. Barcroft s'embarquèrent à La Nouvelle-Orléans pour un voyage en Méditerranée. Arrivés à mi-hauteur de la botte italienne, ils furent rappelés par l'annonce de la mort du beau-père, et, un an plus tard, quand on y vit plus clair dans l'embrouillamini légal, le jeune époux se trouva possesseur d'un demi-million de dollars en valeurs sûres, et sa femme lui avait donné une fille.

Ils l'appelèrent Florence parce que c'était la ville qu'ils avaient tout particulièrement désiré visiter. Ils s'y rendaient en voiture, se documentant, dans leur Murray à reliure rouge, sur la splendeur florentine et ses intrigues quand le câblogramme leur était parvenu. Malcolm avait maintenant tout ce qu'il pouvait désirer, sauf ce qu'il désirait le plus : un héritier mâle. Néanmoins, la déception causée par la naissance d'une fille fut contrebalancée par l'assurance — doublement bienvenue, vu la frêle constitution de sa femme — qu'il n'était pas question de stérilité.

Quand le second enfant naquit, il se trouvait à Panama Beach où il commandait une compagnie dans le « Second Mississippi Volmteers », l'ancien « Mississippi Rifles » qui, déployé en V par son colonel Jefferson Davis avait percé le centre mexicain à Buena Vista, cinquante ans plus tôt. Son vieux rêve de renommée martiale venait à nouveau de lui être offert, et il l'avait saisi. En fait, la gloire fut en réalité bien mince. La guerre se termina sans laisser à son régiment le temps d'embarquer et, bien que les pertes eussent été assez considérables pour pouvoir être comparées aux campagnes les plus sanglantes, le bœuf en conserve n'était pas un ennemi qui pût couvrir de gloire ceux qui l'avaient combattu. On ne se vante jamais d'une bataille quand le champ en a été ses propres entrailles. En 1899, il fut promu major et démobilisé ; il put rentrer chez lui retrouver sa femme et ses enfants.

Le second enfant était aussi une fille à qui on donna le nom de sa mère, Amanda. Deux jours après le retour du major, le docteur le prit à part : « Cette naissance a été encore plus difficile que la première », dit-il. C'était un vieillard qui avait conservé une attitude méfiante, et obséquieuse, malgré les quarante ans qu'il avait passés à soigner les maux de la moitié du comté : « Je ne conseillerais pas à Mrs. Barcroft d'avoir un autre enfant. »

Un an ne s'était pas écoulé que le troisième enfant naissait. Le major fit les cent pas dans le couloir pendant deux jours, passant et repassant devant la porte de la chambre où sa femme geignait et gémissait. Cependant, la seconde nuit, les plaintes cessèrent ; elles cessèrent presque d'un coup. L'infirmière sortit et lui dit qu'elle était morte. Le major la regarda fixement :

— Avez-vous sauvé l'enfant ?

— C'est un garçon, dit-elle.

Alors ses yeux s'embuèrent de larmes pour la première fois. Il avait tant attendu cet instant que ces larmes étaient moins des larmes de douleur que de triomphe. Pendant un moment, il envisagea la possibilité d'appeler le garçon Hezekiah ; comme le beau-père décédé. Puis il chassa cette pensée : c'était une idée de sa femme qui s'était toujours montrée un peu folle à la fin de ses grossesses. Il l'appela Malcolm, le nom de l'aîné des Barcroft depuis cinq générations. Et ils vécurent tous les quatre, le père, les filles et le nouveau-né, dans la grande maison grise que le beau-père avait fait construire cinq ans auparavant pour que sa fille pût y habiter avec son mari au retour de leur long voyage de noces. Elle se trouvait dans le quartier chic de la ville. Quatre grands chênes en ombrageaient la façade. Anguleuse, construite en bois dans le style néo-victorien, elle s'élevait au milieu de cottages en bardeaux et de grandes demeures en stuc à deux étages qui paraissaient toutes petites en comparaison. Des ornements de mauvais goût, cloués aux avant-toits et aux fenêtres des mansardes, donnaient à la maison une allure incongrue, à la fois légère et gauche, comme un éléphant qui danserait.

Le major Barcroft confia ses filles à leur nurse, mais il se chargea lui-même d'élever son fils. L'enfant ressemblait à sa mère. Il avait la même peau couleur de parchemin, des yeux légèrement violets et une tête trop grosse pour son corps. Avec le temps, il prit une allure affectée, efféminée — un petit bout de coquille dans son œuf à la coque lui dérangeait l'estomac pour la journée. Il aimait par-dessus tout rester seul dans un coin avec une paire de ciseaux de sa défunte mère à découper les belles illustrations des magazines. Il était nerveux et irritable ; si quelqu'un lui parlait avec rudesse, il en était malade. Pour son sixième anniversaire, son père lui offrit un poney Shetland, mais il en eut peur. Quand son père essaya de le mettre en selle, il recula et finalement quand le major, perdant patience, le plaça sur le dos du poney, il gigota, hurla puis se mit à vomir, et il fallut l'envoyer au lit.

Ensuite le major Barcroft essaya d'autres moyens. Il acheta des soldats de plomb, des guerriers en miniature, reconstitués à l'échelle, chacun avec un fusil ou un sabre. Il y avait aussi tout l'impedimenta attaché aux armées, canons et fourgons tirés par des chevaux, tentes pour les quartiers généraux, ambulances et cuisines de campagne. Il fit apporter la caisse dans le salon où il la déballa sans se préoccuper de la sciure de bois qui couvrait le tapis et les meubles à mesure qu'il sortait les objets un à un. « Tu vois celui-là ? C'est un général. Regarde ses étoiles. » Quand il eut fini de tout déballer, il disposa les soldats comme pour une grande revue, puis il se tourna vers Malcolm et lui dit très sérieusement :

— C'est ton armée, mon petit, qu'est-ce que tu en penses ?

— Elle est jolie, papa.

— Jolie... le major Barcroft le regarda. Malcolm était loin d'être aussi enthousiaste que l'aurait désiré son père : Attends, dit-il, en se tournant vers les soldats, je vais te montrer comment on joue avec.

Il fit deux collines opposées avec les coussins du divan et les sépara par une ligne ondulée tracée à la craie sur le tapis. « Ça, c'est le Rappahannock. De ce côté-ci, c'est la ville de Fredericksburg. Ces collines là-bas, c'est Stafford Heights et elles appartiennent à Burnside. » Il se mit à genoux et disposa les soldats et les canons de façon qu'ils se trouvent face à face de chaque côté de la petite vallée. « Ces collines-là, de ce côté de la rivière, c'est Marye's Heights. Elles appartiennent au général Lee. Ici c'est la colline d'où il surveillait la bataille. « C'est un bien que la guerre soit une chose aussi terrible, nous finirions par trop l'aimer. » Il a dit cela debout sur cette petite colline. Bien. Longstreet était là-haut et Stonewall Jackson ici, en bas. Ton grand-père se trouvait dans la ville avec le général Barksdale, tirant pour empêcher les hommes du vieux Burnside de traverser sur leurs pontons. »

Le major continuait ainsi en se traînant à quatre pattes pour faire évoluer les soldats. Il démontra la noble résistance de Pelham avec deux canons de campagne miniatures et devint très excité quand il reproduisit l'avance de l'armée fédérale, laissant derrière elle des rangées de soldats de plomb exterminés à chaque charge. Puis, alors qu'il faisait avancer les survivants pour leur troisième assaut contre le chemin creux de Longstreet, tout en imitant le grondement profond et guttural des assaillants yankees et les clameurs aiguës et fanatiques des défenseurs rebelles, il se retourna pour dire quelque chose à Malcolm. Il était devenu si absorbé par les tactiques de Fredericksburg, changeant les troupes de place, disposant l'artillerie, qu'il avait presque oublié que cette démonstration s'adressait à son fils.

Il ne l'avait pas vu tout d'abord, puis il aperçut l'enfant derrière une chaise. Malcolm n'avait même pas suivi la bataille. Il avait pris deux chevaux dans le parc d'artillerie du général Pendleton et s'amusait à les faire tourner autour du pied d'une chaise d'une façon qui n'était rien moins que militaire. Le major se leva, épousseta les genoux de son pantalon et quitta la pièce sans ajouter mot. Il était trop furieux pour se risquer à parler.

Pendant les cinq années suivantes, le major Barcroft

partagea son temps entre ses affaires de coton et son fils, faisant tout son possible pour changer l'enfant de ce qu'il était en ce que lui, le major, aurait voulu qu'il fût. Et il remporta quelque succès. D'abord, il réussit à le mettre en selle. Il lui enseigna à monter les jambes raides, dans le style dragon, sans trotter à l'anglaise. Malcolm en vint à aimer beaucoup ça. Cependant, le major se décourageait en constatant qu'il traitait sa bête beaucoup plus comme un petit chat que comme un cheval ; néanmoins, il éprouvait une réelle satisfaction à voir la grosse tête de son fils tressauter sur ses épaules étroites quand il parcourait les rues de Bristol sur le petit Shetland rondelet et aux genoux raides.

Pour le onzième anniversaire de Malcolm, son père lui donna une boîte de cartouches et un fusil de calibre 410, un joli modèle sans chien, un Parker avec, sur la culasse, un motif de perdrix fixée sur la monture. Le major l'emmena sur la digue au sud de la ville et lui enseigna à tirer sur des bouteilles, des boîtes de conserve et des boîtes en carton. Au début, il avait peur des détonations et tremblait à la pensée du recul ; mais il ne tarda pas à s'habituer et, finalement, un mois après son premier coup de fusil, il réussit à mettre quelquefois un plomb dans la cible.

C'était l'été et le major l'encouragea à emporter son fusil avec lui quand il allait seul dans les champs. Parfois Malcolm et un jeune garçon, son voisin, sortaient ensemble et, à tour de rôle, ils disposaient des cibles et tiraient. Un matin, au mois de juillet, ils partirent ensemble et deux heures plus tard, l'autre enfant revint en courant. Il pleurait et, tout d'abord, on n'arriva pas à lui faire dire ce qui était arrivé. Finalement, entre deux sanglots, il le leur dit. Ils trouvèrent le fusil là où il l'avait laissé tomber en courant et, quinze mètres plus loin, étendu sur la clôture en fils de fer barbelé sur laquelle il avait suspendu la cible, on trouva le fils du major Barcroft avec toute la nuque de sa grosse tête emportée.

Florence et Amanda — Miss Flaunts et Miss Manda, comme les appelait leur nurse — n'allaient pas à l'école communale. Elles allaient à St. Mercedes Academy, l'école paroissiale du couvent catholique où on appelait les maîtresses « Ma sœur », et jamais « Madame ». D'autres enfants protestants y allaient aussi, des enfants du quartier, pour la plupart, parce que l'école communale était censée n'être pas « distinguée ». Les années passaient comme des chars de carnaval, un défilé de chevelures enrubannées et de robes empesées, de bas à côtes et de souliers à boutons. On appelait Florence « la jolie » et Amanda « l'intelligente », bien que les deux adjectifs fussent appliqués en manière de comparaison strictement entre elles deux. Moins poliment, mais en vertu du même principe, on aurait pu appeler Florence « la retardée » et Amanda « la laide ». Mais on ne le fit jamais ; en réalité, il n'y eut jamais rien de déplaisant dans leur vie, rien de pire que l'étoffe rugueuse dont se servait leur nurse quand elle leur frottait les genoux et les coudes en vue de l'école du dimanche, ou le calomel que le docteur mesurait sur la lame de son couteau, et, éventuellement, les petits flacons roses qu'il leur laissait quand les deux sœurs souffraient de la grippe, de la coqueluche ou de la varicelle. Car elles attrapèrent toutes les maladies de l'enfance. Pendant une terrible semaine, elles eurent les oreillons, et ce fut pis que tout.

La mort de Malcolm arriva juste au moment où elles commençaient à être invitées à des *ice cream parties*. Cela leur fit très peur. Après les funérailles, elles restèrent côte à côte dans le grand lit à baldaquin de

Florence, raidies par le même souvenir inexprimé de leur frère dans son cercueil gris, posé dans le salon, sur deux chevalets, de la façon dont on lui avait croisé les mains sur la poitrine pour montrer ses ongles propres, rongés jusqu'à la peau, le bout des pouces carré à force d'avoir été sucé. On aurait pu croire qu'il était couché là, simplement, prêt à se redresser et à parler, si on n'avait remarqué ni son sourire qui ne lui ressemblait absolument pas ni son visage qui était relevé sur l'oreiller dans une position peu naturelle afin de cacher l'endroit où il avait été blessé.

Amanda dit :

— Pendant combien de temps reste-t-on pareil dans la terre, je veux dire, avant de commencer à changer ?

— Chut, dit Florence. Elle était l'aînée.

Mais ce qui les effraya peut-être encore davantage, ce fut le visage de leur père. Pendant les mois qui suivirent, il paraissait sérieux, inflexible et en même temps ravagé. Une surface dont les changements ne pouvaient être remarqués que dans les détails, une certaine rougeur autour des yeux, un frémissement des lèvres et des paupières, quand il pensait n'être pas observé. Florence et Amanda l'observaient. Jusqu'alors le chagrin n'avait été qu'un mot du syllabaire. Maintenant elles en voyaient l'image.

Pendant deux mois après les funérailles, les filles ne sortirent de la maison que pour aller à l'église ou à l'école du dimanche. A l'heure du crépuscule et de l'obscurité naissante, elles entendaient les enfants des maisons voisines qui jouaient sur les pelouses et les trottoirs, les brusques éclats de rire qui indiquaient quelque bonne blague, ou, pis encore, les soudaines périodes de calme qui pouvaient signifier n'importe quoi. En haut de la fenêtre de leur chambre, Florence et Amanda entendaient les autres enfants, enfants de familles que la mort n'avait pas touchés. Ils jouaient à

Vire la bouteille ou à *La main chaude,* jeux nouveaux plus ou moins accompagnés de baisers et adoptés depuis leur période de deuil obligatoire. Elles se regardaient à la lueur des lampes à arc dans la rue au-dessous de chez elles, leurs visages ovales nets et pâles, vides de tout, même de regrets, et elles pouvaient sentir dans la chambre — presque intangible mais néanmoins réelle, telle l'odeur d'un sachet en velours moisi — la présence du frère décédé.

— Est-ce qu'il a commencé à changer dans la terre ?

— Chut, Amanda, chut.

Mais, plus tard, elle n'eut plus besoin de demander, car il lui apparaissait dans ses rêves et, certes, il avait changé. Elle le reconnaissait à peine, et jamais elle n'avait eu aussi peur de sa vie. Elle alla se cacher dans le lit de Florence et se blottit contre son dos. Mais quand elle fit part à sa sœur de ce qu'elle venait de voir, Florence lui dit qu'il ne fallait en parler à âme qui vive. On croirait qu'elles étaient hantées.

A la fin de septembre, le lendemain de leur rentrée au couvent, Amanda resta dans le fond de la classe pendant la première moitié de la récréation à faire ses devoirs de l'après-midi. Quand elle descendit les marches, elle vit un groupe de filles tout au bout du terrain de jeux, près des balançoires. Celles qui étaient à l'extérieur du cercle se dressaient sur la pointe des pieds, les mains posées sur les épaules des filles devant elles ; de temps en temps, l'une d'elles faisait un petit saut pour mieux voir, et ses boucles allaient frôler le col de sa camarade. Du haut des marches, Amanda pouvait apercevoir sœur Ursula, au centre, penchée sur quelque chose. Puis les filles reculèrent, lui frayant un chemin et sœur Ursula arriva en courant. Ses étroits souliers noirs apparaissaient sous sa jupe. Elle portait quelqu'un dans ses bras et, quand Amanda vit les longs cheveux blonds qui atteignaient presque les genoux de la sœur, elle comprit que c'était Florence.

On la déposa sur le divan dans le bureau de la mère supérieure, puis le prêtre arriva : le père Koestler, le visage rouge et bouleversé, et, au bout d'un instant, le docteur apparut avec sa trousse. Florence ne parvenait pas à reprendre sa respiration.

Elle s'était balancée à la barre fixe, dit une fille qui risquait un œil avec les autres dans l'embrasure de la porte, et brusquement, elle s'était arrêtée à bout de souffle. Elle avait les narines cernées de blanc et ses yeux étaient dilatés de terreur. Le docteur dit : « Asthme » un mot terrible, et, quand Florence se sentit mieux, il la ramena chez elle dans son boghei et la porta dans ses bras jusque sur la véranda. Cela se passait en 1912. Ce n'est que vingt-six ans plus tard qu'elle eut une rechute. Et cette fois-là, il fallut aussi la porter.

Cela changea leur existence, leur façon de voir les choses. Elles vécurent à part, loin du monde qu'elles commençaient juste à connaître. Le major Barcroft engagea le principal de l'école, Mr. Rosenbach pour que tous les après-midi, de quatre heures à six heures et demie, il leur donnât des leçons particulières, avec quatre heures en plus le samedi matin.

On l'appelait le professeur *Frozen Back*[1]. C'était un Allemand. Il portait une barbe brune soyeuse et il avait des dents inclinées vers l'intérieur de la bouche. Sa raideur prussienne lui donnait un aspect presque difforme. Sur sa chaîne de montre, des cachets cliquetaient comme des sabres en miniature. Ses élèves de l'école communale pouvaient témoigner de son zèle à manier la badine, mais, naturellement, il ne punissait

---

1. « Frozen Back » sonne comme « Rosenbach » et signifie dos figé. *(N.D.T.).*

jamais les filles Barcroft. Il n'avait pas besoin de le faire, du reste, car, terrifiées, elles ne lui en donnaient jamais l'occasion. Elles savaient parfaitement leurs leçons, et aussi longtemps qu'il était avec elles, elles ne faisaient pas plus de bruit que des souris. « Très bien, Mesdemoiselles, disait-il, à la fin de la classe. Vraiment très bien. » Puis il prenait son chapeau et s'en allait. Les sœurs poussaient un soupir, se regardaient et esquissaient des sourires timides de soulagement nerveux.

C'est ainsi qu'elles furent élevées dans cette grande maison grise de Lamar Street où on enlevait les poteaux d'attache des chevaux et les montoirs de voiture sous prétexte qu'ils constituaient un danger pour la circulation et où les postes d'essence et les marchés en plein air commençaient à s'installer. Les cottages en bardeaux disparaissaient en l'espace d'une nuit comme les palais dans les contes des *Mille et Une Nuits* et les grandes demeures en stuc s'écroulaient dans des nuages de poussière sous les coups d'essaims d'ouvriers qui s'abattaient sur elles avec la rapacité indifférente des sauterelles dans une malédiction biblique. Ce n'était déjà plus le quartier résidentiel le plus distingué ; leurs voisins émigraient vers l'est de la ville pour échapper à la suie et aux coups de sifflet de la nouvelle fabrique de boîtes et aux infatigables gramophones des femmes de ceux qui travaillaient à cet endroit. Mrs. Esther Sturgis, une vieille dame sur une chaise roulante — et qu'on allait bientôt connaître sous le nom de « la mère de Bristol » — morcelait sa plantation à l'est de la ville et ceux qui pouvaient se permettre cette dépense achetaient des lotissements et construisaient des maisons nouveau style par-delà la double ligne argentée de la C § B. Ainsi donc, maintenant, les filles Barcroft, assises dans les ténèbres à leur fenêtre, en entendaient bien davantage qu'aux goûters et aux jeux des baisers. Chaque week-end, les nuits étaient remplies de musique — roulements de tambours, gémissements de cors, assourdis par les frottements de pieds des danseurs à *l'Élysée Club*, trois pâtés de maisons plus loin. Et, tandis que les habitants de la ville, incapables de dormir, s'agitaient, juraient ou restaient couchés tranquilles et pleins de regrets, les sœurs imaginaient qu'elles pouvaient identifier individuellement, rien qu'aux éclats de rire aigus et vides et même aux frottements des pieds, leurs anciennes camarades de classe et leurs voisins.

Bientôt, cependant, Florence cessa de partager la chambre du second avec Amanda. Ses crises d'étouffement continuaient et, obéissant au docteur qui lui ordonnait d'éviter les escaliers, elle descendit au rez-de-chaussée, dans le salon de devant, une pièce sombre et haute de plafond, défraîchie à force de ne pas servir et pleine de rideaux de velours, de tableaux, de meubles encombrants, de tapisseries ornementées avec des oiseaux imprimés qui ne ressemblaient à aucun oiseau connu. Leur mère l'avait meublée ; elle en avait fait sa pièce favorite. C'est là que le major Barcroft avait livré en miniature la bataille de Fredericksburg. C'était aussi l'endroit où Malcolm avait été exposé dans son cercueil gris acier. Florence appelait cette pièce sa chambre à coucher. Mais il n'y avait pas de lit. Elle passait ses nuits dans un fauteuil d'un modèle spécial, avec un dossier ajustable et une tablette coulissante pour les pieds, car elle se figurait qu'elle allait étouffer si elle n'avait pas la tête et les épaules plus hautes que le reste du corps. La pièce avait été hermétiquement close pour les fumigations. Tous les interstices des montants de porte et des châssis de fenêtre avaient été obturés avec des journaux pliés. Cependant, malgré la puanteur du camphre et des vapeurs de soufre, il y avait toujours une

odeur rance de chair de femme mal lavée. Elle craignait de mourir noyée et quoiqu'elle eût pu avoir une
attaque en prenant son bain, sa pudeur n'aurait auto-
risé personne, pas même sa sœur, à se trouver dans la
chambre avec elle à ce moment-là.

Elle prétendait ne jamais dormir : « Pas vraiment. Je
me repose simplement les yeux tous les matins vers
deux heures. » Mais Amanda était réveillée presque
chaque nuit par ses hurlements. Elle avait des cauchemars, rêvait de filets visqueux, de serpents, de
galopades de chevaux qui l'étouffaient, l'étreignaient,
l'épuisaient. Par suite, son aspect s'en ressentit. Personne maintenant, même selon la vieille comparaison
qui les concernait toutes deux, ne l'appelait plus « la
jolie ». Elle s'était mise à engraisser. Elle avait l'em-
bonpoint mou d'une hydropique, la peau très tendue
sur les pommettes et sur le dos de ses mains qui étaient
étrangement arrondies et de petits plis au coin des
yeux, comme le rabat d'une enveloppe. De sa prétention limitée à la beauté, seuls demeuraient ses longs
cheveux blonds plus fins maintenant, plus longs et
plus blonds que jamais. Étalés sur le dos du fauteuil,
touchant presque le sol, ils avaient le riche brillant de
la soie de maïs quand les épis commencent à fleurir.
Elle était très fière de ses cheveux et elle attirait
l'attention sur eux en se plaignant qu'ils la gênaient,
surtout quand il faisait très chaud : « Vraiment, disait-elle, vraiment, je vous avoue que toute cette
chevelure finira par me rendre folle. J'en ai beaucoup
trop. »

Le major Barcroft allait tous les soirs passer une
demi-heure avec elle dans sa chambre. Florence avait
peur de lui ; il symbolisait tellement bien le monde
extérieur contre lequel elle avait élevé une barricade.
Mais elle faisait de son mieux pour n'en rien montrer
— et elle bavardait plaisamment sur des riens. Pendant

l'été qui suivit sa vingtième année, le long été brûlant de 1918, elle se plaignait surtout de cette chevelure dont elle éloignait de son cou la masse d'or pâle épaisse et molle, et le major l'écoutait avec quelque ennui. Il détestait les vantardises, pour n'avoir jamais eu lui-même besoin de se vanter, mais surtout il détestait tout ce qui prétendait dissimuler la vantardise. Il l'écoutait avec impatience quand elle se plaignait de sa chevelure, tout en la proposant à son admiration et à celle d'Amanda.

Il avait été privé d'une troisième occasion de se couvrir de gloire à cause d'un souffle au cœur qu'il n'avait jamais soupçonné jusqu'au jour où il s'était présenté à l'examen médical, l'année précédente. Pendant toute la période de capricieuse neutralité *armée*, il rongea son frein. Sa haine du président Wilson était une chose intensément personnelle. Dès la déclaration de guerre, il rassembla tous ses papiers et se rendit à La Nouvelle-Orléans pour s'engager dans le service actif. Il avait quarante-quatre ans — on lui donnerait sans doute un travail de bureau ; mais il estima qu'une fois l'uniforme revêtu, il pourrait parvenir à se faire nommer pour servir dans les troupes de campagne. Tout alla bien jusqu'au moment où il se trouva dans la file des candidats. Chacun, avec sa chemise à la main, passait devant un médecin qui leur frappait le torse et leur auscultait la poitrine. Dans la plupart des cas, l'examen était rapide, deux ou trois petits coups, une minute d'auscultation suivie d'une tape sur l'épaule : « Bon pour le service. Au suivant. » Mais quand le major Barcroft se présenta devant lui, le docteur écouta, s'arrêta, écouta de nouveau plus soigneusement puis finit par dire : « Attendez là-bas, s'il vous plaît. »

Un homme attendait déjà. Quand le docteur eut fait passer tout le monde, deux autres les avaient rejoints :

« Je ne pensais pas qu'on me prendrait, dit l'un d'eux, mais je suis heureux d'avoir essayé. » C'était un homme entre deux âges, avec une moustache teinte, cirée jusqu'à ne plus former que des pointes d'aiguille. Aucun autre ne parla. Ils évitaient de se regarder comme les candidats refusés d'un club très fermé.

Après un examen plus approfondi, le médecin dit au major Barcroft : « Ce n'est rien de vraiment sérieux ; un simple murmure ; seulement voilà : vous pourriez passer l'arme à gauche n'importe quand après un sérieux surmenage. Et nous ne pouvons pas nous exposer à des risques pareils. » Il parlait comme si l'armée lui appartenait et il avait un comportement professionnel chaleureux. C'était un garçon sympathique dont la plupart des clients avaient été des femmes. Le major le regarda fixement comme si le docteur avait été en quelque sorte responsable de son murmure cardiaque. Puis il remit sa chemise, retourna à la gare où il avait déposé sa valise et reprit le train pour Bristol. Refusé, humilié, il regardait le paysage défiler derrière les vitres du Pullman.

Il ne mentionna pas l'incident mais, pendant la durée de la guerre, il eut des manières sèches avec tout le monde. Et puis, une nuit, comme Florence se plaignait de ses cheveux, il la regarda avec une étrange attention :

— Est-ce qu'ils te gênent vraiment tant que ça ?

— Oh, oui, papa, regarde. Elle les souleva de sur ses épaules sous prétexte d'avoir moins chaud.

Il l'observa. Son pince-nez brillait. C'était la fin de juillet et la bataille de Château-Thierry avait eu lieu. Les journaux ne parlaient que de ça.

— Sam Marino peut t'arranger cela, dit-il. Sam Marino était son coiffeur : Est-ce que ça te ferait plaisir ?

— Ah, non, papa, dit Amanda.

Florence avait peur mais elle continua sa comédie :

— Ça donne vraiment très chaud, dit-elle, mal à l'aise.

— En ce cas, je lui dirai de venir demain soir. Le major les regarda l'une après l'autre, toujours avec la même étrange attention, comme s'il s'attendait à les voir protester. Mais aucune des deux sœurs ne dit un seul mot.

Le lendemain soir, alors qu'ils étaient assis ensemble tous les trois, personne ne mentionna le coiffeur. Pourtant, de temps à autre, le major Barcroft tirait sa montre, la remettait dans son gousset et se raclait la gorge. Finalement, on frappa à la porte d'entrée. Amanda s'apprêtait à se lever, mais son père avança la main : « J'y vais », dit-il. Quand il fut sorti de la pièce, Florence resta assise et contempla ses mains posées sur ses genoux, la tête basse, les yeux mi-clos, comme si elle priait.

Sam Marino entra derrière le major Barcroft. Il portait un petit sac noir qui ressemblait à une trousse de chirurgien et il s'arrêta juste sur le pas de la porte. « Mesdames, bonsoir », dit-il, petit, basané, un Sicilien avec une moustache soignée mais fournie et un air de jovialité réprimée. Il s'inclina devant chacune d'elles ; Amanda fit un signe de tête mais Florence resta dans sa position de prière.

— Voici votre nouvelle cliente, Sam, dit le major.

Le coiffeur posa son sac sur une chaise :

— Ah, quel dommage, dit-il avec un geste de désespoir, ce n'est pas souvent qu'on voit d'aussi beaux cheveux. Puis d'un autre geste, celui-là de résignation : Mais les affaires sont les affaires.

— Ça la gêne, dit le major Barcroft. Ça lui donne chaud. Il l'observait avec la même attention que la nuit précédente, mais la lumière de la lampe rendait ses verres de lunettes opaques et on ne pouvait pas voir ses yeux.

— N'est-ce pas Florence ?

Elle baissait toujours les yeux :

— Oui, papa.

— Mais si tu préfères les garder, nous pouvons dire à Mr. Marino que c'était une erreur. Tu es bien sûre que tu veux t'en débarrasser ?

— Oui, papa. Ses yeux restaient toujours baissés.

Maintenant que la situation en était arrivée à ce point, le major commençait à avoir des inquiétudes. Dans l'espoir de lui donner une leçon sur les dangers des faux-semblants, il avait pensé qu'elle ferait marche arrière et qu'elle admettrait sa fausseté quand elle se trouverait confrontée à la perte de ses cheveux. Mais maintenant, il voyait qu'elle n'avait pas l'intention d'admettre une chose pareille et il regrettait presque d'avoir commencé car, cette fois, il s'agissait d'un défi : ou bien il céderait ou bien elle se rétracterait ou bien elle perdrait ses cheveux ; et la situation était devenue telle que le dernier cas restait seul possible. La discipline finissait par ressembler à de la cruauté. Et pourtant, il se sentait plutôt fier de sa détermination. Elle révélait la souche dont elle était issue. Il s'avança : « Alors, allez-y Sam », et du bout du doigt, il indiqua le style de la coupe.

Sam Marino tira de sa sacoche des ciseaux, un peigne fin et une tondeuse : tandis que Florence restait complètement immobile, les yeux fixés sur le mur opposé, il coupa les longs cheveux d'or comme le père l'avait indiqué. Avec des reflets glacés, les ciseaux suivaient le contour de la mâchoire et deux petites boucles apparurent subitement formant comme deux pointes aux commissures des lèvres. Il ramena en avant les cheveux du dessus si bien qu'ils lui recouvrirent le visage puis, comme il passait les ciseaux sur le

front pour lui faire une coiffure à la chien, les cheveux
tombèrent sur les mains de Florence posées sur ses
genoux et ils virent qu'elle avait les yeux remplis de
larmes. Le coiffeur travaillait vite ; il sentait que
quelque chose clochait dans cette maison, qu'il y
régnait une tension qu'il pouvait percevoir mais pas
définir. Il passa rapidement ses ciseaux sur la nuque et
de grandes mèches tombèrent en cascade sur le plancher. Ensuite il passa sa tondeuse de bas en haut du
cou.

Bien qu'Amanda fût encore obligée de descendre
s'asseoir avec elle pour lui tenir la main et la réconforter jusqu'à ce que l'aube vienne blanchir les vitres
derrière les tentures, les cauchemars de Florence
n'avaient plus pour objets des filets, des serpents, et
des chevaux à crinières sauvages. Ils étaient remplacés
par des rêves paisibles d'où la violence était absente,
impliquée seulement, potentielle plutôt que réelle :
une petite chambre, une sorte de cellule aux murs
couverts de ciseaux, de tondeuses et autres instruments vaguement obstétriques ; Sam Marino s'y
trouve avec son sac noir. Jusque-là, point de terreur,
car le coiffeur ne la menace pas : il est simplement là.
Mais elle ressent un vague malaise, elle a le sentiment
d'une présence étrangère, de quelqu'un qui cherche à
lui faire du mal. Timidement, elle se met à examiner sa
cellule, tourne la tête pour regarder par-dessus ses
épaules.
Une moitié de son esprit se demande ce qu'elle va
voir, mais l'autre moitié le sait déjà. Cela la trouble et
constitue une partie de sa terreur. Comment pour-
rais-je être deux personnes ?, pense-t-elle. Comment
se fait-il que je sache tout en ne sachant pas ? Puis elle
le voit, son père, assis dans un coin à l'autre bout de

la pièce. Il a les jambes croisées et il balance le bout d'un soulier bien ciré. Pendant un instant, la terreur l'étrangle, elle ne peut plus respirer. Mais quand il se lève et s'approche d'elle, que son visage devient plus grand, elle retrouve sa respiration et se met à hurler. Ses cris emplissent la cellule, deviennent plus aigus à mesure qu'il approche, elle sent une main sur son bras et elle entend une voix qu'elle connaît — et c'était toujours Amanda qui lui tenait la main et disait : « Ce n'est rien, Florence, chut : je suis là, je suis avec toi, chut » et les terribles créatures de rêves disparaissaient enfin, retournaient aux ténèbres d'où elles avaient surgi ; il n'y avait plus qu'Amanda avec elle.

Elle avait toujours eu peur de son père — toute petite fille quand il n'avait pas le temps de s'occuper d'autre chose que de ses affaires et de son fils, pendant la période de deuil, quand, à la table de famille, il affichait un visage ravagé par la douleur, et, au cours des années de la Grande Guerre, quand il se croyait spolié de sa dernière chance de gloire. Et maintenant, par suite de ses cauchemars et de ses autres terreurs imaginaires, elle se raidissait de frayeur quand elle entendait son pas sur la véranda, la porte de la rue qui s'ouvrait, puis le bruit de ses pieds dans le vestibule, l'arrêt devant le portemanteau et ensuite son approche. Quand il arrivait près de la porte, elle cessait de respirer, elle se cramponnait au bras de son fauteuil jusqu'à ce qu'il se fût éloigné et qu'elle l'eût entendu monter l'escalier.

Elle ne courait aucun risque de le rencontrer même par hasard, car elle ne le voyait jamais, à moins qu'il ne vînt à elle. Maintenant, elle ne quittait plus sa chambre. Elle s'y faisait même apporter ses repas et les prenait sur un plateau, assise sur son fauteuil de modèle spécial. Elle avait toute une série de peignoirs à fleurs de couleur voyante — sept, qui portaient le nom des jours de la semaine — des bas de fil noir aux coutures de travers et des pantoufles vert bouteille qui s'étaient déformées deux heures après qu'elle les eut portées pour la première fois. Deux fois par semaine, le major Barcroft entrait dans la chambre où régnait une forte odeur de renfermé et la regardait se recroqueviller dans son fauteuil. Il ne restait jamais longtemps et, à mesure que passaient les années, il venait de moins en moins. Parfois, plus d'une semaine s'écoulait entre ses visites. Mais Florence ne se guérit jamais de sa terreur dont la nature particulière semblait évidente. Pendant tout le temps qu'il était avec elle, elle serrait les genoux comme une femme qui craint d'être violée. Elle avait les cheveux coupés court. Elle les aimait mieux ainsi et Sam Marino venait quatre fois par an pour les "rafraîchir". Il ne lui causait plus aucun rêve terrible. On aurait dit qu'il n'avait joué aucun rôle lors de la première opération : « La nuit que papa m'a coupé les cheveux », disait-elle. Elle datait tout de ce jour-là, selon l'habitude des femmes qui ont eu de plus sérieuses — sinon de plus sanglantes — opérations ou comme les vieillards de son enfance qui dataient tout du jour de la comète.

Elle avait deux sources d'intérêt : l'une était le journal de Memphis, celui qui arrivait par le train du soir, avec des en-têtes macabres, des portraits de cambrioleurs de banque, de cavaliers et de lauréates des concours de beauté en maillots de bain d'une seule pièce, sans manches. Elle lisait colonne par colonne, de gauche à droite, page par page, du début à la fin, reprenant les suites quand elle y arrivait, avançant peu à peu jusqu'au bout, à travers les débats politiques, les annonces légales et les demandes d'emploi, tout cela avec la sombre et inlassable persévérance d'une taupe qui creuse une terre friable. Théorie et problèmes ne l'intéressaient pas (les éditoriaux, par exemple, sortaient de sa mémoire, à peine y étaient-ils entrés) mais elle emmagasinait beaucoup de faits. Elle connaissait les prénoms de toutes les célébrités journalistiques, y compris les différents maris de Peggy Joyce et les femmes de Tommy Manville. Le journal lui présentait le monde extérieur et elle préférait que ce monde fût aussi différent que possible de celui qu'elle connaissait.

Elle s'intéressait aussi à la couture. Elle passait toutes les heures du jour à coudre des motifs de fleurs sur du satin ouatiné. Pliés en forme d'enveloppe, ils servaient de pochette à mouchoir. Quand elle ne les pliait pas, c'étaient de simples échantillons. A chaque Noël, elle enveloppait la production de l'année dans du papier cadeau, et envoyait séparément le tout à des femmes qu'elle avait connues jeunes filles, une dizaine d'années auparavant, après avoir cherché leur adresse dans un vieil annuaire téléphonique qu'elle avait gardé. La destinataire ouvrait le présent et restait cinq minutes à s'interroger. C'était trop fin pour un couvre-théière et trop épais pour être encadré. Alors, elle renonçait et elle le mettait dans un coffre en cèdre. Dix ou quinze ans plus tard, quand sa fille le sortait de la masse défraîchie de dentelles jaunies et de cartons de bal, se demandant ce que ça pouvait bien être, la mère réfléchissait un moment, le bout d'un doigt à la commissure des lèvres et disait : « Écoute, ma chérie, je n'en sais trop rien. C'est quelque chose que cette pauvre Florry Barcroft m'a envoyé il y a des années. »

Ces deux occupations suffisaient à remplir ses journées habituelles. Mais le premier dimanche de chaque mois représentait un jour extraordinaire qui comprenait deux événements nettement séparés par le déjeuner à 2 heures. Peu après midi le pasteur arrivait, Mr. Clinkscales, avec ses joues toutes roses et ses plaisantes manières. Il portait sous son bras une mallette en veau qui contenait les ustensiles, le pain et le vin pour la Communion. Il boitait à la suite d'une fracture de la cheville, il y avait longtemps — il faisait une génuflexion et après s'être redressé en reculant, il était tombé de l'estrade ; la fracture s'était mal ressoudée et maintenant, il marchait en roulant un peu des épaules comme un matelot. Il improvisait un autel devant le fauteuil et il donnait la Communion. Florence avalait l'hostie goulûment. Tandis qu'elle se dissolvait dans le fond de sa gorge, digérée presque avant d'avoir été tout à fait avalée, les mots du rituel semblaient flotter dans l'air autour de sa tête : *Prends et mange ceci en souvenir du Christ qui est mort pour toi, et nourris-toi de lui dans ton cœur, par la foi, avec reconnaissance.* Elle tendait le cou passionnément vers le ciboire et, alors que les fumées du vin troublaient son cerveau, les mots prenaient une beauté particulière : *Bois ceci et souviens-toi que le sang du Christ a été répandu pour toi et sois reconnaissante.* Ainsi transportée, elle se rappelait l'homme à demi nu cloué au mur de l'église, près de l'autel, et elle se nourrissait de lui dans son cœur et buvait son sang. Quand Amanda entrait dans la chambre après avoir raccompagné Mr. Clinkscales jusqu'à la porte, elle trouvait toujours sa sœur, les mains jointes sur ses genoux et les yeux pleins de larmes de bonheur.

Plus tard, dans l'après-midi, le docteur arrivait — le Dr Clinton qui, pour avoir largement dépassé l'âge mûr n'en restait pas moins plutôt coquet, arborant des cols empesés, des vestes poivre et sel avec des poches à soufflet et une ceinture cousue dans le dos. Il passait une demi-heure avec Florence. Il parlait des symptômes d'une façon discrète et faisait un examen de pure forme. Puis il allait au fond de la maison jusqu'à une petite pièce qu'on appelait le cabinet de travail, pour avoir un entretien avec le major Barcroft. Était-ce pour une consultation professionnelle, un rapport sur l'état de la jeune fille invalide, ou peut-être seulement une visite amicale, les sœurs ne le surent jamais. Cependant elles écartèrent cette dernière possibilité — leur père n'était jamais "amical" —, elles ne tardèrent pas non plus à écarter la première, parce que, lorsque le docteur quittait la pièce, il laissait sa trousse à instruments sur la table du vestibule, juste à côté de la porte du salon.

C'est Florence qui découvrit la trousse aux instruments. Un dimanche de novembre, un jour froid et pluvieux, trois ans après la première visite du barbier. Sam Marino venait quatre fois par an, en mars, juin, septembre et décembre. Toujours ponctuel, il arrivait le premier lundi de ces mois, et Florence n'avait plus peur de lui. Il était maintenant un de ses visiteurs comme le pasteur et le docteur — Amanda entra dans la chambre juste à temps pour voir sa sœur faire brusquement un mouvement furtif en cachant quelque chose sous le journal qu'elle avait sur les genoux. Alors elle regarda de plus près et vit un reflet de métal et un morceau de tuyau de caoutchouc :

— Voyons, Florence, dit-elle tranquillement, tu ferais mieux de remettre cela où tu l'as pris avant qu'il ne s'en aille. Il en aura besoin, tu sais.

Florence était rouge d'émoi :

— Je m'apprêtais à le remettre. Je le fais toujours ; il y avait deux taches brillantes sur ses joues comme du fard. Elle se tut, puis elle reprit avec la franchise de quelqu'un qui a réfléchi et est arrivé à une conclusion :

— J'ai découvert quelque chose. Tu veux entendre ?

— Entendre quoi ?

— Écoute. Elle passa le stéthoscope à Amanda. Écoute le tien, d'abord, dit-elle, et puis le mien ensuite. Elle se pencha avec un air de conspiration, les mains croisées sous le menton, et elle dit ardemment :

— Oh ! Amanda, c'est tellement étrange ! Tiens, écoute.

Elle montra à sa sœur cadette comment utiliser cet appareil avec les écouteurs pointés vers l'avant, et comment placer le cône auditif :

— Non, non, dit-elle avec autorité, ce n'est pas comme ça, sur la gauche. Ça, c'est ce qu'on te raconte. C'est presque au milieu. Écoute.

Elle allongea le bras et rectifia la position du cône. Alors Amanda l'entendit, son propre cœur comme un tam-tam qui faisait *Boum, Kiboum Kiboum Kiboum,* un bruit de pompe continu et visqueux, le rythme de son propre sang. Florence regardait avec un sourire :

— Maintenant écoute le mien, dit-elle appuyant le cône sur sa propre poitrine.

Amanda se pencha pour écouter le cœur de sa sœur : *Kiboum, Ki-Kiki-boum, Boum Kikiboum* : un bruit terrifiant. Le tam-tam était tout détraqué comme si un fou battait un rythme fou.

— Tu entends, dit fièrement Florence. Elle avait les joues empourprées. N'est-ce pas la chose la plus étrange ?

Et maintenant Amanda savait ; chaque fois qu'elle regardait sa sœur, elle savait. Quelque chose d'étranger, de redoutable avait pénétré dans leur vie, comme si une tierce personne était présente chaque fois qu'elles se trouvaient ensemble. Florence n'était jamais seule. Depuis ce jour-là, dans la chambre obscure, chaude et sans air, close et fétide, comme un antre en hiver où une louve aurait récemment mis bas, tandis que Florence assise à la fenêtre brodait de fils brillants des cercles de satin piqué, le dos voûté quand elle s'approchait de la lumière, avec ses cheveux courts dressés en deux courbes brusques et méchantes contre ses joues, Amanda sentait la présence de la mort, debout, comme un acteur dans les coulisses d'un théâtre, attendant sans le moindre intérêt de dire sa réplique, lors des répétitions d'un spectacle qu'il avait joué trop souvent.

Pour Florence, il n'y avait pas de repos, pas d'autre vie, pas d'autre atmosphère, mais Amanda avait des occupations à l'extérieur. Trois fois par jour, elle quittait la maison. Le matin d'abord, après le départ du major, elle partait faire le marché, un panier au bras. Puis, dans l'après-midi, à 5 heures, quand les rayons du soleil couchant projetaient de longues ombres sur les pavés, elle allait retrouver son père à Cotton Row. Et finalement, après le dîner, elle faisait sa promenade hygiénique de 7 heures, promenade d'une demi-heure que le major lui ordonnait (à elle, pas à lui, il ne la faisait jamais) pour « faire passer » le repas du soir.

La sortie de 5 heures était la plus remarquée du public, car la fille et le père se dirigeaient ensemble vers leur demeure par les rues tranquilles du bas de la ville, tandis que les autres attendaient jusqu'à 5 h 30, heure de la sortie du travail. A cinquante ans, le major Barcroft avait la dignité d'un septuagénaire : raide, cambré, des cheveux gris et des sourcils un peu touffus qu'il emporterait avec lui dans la tombe. Les gens de la ville les regardaient : le vieil homme entre deux âges qui affichait un air de recueillement intérieur, comme s'il avait trouvé le moyen d'avaler un boulet de canon et sa jeune fille, aussi terne et respectueuse qu'une demoiselle de compagnie point trop sûre de garder sa place, paraissant plus que son âge, dont l'expression, bien que nullement recueillie, était aussi distante que celle de son père — et un friselis de commentaires suivait leur passage, comme le bouillonnement et l'écume dans le sillage d'un navire.

— Tiens, les voilà ces grands et puissants Barcroft.
— C'est des gens de qualité, mon vieux.

— Qualité ! Je te la laisse.

Et ces mots trahissaient moins la pitié que le jugement et moins le jugement que le triomphe. Ils voulaient bien lui pardonner ses travers, les chagrins qui avaient abondé dans sa vie, mais ils ne pouvaient pas lui pardonner les millions de dollars qu'on lui attribuait, pas plus que sa hautaine insularité. Ils — ou d'autres comme eux — l'avaient observé tout au long de sa vie et quand ses difficultés commencèrent, ils lui en voulurent de ne pas appeler au secours. Ils l'auraient préféré. Ils auraient aimé le voir courir dans les rues, hurlant les mains au ciel : « Au secours, au secours ! Ma douleur est plus que je n'en peux supporter. » Parce que, alors, ils auraient pu l'aider, le réconforter. Mais dans l'état actuel des choses, leurs yeux se faisaient hostiles quand ils le voyaient passer.

— Piquez-le donc avec une épingle, disait-on ; savez-vous ce qui en sortirait ? De l'eau glacée.

Amanda et le major ne se donnaient même pas la peine de regarder autour d'eux. Ils avançaient comme les personnages d'un tableau qui glisserait lentement sur les pâles trottoirs tachetés d'ombres de feuilles et des rayons obliques d'un soleil présage de pluie. Les jeunes, parmi les curieux, se poussaient du coude.

— Voilà ta chance.

— Ma chance à quoi ?

— A un million de dollars, mon vieux, à quoi d'autre ?

— Hum. Non merci. Ce n'est pas assez, vu ce qui va avec.

Mais il y en avait un qui pensait que c'était assez, qui avait beaucoup étudié la question, point par point, qui avait pris sa décision très vite et s'estimait heureux que personne ne l'eût devancé. Il y avait un prétendant à l'horizon.

2.

JEFF ET AMY

Briartree, la plantation des Tarfeller sur le lac Jordan — ce qu'il en restait du moins — revint à Amy Carruthers quand sa tante Miss Bertha Tarfeller mourut intestat. « Miss Birdy aurait dû avoir le bon goût de ne pas mourir ainsi », disaient les gens. Elle avait été directrice de l'école d'Ithaca pendant presque toute une génération ; on l'appelait Miss Birdy, et, bien qu'à cette époque, on l'eût à peu près oubliée, elle avait vécu une histoire d'amour dans sa vie. En 1890, quand elle avait dix-huit ans, elle resta seule dans la maison après que sa sœur aînée eut épousé un jeune avocat en visite chez un camarade de classe habitant près du lac, et qu'elle fut partie s'installer en Caroline du Nord. Là-dessus, Bertha s'enticha d'un joueur professionnel. Personne ne sut comment ils s'étaient connus, bien qu'on la soupçonnât d'avoir fait les avances : de tels rendez-vous à cheval flattaient sa nature romantique, qui, plus tard, prit une tournure plus modérée : elle devint poétesse lauréate de Jordan County sur la fin de sa vie. Sa mère fut avertie par une lettre anonyme et dit à son mari, le père de Bertha, qu'il lui fallait faire quelque chose. « Il faut que vous interveniez. » C'était un femme aux épaules larges et aux yeux féroces. « Un joueur et un débauché a compromis votre fille. »

Cass Tarfeller n'avait jamais rien fait. Insipide et sympathique, il vivait sur une terre que lui avait laissée son père, homme de convictions et de décisions, un des premiers pionniers de la région. Mais cette fois-là, poussé par sa femme, Tarfeller fit quelque chose — la seule action de toute sa vie où il n'était pas dans son rôle. Il lança un défi au joueur, un certain Downs Macready : *Je vous tuerai sur place si je vous vois demain quand j'irai en ville et je ne plaisante pas.* Mais le mardi, quand il alla à Ithaca, armé du pistolet de son père, Macready le tua avec un Henry 44 à répétition, deux balles dans le ventre et une dans la poitrine. Tarfeller s'écroula et resta étendu dans la poussière chaude et blanche du mois d'août, taché, mais sans saigner pourtant, comme si même la dignité de saigner lui avait été refusée dans sa tardive prétention à un héritage pour lequel il n'avait jamais été fait. Macready à son tour fut tué par un nommé Bart, un planteur ami de Tarfeller, qui lui-même fut blessé mais se rétablit.

Ainsi la mère et la fille vécurent-elles seules à Briartree, la mère méditant, et revivant la scène dans le vestibule du rez-de-chaussée immédiatement après les coups de feu quand un messager était arrivé d'Ithaca et lui avait appris la mort de son mari et celle du joueur ; Bertha s'était alors retournée vers elle avec un visage comme un masque de tragédie en l'accusant :

— C'est *vous* qui l'avez tué, et Downs aussi. Vous les avez tués tous les deux et je vous haïrai ma vie entière.

37

— Je ne les ai pas tués, dit Mrs. Tarfeller en se reculant.

Elle leva une main pour protester, la paume ouverte devant sa figure comme pour se protéger. En une douzaine d'années, le chagrin l'avait conduite peu à peu dans un asile où, jusqu'à sa mort, elle interpellait n'importe quel étranger en lui disant : « Je ne les ai pas tués. » Elle étendait la main et l'étranger prenait peur, car, bien qu'à cette époque elle fût inoffensive, elle avait encore les épaules larges et les yeux féroces.

Au moment de son internement, la fille aînée et son avocat de mari vinrent de Caroline pour le partage des biens. Il était assez honnête pour un homme de loi. Ce fut Bertha elle-même qui insista pour ne garder que la maison et les quatre-vingts acres autour pour sa part. Le couple de Caroline prit le reste, les 1 500 acres de terre pour la culture du coton. Ils les vendirent au premier acheteur à un prix outrageusement bas. La modicité du prix n'eut du reste aucune importance car l'avocat perdit tout l'argent dans l'effondrement du marché en 1907. Il en aurait perdu davantage avec la même facilité. Ce fut sa chance toute sa vie.

Bertha resta plus seule que jamais dans la grande maison, sans même la possibilité de haïr sa mère. Elle partit s'installer à Ithaca où elle prit une chambre dans une pension de famille, et elle commença à enseigner. Cela se passait en 1902. Elle loua la maison et les quatre-vingts acres et utilisa le revenu pour envoyer au collège ce qu'elle appelait les "élèves méritants" (la plupart la déçurent complètement, gâtés comme ils l'avaient été, par cet avant-goût d'argent facile). Elle ne mettait de côté qu'une petite somme pour financer la publication de ses recueils de poésie deux fois l'an, constitués de sélections choisies parmi les poèmes qui commençaient à paraître toutes les semaines dans le *Clarion* de Bristol. Comme il ne restait plus d'argent pour les réparations, la maison se détériorait. Elle finit par n'être plus qu'une ruine, occupée par ce genre de personnes qui louent quatre-vingts acres par an ou à peu près sans s'inquiéter du genre de résidence qu'elles y trouvent et qui, plus tard, vont habiter ailleurs. Quand on ouvrait la grille, des flèches de charrue rouillées, accrochées à un fil de fer comme contrepoids, grinçaient et cliquetaient et, quand on passait entre la double rangée de cèdres rongés par les mules, pour se rendre à la maison, trois ou quatre chiens aux oreilles pendantes bondissaient en hurlant de dessous la véranda — leurs dos en lames de rasoir fourrageant dans ce qui avait été des massifs de rosiers — et se retournaient pour vous regarder ; puis, quelqu'un dans un hamac fait de douves de barriques, suspendu entre deux cèdres, vous demandait ce que vous vouliez sans se donner la peine de se redresser pour vous parler. A l'intérieur, c'était encore pis. Il y avait de la poussière partout et les locataires avaient utilisé les boiseries en guise de petit bois. Au début des années vingt, les dames du *Garden Club* de Bristol votèrent l'achat de la maison afin de la restaurer et d'en faire une sorte de musée. Elles envoyèrent une délégation à l'école d'Ithaca et Miss Birdy vint à la porte, tout échevelée et la robe couverte de craie. « Oh ! je ne pourrai jamais faire ça ! », dit-elle quand les dames lui eurent présenté leur requête. « Pensez donc, toute ma famille est enterrée là. » Six ans plus tard, quand elle mourut, les dames furent déçues qu'elle ne l'eût pas laissée au *Garden Club* dans son testament, quoiqu'en fait elle n'eût pas laissé de testament du tout. Elles branlèrent la tête : « Elle aurait dû avoir le bon goût de ne pas mourir ainsi, quand on est institutrice et tout ça. »

Cela se passait en 1927, l'année de la grande inondation et Amy Carruthers, fille de la sœur de Caroline, était le dernier membre survivant de la famille, ses parents étant morts de la grippe espagnole pendant la guerre à huit jours d'intervalle. Au mois d'avril suivant, peu après l'anniversaire du jour où la digue avait cédé, elle vint dans le Mississippi avec son mari (qui était également son cousin : Carruthers était son nom de jeune fille comme de femme mariée) pour examiner la propriété, voir ce dont elle avait hérité. A l'évidence, ils avaient de la fortune, l'un des deux tout au moins, car ils arrivèrent dans une auto si longue que Bristol n'en avait jamais vu de pareille, gris perle, avec des phares en amande, des garde-boue comme des ailes déployées et un porte-bagages à l'arrière : une voiture de ville avec une vitre entre les sièges avant et arrière. Le chauffeur, assis en plein air, transpirait dans sa livrée d'hiver car il faisait encore assez froid quand ils avaient quitté la Caroline deux jours auparavant.

Tout cela avait lieu l'année où les électeurs du Sud, baptistes pour la plupart, se trouvaient obligés de choisir entre un Républicain et un Démocrate qui, disait-on, était sous la coupe de Rome, mais qui s'était également déclaré contre la Prohibition, et ils se sentaient trahis.

L'arrière de la voiture dépassait presque la ligne du milieu de Marshall Avenue, si bien que les promeneurs du dimanche devaient en faire le tour. La longue auto grise s'arrêta d'abord à la Kandy Kitchen et le petit serveur noir qui alla sur le trottoir prendre leur commande — deux verres de glace pilée bien sèche, « il faut qu'elle soit sèche », deux citrons et le sucrier — revint les yeux tout écarquillés : « Ils ont un bar dans le fond de leur machin », dit-il. Plusieurs personnes abandonnèrent leurs Cherry Phosphates et leurs Green Rivers sur le marbre du comptoir et s'approchèrent de l'auto pour jeter des coups d'œil plus ou moins discrets vers l'arrière, et c'était vrai : la femme prépa-

rait des Tom Collins avec une cuillère d'argent à long
manche. Le chauffeur les regardait. Mais pas plus la
femme que l'homme ne semblèrent remarquer leur
curiosité. Ils retournèrent à Kandy Kitchen et reprirent leur place au comptoir, sirotant leurs boissons
non alcoolisées et branlant la tête. Un début d'après-
midi, un dimanche d'avril, et voilà des gens qui
buvaient dans la rue, un jour de Sabbat — à une
époque, remarquez bien, où les maris de Bristol défen-
daient encore à leurs femmes de fumer en public. La
femme avait dans les vingt-cinq ans et portait une
espèce de robe de tennis qui, presque autant que
l'auto, puait l'argent, une robe sans manches, ouverte
en V sur le cou, faite d'un tissu semi-transparent en
chiffon crêpe de Chine ou peut-être georgette qui
permettait au rose du bout de ses seins de transparaî-
tre. Non seulement elle ne portait pas de soutien-
gorge, mais elle n'avait très évidemment aucun dessous, d'une quelconque espèce. On ne décelait en elle
aucun indice de pudeur. Non qu'elle cherchât à se
faire remarquer, c'était ce qu'il y avait de plus extraordinaire dans son cas (car on se trouvait à la fin des
années vingt et beaucoup de femmes n'étaient pas plus
habillées qu'elle) elle semblait plutôt ne pas se rendre
compte que les curieux n'étaient pas loin. Elle avait les
cheveux châtains avec des mèches blondes, dorées par
le soleil, et sa peau douce et unie avait pris une teinte
café au lait. Elle se déplaçait lentement dans le style
des paresseux de naissance ; non qu'elle parût manquer d'énergie, bien plutôt elle semblait la conserver
pour quelque chose qui en vaudrait vraiment la peine
— le lit aurait dit la plupart des hommes, car cette
impression émanait d'elle très fortement comme une
sorte d'aura. Elle avait la bouche fardée outrageusement — aucun rapport avec le joli petit arc de Cupi-

don — et quelques taches de rousseur chevauchaient légèrement l'arête de son nez.

Elle finit de préparer les boissons, les agitant jusqu'à ce que les verres fussent bien givrés, puis elle lui toucha le dos de la main avec le fond glacé d'un des verres. L'homme hésita, ouvrit la main et prit le verre. Il ne la regarda pas, ne tourna même pas la tête dans sa direction : « A la vôtre », dit-elle en l'observant, et il leva le verre en ébauchant un geste presque élégant : « A la vôtre », dit-il. Le chauffeur continuait à suer derrière son volant.

L'homme avait l'air plus jeune que la femme, deux ou trois ans de moins peut-être. Lui aussi était bronzé, mais moins foncé, et il avait l'air vigoureux, athlétique ; il portait une chemise blanche à col ouvert, un pantalon léger de flanelle grise, des souliers en peau de daim avec des semelles de caoutchouc rouge et une montre-bracelet sans verre. Il avait les cheveux coupés en brosse comme une sorte de calotte duveteuse que dorait le soleil, et la même lenteur de gestes que la femme mais, dans son cas, cela ne semblait pas l'effet de l'indolence ou d'une conservation d'énergie : on aurait plutôt pensé à la prudence d'un otage entouré d'ennemis. Il avait de petits traits qui occupaient à peine un tiers de son visage comme si une main les avait pressurés sans pourtant leur causer de dommage. Sa bouche était petite, les deux coins dépassaient à peine les ailes du nez, bien que la lèvre inférieure fût charnue et presque pendante. De temps à autre, il la mordait entre les dents de sa mâchoire supérieure, petites, pointues et très blanches. Il avait les yeux gris clair et étrangement fixes.

Quand ils eurent fini leur boisson et que le serveur revint, la femme lui demanda le chemin du lac Jordan. Il lui indiqua en regardant à droite et à gauche, dans toutes les directions, sauf vers son corsage. Elle lui donna cinquante cents de pourboire : « ...ci, M'dame », dit-il. Il avait les dents aussi blanches que les prunelles. L'auto recula presque jusqu'à l'autre trottoir, vira à gauche en traçant un grand demi-cercle gris (en réalité, le métal commençait à avoir l'air de se ramollir), puis disparut. « Qui ça peut-il bien être des gens qui demandent comme ça le chemin du lac Jordan », se disaient les témoins de la scène, rangés le long du comptoir en marbre de Kandy Kitchen.

C'était Amy et Jeff Carruthers ; ils quittaient Bristol et se dirigeaient vers le sud accompagnés du chuintement du gravier sous les garde-boue. Puis l'homme dit brusquement :

— Comment est-ce ? Amy regarda les champs.

— Du coton. Partout rien que du coton.

— Nouveau ?

— Juste des petites lignes vertes. Des hommes qui labourent. Des Nègres.

— Ah ! dit-il, puis il cessa de parler. Sa réserve formait comme un mur derrière lequel il se cachait.

Ils avaient parcouru cinquante kilomètres. Au bout d'un moment : « Voilà l'eau », dit Amy ; le lac scintillait au soleil. L'auto tourna à gauche, suivit la route, à l'est, derrière un écran de cyprès où commençaient à pointer des bourgeons d'un vert tendre sur la pâleur de leurs branches. Jeff ne disait rien.

Ils demandèrent encore leur chemin à un poste d'essence. Un jeune homme d'une beauté presque saisissante leur indiqua la route pour se rendre à la propriété Tarfeller ; « Cinq kilomètres plus loin », dit-il et il décrivit la grille d'entrée. Il avait des ennuis avec ses yeux comme le serveur noir, mais il ne pouvait pas s'en cacher, et sa confusion se sentait dans sa voix. Jeff tourna la tête en l'entendant. Amy l'observait. « Continuez, Edward », dit-elle. Puis elle reprit à l'adresse de son mari : « Fallait pas t'en occuper. Il était laid comme les sept péchés capitaux, dit-elle. Là ! cria-t-elle, en se penchant en avant. A cette grille ! » L'auto stoppa. Les pneus grincèrent sur le gravier et le nuage de poussière qu'ils avaient soulevé les rattrapa et les recouvrit complètement. Puis la poussière retomba et Amy regarda la maison. « Grand Dieu, dit-elle, elle est hantée. Il ne peut pas en être autrement et quand je pense que c'est là où ils m'ont eue. » Jeff ne répondit rien. Le chauffeur restait assis. Des demi-lunes de sueur se dessinaient sous ses aisselles.

Elle voulait dire que c'était là où elle avait été conçue, fille unique après douze ans de mariage. En fouillant dans les papiers de sa mère, elle avait découvert ou tout au moins elle avait calculé qu'elle avait été conçue à Briartree quand ses parents y étaient venus pour un partage de biens à l'époque où sa grand-mère avait perdu l'esprit. Le retour à cette propriété lui plaisait comme une sorte de pèlerinage dans un lieu saint, la semence aveugle touchant au port. Je mourrai peut-être ici, pensa-t-elle car, bien que ne croyant pas vraiment à la mort — la sienne —, elle était superstitieuse et même sentimentale, jusqu'à un certain point.

— Tu veux descendre avec moi ?

— Si tu veux, dit Jeff.

Elle descendit la première, lui ensuite ; la main sur son poignet. « Attention ici », dit-elle. Quand elle poussa la grille, les flèches de charrue glissèrent sur le fil de fer et cliquetèrent. Ils entrèrent et suivirent l'allée avec sa double rangée de cèdres, vers la maison. Jeff avait toujours sa main sur le poignet d'Amy et il la précédait un peu de sorte qu'un ignorant aurait pu croire que c'était lui qui dirigeait la marche, qui la guidait. « Oh ! Jeff, Jeff, dit-elle au bout d'un instant, tu ne saurais croire combien tout est si perdu, si solitaire ! »

Les locataires de l'année précédente avaient quitté

les lieux lors de l'inondation et, quand l'eau s'était retirée, ils n'étaient pas revenus. Personne n'habitait la maison et on n'avait rien mis en œuvre pour faire disparaître les ravages de l'inondation. Des lianes et des mauvaises herbes recouvraient tout. Dix centimètres de vase s'étaient déposés sur les planchers du rez-de-chaussée devenus presque aussi durs que du ciment, quoique la surface en fût poudreuse et frémît au moindre souffle d'air. Sur les murs de la maison, des raies brunes qui allaient en pâlissant selon la distance qui les séparait du sol marquaient les différents niveaux de l'inondation. Il n'y avait pas un bruit, pas un mouvement. Un vieux chien, l'échine courbée, maigre et à demi-aveugle, mi-Walker, mi-Redbone et en partie sauvage, sortit de dessous la véranda, s'arrêta un moment pour les regarder, clignant ses yeux chassieux dans la lumière du soleil, puis fit demi-tour et retourna se cacher. Amy ne le mentionna pas (les chiens se trouvaient alors être un sujet tabou), mais elle fit une description rapide des lieux. « Des colonnes dont l'une écroulée, une remise — en ruine aussi — O Seigneur, Jeff, quel spectacle ! Nous sommes à des kilomètres de nulle part. On aurait pu tout aussi bien y trouver des macchabées. Quel héritage ! C'est bien ma veine. »

Elle disait cela d'un air naturel, dégagé, mais, tout en le disant, elle observait le visage de Jeff — surtout quand elle fit la remarque « à des kilomètres de nulle part. On aurait pu tout aussi bien y trouver des macchabées ».

— On voit combien l'endroit a pu être beau, bien sûr on pourrait le restaurer. Mais qui vivrait ici à des kilomètres de nulle part ? Elle se tut et le regarda, craignant d'être allée un peu trop loin.

— Oh ! toi, reprit-il, brisant le silence, et, tout d'abord, elle craignit qu'il ne lui eût damé le pion, qu'il n'eût compris ce qu'elle avait derrière la tête. Mais il s'était exprimé d'un ton un peu menaçant — ce qui la rassura.

— Ah ! cria-t-elle, comme si elle riait.

Ils continuèrent leur tour d'inspection. Amy parlait et Jeff écoutait « Très bien », finit-il par dire. Il s'arrêta pile en lui tenant le poignet.

— Tu peux te dispenser du boniment de vendeur. Je le ferai.

— Tu feras quoi ?

Il tourna la tête comme pour la regarder : « Qui crois-tu tromper ? » dit-il sèchement. Puis il l'insulta (les mots lui venaient aux lèvres, rapides comme des gifles) sans pour cela lui lâcher le poignet. Le soleil projetait des lueurs dorées sur la calotte duveteuse quand il branlait la tête tout en parlant. Puis il s'arrêta. Il s'arrêta presque soudainement : « Retournons à la voiture », dit-il.

Ils roulèrent sur le gravier dans la direction du nord et les petits cailloux tintaient entre les jantes :

— Est-ce que tu pensais vraiment que tu allais me tromper ? reprit-il en souriant et Amy souriait aussi maintenant, mais elle réussit à n'en rien montrer en répondant :

— Très bien. Ce sera comme tu voudras. N'est-ce pas toujours ainsi ?

Ils retrouvèrent Bristol puis remontèrent jusqu'à Memphis où ils s'entendirent avec un architecte et un paysagiste pour la restauration de Briartree.

L'argent provenait du tabac ; pas du côté récolte, mais du côté manufacture. Ils étaient originaires de Winston Salem et il y en avait à foison. Même Jeff, le plus jeune fils (comme le père d'Amy à une époque précédant celle où la croissante popularité des cigarettes avait donné un coup de fouet à leur fortune), pouvait compter sur quelque chose comme un million de dollars en son propre nom, après que les trois frères, issus d'un premier mariage de son père eurent reçu leur part. Cet argent était arrivé au bon moment pour lui donner tous les avantages : coûteuses écoles en Virginie — deux au total, car il avait été chassé de l'une quand un surveillant curieux avait trouvé dans son armoire une collection de revues pornographiques comme celle qu'on vendait dans les trains —, assez d'argent de poche pour attirer les camarades qu'il appréciait vraiment, et plus tard une série de torpédos de luxe et de week-ends hors saison à la plage. Sa mère était la seconde femme de son père. Elle avait été la gouvernante des trois premiers fils, et des relations charnelles avaient existé entre elle et son patron pendant des années. La première femme était une invalide. Elle ne s'était jamais remise de son dernier accouchement et, quand elle finit par mourir, la gouvernante, par le chantage, se fit épouser par le vieux Carruthers bien qu'en définitive, ce ne fût pas tant ses menaces qui l'effrayèrent — rien, en réalité, ne pouvait l'effrayer —, mais simplement le fait qu'elle l'eut pris à l'improviste, alors qu'il était désespéré car il avait beaucoup aimé sa première femme quoiqu'il l'eût trompée avec la gouvernante (« du moins, je ne chasse pas en dehors de chez moi », se disait-il en lui-même avec satisfaction, alors qu'un autre aurait pu dire avec une satisfaction égale : "Du moins, je ne la trompe pas ici, dans la maison"). La gouvernante cependant ne put jouir longtemps de son succès, car elle mourut lors de sa seconde grossesse, deux ans après son mariage. La troisième femme du vieillard était une actrice de Broadway ; il l'avait rencontrée pendant qu'il s'y trouvait à faire la bringue pour célébrer la mort de la gouvernante. Une Norvégienne aux yeux de rosée, originaire des prairies du Minnesota, qui affectait un air d'innocence. Elle se soutenait les seins pour les faire ressortir et plus tard elle se fit faire des injections de paraffine. N'ayant pas d'enfant elle-même, elle éleva Jeff. Il l'appelait sa *maman*, en accentuant la dernière syllabe. C'était tout le français qu'elle savait.

Bien qu'Amy eût presque trois ans de plus que Jeff (elle était née en février 1903 et lui en novembre 1905), elle était la fille du plus jeune frère du père de Jeff qui avait fait son droit et avait trouvé femme lors d'une visite à Noël dans le Mississippi, sa fille unique. Sa mère et son père étaient morts presque en même temps lors d'une épidémie de grippe deux mois avant l'armistice et Amy était venue habiter chez son oncle, le père de Jeff, pendant les périodes où elle n'allait pas à l'une ou l'autre des écoles de filles qu'elle avait fréquentées pendant son enfance et son adolescence ; ce qui, en vérité, revenait à dire qu'elle passait ses étés dans la maison près de Myrtle Beach. Elle ressemblait à sa mère — et indirectement, bien qu'elle ne l'eût jamais vue, à sa tante Berthe. Mince et tendue, avec des lèvres boudeuses et une abondante chevelure. Comme Jeff elle avait été chassée de l'école : deux fois, en fait, quoique jamais pour les mêmes raisons que lui. Simplement, elle s'emportait à la plus légère provocation et parfois sans qu'il y ait provocation du tout ; chaque professeur représentait *ipso facto* un ennemi. Sa mère mourut et, une semaine plus tard, ce fut le tour de son père : pendant toute la dernière semaine, il n'avait pas cessé de poser la même question, comme si, maintenant enfin, étendu sur son lit de mort, il avait fini par concevoir un certain sens de ses responsabilités. « Mon Dieu, que va-t-il arriver à Amy ? » Il prit la main de son frère, levant les yeux vers lui sur son lit d'hôpital. Ils n'avaient jamais été vraiment amis :

« Occupe-toi d'elle, Josh, veux-tu ? Veux-tu, Josh ? »
Il répétait cela sans cesse, même après que son frère lui
eut dit qu'il le ferait, et puis il mourut.

Amy vint à Myrtle Beach l'été suivant. Elle avait
seize ans. Jeff en avait treize, et, la nuit, il se cachait
dans les fourrés et la regardait elle et ses galants sur la
balancelle de la véranda. Le spectacle valait beaucoup
mieux que les revues auxquelles il ressemblait souvent
bien qu'en beaucoup plus triste et sans les exagérations. Il restait là, blotti, et regardait ; l'amoureux
finissait par se dégager, descendait les marches, frôlait
parfois Jeff, caché dans les fourrés, et, avec son talon,
il creusait un petit trou dans le sable pour y enterrer la
capote anglaise qui luisait plutôt malsaine dans le clair
de lune. Et cela continuait et Jeff était toujours là à
regarder. Puis, un soir, le petit ami téléphona qu'il ne
pouvait pas venir. Il fallait qu'il conduise sa mère à
Charleston. Il y avait quelqu'un de malade, ou quelque chose comme ça. Amy trouva cela très louche. Elle
était si furieuse qu'on pouvait s'attendre à n'importe
quelle énormité.

Alors Jeff prit sa place sur la balancelle. Il avait bien
étudié, en observant les autres. Ses mouvements
étaient osés, sûrs d'eux jusqu'à un certain point. Puis,
au moment critique, il fut pris de panique. Il était
terrifié et commençait presque à pleurer : « Tiens-moi,
tiens-moi », criait-il, et puis ce fut fini et il en resta tout
étonné. Comment, ce n'était que ça ? Puis graduelle-
ment, il prit conscience d'une espèce de petit rire
animal près de son oreille. Elle se moquait de lui. Il
comprit qu'elle n'avait pas cessé de rire et il avait
horriblement honte.

Il ne s'en remit jamais. Mais plus tard, tout au long
de ses années d'école et de collège, quand il se rappelait cet été-là, ce n'était pas le souvenir des brèves
périodes passées dans les bras de sa cousine qui lui

faisaient le plus plaisir. Après tout, elle s'était conduite beaucoup plus en professeur d'équitation qu'en amante, encore moins en jeune fille soumise. Ce qu'il se rappelait surtout, ce sur quoi il s'attardait, c'était ses longs moments où, blotti dans les fourrés, il l'observait avec les autres. Il lui semblait qu'en ces instants-là, il jouissait avec le plus de clarté, l'esprit moins obscurci par l'émotion.

Il y eut d'autres étés à Myrtle Beach, mais il ne fut plus jamais admis à de semblables intimités. Il n'y avait même plus jamais de séances sur la balancelle. Car elle s'était rangée — autant qu'il en pouvait juger. Cependant ils passaient tous les étés ensemble, partageant la même maison et cela avait ses conséquences. Il se tenait dans le couloir devant la porte de la salle de bains. Il écoutait le clapotis de l'eau, le plouf du gant de toilette savonneux. Le trou de la serrure était bouché par la clé de l'autre côté bien qu'Amy ne la tournât jamais. Deux étés plus tard, il prit son courage à deux mains et entra. Ses seins et son ventre étaient éblouissants de blancheur en contraste avec ses bras, ses jambes et ses épaules. « Sale gosse », dit-elle, debout près de la baignoire sans chercher à lever la serviette qui pendait toute lâche à son côté. Il restait là à regarder et soudain elle fit un geste assez rapide. Elle le frappa avec un des instruments qu'employait sa belle-mère pour se faire maigrir, un rouleau, et il tomba en arrière. Il l'entendit crier : « Sale gosse » à travers la porte violemment refermée. Et pourtant, malgré cette violence, Jeff eut l'impression qu'elle était bien plus amusée que choquée, et même alors elle ne tourna pas la clé.

C'était cela surtout qui le perturbait : le fait qu'elle semblait encourager ses avances et même qu'elle lui laissait prendre des libertés jusqu'au moment où elle se tournait vers lui avec violence ou en riant. Il ne savait pas ce qui était pis, le rire ou les coups. Il y avait quelque chose de terriblement peu viril d'être ainsi l'objet de l'une ou l'autre de ces réactions. Mais il attendait avec impatience le moment où il pourrait lui rendre la monnaie de sa pièce, où il pourrait lui rire au nez ou la frapper selon les cas. Ainsi pensait-il déjà au mariage.

L'année suivante, il entra à l'université d'État de Chapel Hill. Cela semblait vraiment dommage de gaspiller la formation qu'il avait reçue dans des écoles préparatoires coûteuses et fermées pour aboutir à cette institution démocratique, mais il n'avait vraiment pas le choix. Tous les hommes de la famille Carruthers y étaient allés, à commencer par le grand-père, le fondateur de la fortune. Il en avait parcouru du chemin, ce patriarche qui plus tard avait fait pendre son portrait au-dessus de la cheminée dans le noble salon, en jaquette et col empesé, et qui avait fait dessiner et graver ses armoiries dans la pierre au-dessus de l'entrée des voitures. Il avait réussi grâce à son travail, servant à table dans les réfectoires, faisant les lits dans les dortoirs à vingt *cents* le lit chaque semaine. Vu l'époque et l'endroit, la Caroline du Nord, au début des années 80, il n'eut pas de peine à choisir une carrière. Il se lança dans le marché du tabac. Par la suite, quand son ascension commença, il arrivait qu'un de ses camarades de classe entendît prononcer son nom et dît alors avec un sourire moqueur : « Josh Carruthers ? Je me le rappelle. Il faisait mon lit tous les jours à Old East. » Plus tard, quand il fut devenu puissant et que cette remarque lui était rapportée, accompagnée du nom de ceux qui l'avait faite, il s'arrangea à en ruiner quelques-uns financièrement et en général personne ne le soupçonna.

Jeff cependant ne servait pas à table et ne faisait pas les lits, même pas le sien. Il fut membre d'une bonne fraternité et devint un héros au football — cela bien qu'il n'eût jamais été « athlétique », n'eût jamais aimé les jeux de plage qui faisaient partie des vacances d'été, n'eût jamais pratiqué de sport dans aucune des écoles préparatoires et eût évité en fait tout effort physique quel qu'il fût. Le football était une manifestation de la fureur et de la frustration des trois mois passés chaque année près de Myrtle Beach dans la même maison qu'Amy, accroupi devant la porte de la salle de bains, à écouter le clapotis de l'eau, le plouf du gant de toilette, ou debout sur la véranda, dans l'obscurité naissante à la regarder partir en roadster découvert avec une série de jeunes gens, ou, couché dans son lit, tendu, les yeux grands ouverts, à attendre les premières heures du jour, quand les pneus de la voiture chuchotaient dans l'allée, s'arrêtaient sous la porte cochère, exactement sous sa fenêtre et qu'il les entendait parler à voix basse, ou, pis encore, rester silencieux puis s'embrasser et se souhaiter bonne nuit — elle remontait alors, ses souliers à la main et entrait dans la chambre voisine où il entendait le frou-frou de ses vêtements à mesure qu'ils tombaient et le soupir plaintif du sommier quand elle s'étendait, détendue et prête au sommeil. Tous les ans, en septembre, il rapportait ces souvenirs à Chapel Hill et essayait de les oublier sur le terrain de football, de se venger sur l'équipe adverse, aussi bien pendant l'entraînement en semaine que lors des matches du samedi. Ce qui lui manquait en poids (ce n'est qu'à la fin de sa quatrième année qu'il parvint à atteindre soixante-quinze kilos) il le compensait en fureur et en indifférence à l'égard des blessures. Il savait bien trouver les failles mais, quand il n'en voyait pas dans lesquelles il pût s'engouffrer, il fonçait dans la ligne comme s'il recherchait l'autodestruction et il brisait la chaîne de chair. Il avait alors le champ libre. Les spectateurs devenus une masse de bras et de drapeaux dans la tribune principale hurlaient son nom. Pendant un moment, il connaissait une illusion de liberté, la joie d'avoir enfin trouvé le soulagement. Mais une fois l'essai marqué, la fureur dans la grande tribune calmée, à l'exception de quelques cris perçants comme des jappements de chiens qui ont repéré une odeur, il se trouvait en ligne pour un autre coup d'envoi ; la chaîne de chair s'était reconstituée.

Son père était enchanté (mais nullement surpris ; il voyait dans les prouesses au football de son fils une preuve des qualités héritées de sa mère, la seconde femme, la gouvernante), enchanté à un tel point qu'il lui offrit une roadster Bearcat pour aller avec le manteau de ragondin que Jeff s'acheta lui-même. Il était devenu quelqu'un sur le campus ; des étudiants s'arrêtaient dans les allées en se rendant au cours et ils le regardaient ; on se le montrait du doigt et il fit un bien inouï à son club. Il soupçonna même un changement en Amy. Elle avait joint sa voix à celle des spectateurs qui vociféraient dans la tribune principale. Elle les avait entendus hurler son nom (c'était aussi le sien) et peut-être avait-elle ajouté du volume au chœur, encore qu'il en doutât un peu. Quand elle venait pour les week-ends avec d'autres hommes, Jeff croyait parfois qu'elle le regardait avec des yeux différents — pas tendres, mais différents — et il pensait que son heure était peut-être venue ; il allait pouvoir se déclarer. Mais, de nouveau, ce serait l'été, les longues journées brûlantes, et il resterait étendu dans l'obscurité familière, tel un moine, sur son lit étroit. Il l'entendrait sous la porte cochère, avec d'autres hommes, ses pieds nus sur les marches, le frou-frou de ses vêtements quand elle les enlèverait... et les nerfs lui manqueraient. Auréolé de sa nouvelle dignité, de ses prouesses au football et des ovations de la foule, il craignait plus que jamais une scène qui l'exposerait au ridicule ou à la violence.

Il termina son éducation par une année à l'Harvard Business School. Durant cette période, les week-ends étaient les plus mémorables. Jeff chargeait sa voiture le vendredi et partait, les ailes couvertes de jeunes gens comme lui, pour la plupart d'anciens athlètes, aux torses exagérément développés et aux grosses cuisses et qui (comme lui) passaient une dernière année de jeunesse avant de travailler dans les affaires de leurs pères, et de s'installer derrière des bureaux où leurs ventres et leurs pectoraux s'affaisseraient sous l'accumulation d'années passées à ne rien faire. *Luba's* était leur club favori dans le bas de la ville, à Greenwich Village, lieu de rendez-vous des pédérastes, des lesbiennes et des gens qui venaient les regarder. A l'apogée du spectacle, un homme à peau claire et pesant quatre-vingt-dix kilos se dressait sur la plante des pieds, portant suspensoir et cape doublée de soie ; il affichait un sourire qui, sous les projecteurs, ressemblait à une grimace. Les jeunes athlètes, Jeff parmi eux, s'asseyaient à une petite table ronde, un peu serrés dans leur smoking qu'un an loin du terrain de football avait déjà rétréci à la taille et sous les bras, et ils frappaient avec de petites baguettes pour se moquer des acteurs qui répondaient par des regards où se mêlaient le mépris, le désir, l'insulte et l'invitation. « Vous feriez bien de faire attention », leur dit un jour une jeune fille assise à une table voisine. « Ils finiront pas vous jeter un sort. — Un quoi ? — Un sort. Ils pointent leur doigt vers vous, ils récitent une espèce de poème et ça vous fait devenir comme eux. » Incrédules, les jeunes gens riaient. Mais cela les fit réfléchir et ils furent plus prudents dans leurs sarcasmes à partir de ce jour-là.

L'année à Harvard se termina. Jeff reçut sa récompense. Un voyage de six mois en Europe dont la principale attraction était de voir Joséphine Baker danser en costume de peau brune et de bananes. Au retour, il se lança dans une aventure amoureuse de bateau avec une jeune fille de Boston qui allait faire ses débuts dans le monde l'année d'après ; une frêle petite blonde avec des jambes et des bras menus et des clavicules proéminentes, accompagnée par son père et sa mère. Le père était magistrat. Elle avait une façon de parler très précise qui ne permettait ni élisions ni contractions. Ses g à la fin des mots semblaient exagérés, ce qui arrive toujours quand on se donne la peine de les prononcer. Ses muscles étaient longs, quoique peu développés, hérités des passagers du *Mayflower*. Jeff se crut peut-être amoureux — la fragilité l'avait séduit, mais le dernier soir, elle s'échappa de sa cabine et il la posséda toute habillée sur une chaise de pont. Ce fut brusque et maladroitement fait, vraiment pitoyable, et quand tout fut terminé, elle pleura sur son épaule, lui barbouillant le col de son rouge à lèvres : « Oh ! Seigneur, oh ! bonté divine, oh ! Seigneur, oh ! bonté divine » sanglotait-elle ; et il pensait : « Bon Dieu », en la comparant à Amy. Le lendemain matin, il se hâta de débarquer et il ne la revit jamais, bien que deux ans plus tard il apprît qu'elle venait d'épouser un jeune politicien, l'espoir des républicains dans la partie montagneuse du pays.

A cette époque cependant, il avait ses propres ennuis. Il revint en Caroline, bien décidé à se marier. Amy était la seule qui eût vraiment compté et compterait jamais, et il le savait. Il attendit une semaine, toujours dans la maison d'été près de Myrtle Beach. Alors, il lui fit sa demande, retenant sa respiration dans l'attente de sa réponse. Ils étaient seuls sur la balancelle de la véranda, car on se trouvait à l'heure de la sieste. Le soleil se reflétait, éblouissant sur le sable, cimetière des capotes anglaises.

— Épouse-moi, dit-il. Et il attendit.

— D'accord, fit-elle.

Il poussa un soupir de soulagement. Ce n'était donc pas plus difficile que cela ? Il alla alors demander sa main à son père.

Mais le père protesta. C'était un vieil homme encore vert, avec un nez protubérant et une houppe de cheveux blancs comme une crête de cacatoès :

— Mais nom de Dieu, mon petit, c'est ta cousine. Est-ce que tu nous prends pour des montagnards ?

— En Angleterre, ça se fait.

— Nous ne sommes pas en Angleterre.

— Pourtant...

Il avait pris sa décision, son père le savait. De plus, sa belle-mère, l'ancienne étoile de café concert qui maintenant avait recours aux injections de paraffine, était terriblement jalouse d'Amy. Alors le vieux Carruthers dit : « Bon, ça va », tout pourvu qu'il eût la paix. Le mariage en juin 1927 fut le plus imposant dans l'histoire mondaine de Winston-Salem. Parmi les garçons d'honneur, il y avait deux garçons que Jeff avait observés un été sur la balancelle de la véranda à Myrtle Beach, une huitaine d'années auparavant.

Les querelles commencèrent presque aussitôt. En un mois de mariage, Jeff apprit bien des choses sur lui-même qu'il n'avait jamais soupçonnées, dont certaines qu'il s'obstinait à refuser d'admettre. Et son sentiment de ne pas être à la hauteur prit la forme habituelle. Il devint violemment jaloux. Néanmoins, ce qui pourrait sembler paradoxal, il ne s'opposait pas vraiment aux infidélités d'Amy. En fait, il les désirait à condition qu'elle le laissât regarder. Mais comment lui dire ça ? Pendant toute cette période également, il essayait de s'initier aux mécanismes du marché du tabac et de prendre conscience de sa propre dignité. Il commença à penser que, toute sa vie, de quelque côté qu'il se tournât, on lui demanderait d'accepter plus qu'il n'en pourrait supporter. Du reste, bien qu'il n'arrivât jamais à lui rire au nez, comme elle l'avait fait (et continuait à le faire), il exécuta au moins la moitié de ce qu'il s'était promis d'accomplir une fois marié : il la battait. Mais, malheureusement, elle ripostait. Et fort bien du reste — car elle saisissait toutes les armes qui pouvaient lui tomber sous la main : lampe de table, ciseaux à ongles, soulier à talon pointu, boîte de poudre grande ouverte, et, un jour, la poche en caoutchouc de son irrigateur. Amy, armée ainsi, mari et femme se trouvaient à peu près à égalité.

Et cela continua ainsi en querelles perpétuelles. Bien plus, cela empira. Puis une nuit quelque chose arriva. Ils étaient au *Country Club* et on dansait. Pendant toute la soirée, une dispute avait mijoté. Jeff assis à leur table observait Amy qui, à l'autre bout de la salle, dansait avec un nommé Perkins, un célibataire. Il ne pouvait pas très bien les voir — d'autres couples s'interposaient, mais il remarqua que l'homme avait placé son genou entre les genoux de sa femme qui semblait y prendre goût et répondait à la pression. Puis ils changèrent de position et il vit aussi que Perkins avait glissé le bout de son doigt dans la fente de la jupe, ce qui était ou n'était pas fortuit. Jeff se leva et se dirigea vers eux, se faufilant entre les couples de danseurs. Quand il fut assez près pour pouvoir les toucher, il s'arrêta et les regarda. Ils fermaient les yeux et se mouvaient à peine. D'autres couples s'arrêtèrent de danser pour les regarder aussi, amusés et curieux de voir la suite. Jeff alors prit le bras d'Amy et le tira d'un coup sec. Elle pirouetta et se trouva face à face avec lui. Perkins resta un instant sur place avant de s'éclipser dans la foule : « Allez chercher votre manteau », dit Jeff. Il se retourna et dévisagea les curieux. Comme Perkins, ils restèrent plantés là un moment, pensant à la fortune des Carruthers, aux prouesses de football, à la sainteté du mariage, puis, également, comme Perkins, ils s'effacèrent, reprirent en mesure les frottements des pieds et les entrelacements qui, dans la seconde moitié de 1927, passaient pour de la danse. « Allez chercher votre manteau », répéta Jeff.

Elle obéit. D'habitude, elle se rebiffait, surtout quand il y avait des témoins, mais cette fois elle obéit. Jeff l'attendit à la porte : « Tu ferais bien de te couvrir », dit-il rudement quand elle sortit des lavabos, son manteau sur le bras. On était en octobre, les premiers jours froids. Mais elle ne répondit rien. Elle le frôla, le menton en l'air et marcha devant lui jusqu'à l'allée. Dans l'auto, elle s'assit le plus loin possible, tenant son manteau sur ses genoux.

La roadster sortit de l'allée à vive allure. Jeff avait fait un seul geste de conciliation en lui conseillant de mettre son manteau : elle avait refusé et maintenant il était prêt à se battre. Dans son esprit, pour quelque raison, ce refus l'avait mise encore plus dans son tort : « Oh, toi ! » dit-elle, et rien de plus. Il montait une côte derrière un camion, approchant d'un tournant sans visibilité, furieux d'être retardé. Finalement, à bout de patience, il donna un coup de volant à gauche et entreprit de contourner le camion. Il tourna la tête vers elle et entama le sermon qu'il avait préparé.

— Tu te figures que je n'ai pas vu ce qu'il faisait Perkins ? Tu crois peut-être que je suis aveugle ?

— Fais attention, dit Amy.

Elle dit cela incidemment, comme elle aurait dit autre chose, et lorsqu'il regarda à nouveau devant lui, c'était déjà trop tard. Un autobus venait d'apparaître au tournant et fonçait sur eux. Jeff accéléra pour doubler le camion, coupa à droite, et réussit presque.

Il y eut un bruit à l'arrière. C'est à peine s'ils ressenti-
rent la secousse quand les deux pare-chocs se heurtèrent. La voiture vira à gauche puis à droite, pencha sur
le côté et fonça dans une petite clôture en bois blanc
qui couronnait le sommet d'un tertre. Tout se passa si
vite que leur cerveau n'aurait pu concevoir la succession des événements ; néanmoins, on avait l'impression d'un mouvement au ralenti. Les extrémités cas-
sées des barreaux traînaient derrière comme les bouts
d'un fil et soudain le pare-brise s'orna d'une énorme
étoile dentelée.

Amy ne perdit jamais connaissance bien qu'elle
restât plongée un moment dans un étonnement presque similaire. Quand elle reprit pleine conscience, elle
s'aperçut qu'elle avait mouillé sa culotte — ce qui,
après un instant de surprise dégoûtée, la soulagea : elle
avait cru tout d'abord que c'était du sang. Puis elle vit
Jeff : « Jeff », dit-elle. Il avait une coupure au front
qui pénétrait jusque sous les cheveux. Le rétroviseur
l'avait atteint. Un éclat de verre lui sortait de la tempe,
net et sans une goutte de sang, comme s'il y avait été
enfoncé avec un maillet par un spécialiste. Puis elle
leva les yeux et aperçut le chauffeur du camion debout
au sommet du petit tertre : « Y a des blessés, là, en
bas ? », demanda-t-il. Il se pencha et regarda prudemment. Il parlait presque sur le ton de la conversation. Amy se mit à geindre.

Jeff s'éveilla dans l'obscurité puis se rendormit. La
seconde fois qu'il se réveilla, il entendit quelqu'un
respirer près de son lit. La pièce était sombre. Il porta
la main à sa tête et partout où il se touchait il y avait
de la gaze et du sparadrap. Un sac lui recouvrait tout
le haut de la tête : « Qui est là ? », dit-il. Une voix
répondit que c'était son infirmière. Il se rendormit et
se réveilla dans une obscurité complète. Il eut un
moment de panique. Une nuit ne durait jamais tant. Il

se rappela alors le bandage : « Qu'est-ce qu'on m'a fait ? », demanda-t-il. Cet après-midi-là, l'infirmière quitta la pièce et resta absente cinq minutes ; lorsqu'elle rentra, elle trouva Jeff assis tout droit dans son lit, le bandage relevé sur le front. « Est-ce qu'il fait noir ou quoi ? », s'écria-t-il, tournant les yeux de tous côtés, et cela dans un soleil lumineux. L'infirmière accourut vers lui : « Qu'est-ce qu'elle a fait ? Qu'est-ce qu'elle m'a fait ? »

L'infirmière appela le docteur qui arriva et prescrivit un sédatif ; il ne pouvait pas faire autre chose, maintenant que l'opération avait montré ce qui était arrivé. Comme il l'avait dit au père de Jeff, l'éclat de verre du pare-brise, long et pointu comme une aiguille à tricoter avait pénétré profondément dans le cerveau, là où les nerfs optiques se croisaient, et ils avaient été sectionnés.

Quinze jours plus tard, on le ramena chez lui. Tout d'abord, il prétendait distinguer des lumières mouvantes, mais c'était le produit de son imagination. Amy n'avait pas bougé : elle soignait une entorse à la cheville. Bien qu'elle ne se reprochât jamais l'accident, elle avait pitié de lui. Il était pathétique avec ses petites touffes de cheveux qui repoussaient autour des cicatrices, et il montrait cette étrange combinaison d'angoisse et de réserve qui caractérise les aveugles. Elle faisait ce qu'elle pouvait. Jamais elle n'avait été aussi tendre, et, au lit, maintenant c'était toujours elle qui faisait les avances. Mais jamais il n'y avait de réaction, aucune résurrection de la chair : « Ce n'est pas amusant dans le noir », disait-il, et elle voyait ses yeux pleins de larmes briller dans le clair de lune. Elle avait vraiment pitié de lui — même elle — car que peut-il y avoir de plus pitoyable qu'un voyeur dans le noir ?

Ainsi Briartree fut-il restauré, et, à la fin de juillet, trois mois après leur première visite, Jeff et Amy revinrent dans la grande voiture de ville grise, suivis cette fois par deux camions de meubles et une charretée de domestiques. Ils passèrent Bristol sans s'y arrêter, en descendant vers le sud, de Memphis jusqu'au lac Jordan : un peu moins de deux cent cinquante kilomètres de gravier sinueux — à cette époque, c'était presque aussi loin par la route que par le fleuve — et ils s'installèrent dans la remise qui avait été transformée en chambres de domestiques et en garage. Maintenant l'architecte et le paysagiste se trouvaient déjà très avancés dans leur travail et au bout de six semaines Jeff et Amy purent emménager dans la grande maison. Elle était plus impressionnante à présent que lors de sa gloire originelle car ce qui semblait ruine et dévastation n'avait été qu'une affaire de poussière et de saleté, de vandalisme çà et là, de dommages superficiels — des rampes détruites par exemple et qui avaient servi de petit bois à une génération de locataires. Tout cela fut aisément remplacé. En fait la maison restait aussi solide qu'en 1857 au moment de sa construction par le premier Tarfeller. Les murs étaient faits de briques travaillées par les esclaves, épaisses de quinze centimètres. Les planchers de chêne demeuraient encore très bons : « Écoutez-moi ça », disait l'architecte en frappant du doigt une planche ou un tirant. « On savait bâtir dans ce temps-là. » Amy souriait fière et possessive. Pour elle, la maison représentait une espèce de talisman, l'accomplissement d'une destinée ; elle se cramponnait à cette image de la semence aveugle touchant au port.

Elle avait reçu la nouvelle de son héritage huit jours après que Jeff fut rentré de l'hôpital, en novembre de l'année précédente. Sa tante était morte en septembre. Au cours des quatre ou cinq mois suivants, un concours de circonstances l'avait poussée à se rendre sur place. Outre les aspects sentimentaux, superstitieux et purement romantiques, il y avait des considérations pratiques. Tout d'abord sa liaison avec Perkins était à son apogée et commençait maintenant à faiblir, du moins en ce qui concernait Amy. Un mois après l'accident, elle était descendue en ville faire des courses. Elle garait sa voiture quand Perkins vint à passer. Il descendit du trottoir. Il avait un air sérieux et sombre. Il s'appuya sur le marchepied et se pencha, posant les deux mains sur la portière : « Comment va Jeff ? » Elle le regarda en se rappelant la façon dont il s'était éclipsé dans la foule. « Pousse-toi », dit-il. Elle le regarda encore un instant sans répondre. Puis elle se poussa. Il ouvrit la portière et s'assit au volant, débraya tout en faisant sa marche arrière et en appuyant plus ou moins nerveusement sur le démarreur. Il avait vingt-cinq pour cent des parts dans un pavillon de tir abandonné maintenant, et c'est là qu'ils allèrent ; ils y allaient souvent. Cependant, au bout de la sixième semaine, non seulement il commençait à être ennuyeux mais il y mettait une insistance toute particulière.

Cette considération avait son importance. Et puis, et c'était aussi romantique que le reste, Briartree représentait la seule chose qu'elle eût jamais possédée en propre. Tout en dehors lui avait toujours été plus ou moins prêté ; enfin semblait-il. Alors que ceci était bien à elle, lui appartenait par le sang ; c'était le seul bien qu'elle avait gagné à être en bons termes avec sa mère. Elle désirait aussi changer d'atmosphère, non seulement s'éloigner de Perkins qui ne se décourageait pas, mais de tout. Elle sentait que sa vie avait atteint un stade nouveau et important, un tournant décisif. Et puis il y avait aussi l'incident du chien.

Ce chien lui avait été offert à Noël par le père de

Jeff : une chienne de berger pour aveugle, de couleur fauve clair, le museau long, les oreilles droites avec des yeux bruns foncés, tachetés d'or. Elle éprouva sinon de l'aversion, du moins de l'indifférence pour Jeff alors que, comme tous les animaux, elle s'attacha immédiatement à Amy. Si Jeff quittait son fauteuil, la chienne couchée en rond sur le tapis, aux pieds d'Amy l'observait, ne remuant que les yeux. S'il claquait des doigts, elle ne bougeait que lorsque Amy lui parlait. Alors elle se levait et permettait à Jeff de la tenir par son collier. Puis un jour, Amy revint d'un rendez-vous avec Perkins — et elle les trouva tous les deux dans la bibliothèque, la chienne d'un côté, morte, bien qu'il n'y eût aucune trace de sang, et Jeff, de l'autre côté, caché à demi sous la table, haletant, les yeux fous, saignant et secoué d'un rire hystérique.

Dès qu'elle les avait laissés seuls, Jeff et la chienne, il avait claqué des doigts pour la faire venir et elle n'avait pas bougé, bien qu'il l'entendît respirer à l'autre bout de la pièce. Finalement dans son courroux, il la saisit à la gorge, quand il l'eut trouvée, et appuya ses pouces sur le larynx. Alors il s'aperçut qu'il avait été trop loin. Elle jappa, toute hérissée de colère et lorsqu'il la serra plus fort, elle se débattit et tenta de le mordre : ses crocs lui lacérèrent les avant-bras. Il n'y avait plus rien à faire sinon serrer plus fort, car il craignait de la laisser s'échapper. Elle lui mordit les poignets et les avant-bras et lui lacéra les cuisses de ses griffes. Pendant un moment, tous les deux restèrent immobiles, marquant un temps, les yeux dans les yeux ; les coins de la gueule du chien étaient retroussés en une sorte de grimace, alors que le visage de l'aveugle révélait un mélange de terreur et d'exaltation. Puis ce fut terminé. Il desserra son étreinte. La chienne était morte. Énervé, il se retira jusqu'au fond de la pièce, rampa à demi sous la table et se mit à pleurer, mêlant ses larmes au sang qui lui couvrait les poignets et les bras : « Dieu te damne », hurlait Amy, à genoux près du chien, « Dieu te damne. J'aurais pourtant dû m'en douter. » Et il n'avait pas d'excuse, il se rappelait son exaltation autant que sa terreur.

Depuis leur enfance, leurs relations avaient toujours été étranges. Jeff faisait tout suivant des plans, des calculs et des subterfuges ; mais Amy n'agissait que par instinct. Dès le début, elle avait toujours su ce qu'il ressentait et même où ses sentiments l'entraîneraient. Mais elle ne préparait jamais de plans à l'avance, elle ne s'inquiétait jamais outre mesure du résultat. Elle n'avait jamais essayé de lui tendre des pièges, pas même le jour où elle lui avait permis de remplacer quelqu'un sur la balancelle. Elle faisait tout par instinct. Cela lui donnait un certain avantage dans cette guerre des nerfs qu'était, en réalité, leur façon de se faire la cour. Pendant les dernières années avant leur mariage, les années qu'il avait passées à Harvard et en Europe, elle avait attendu qu'il parle, elle s'était même un peu demandé pourquoi il tardait à le faire. Puis, aussitôt qu'il lui eut demandé de l'épouser — au début d'un après-midi où la lumière du soleil faisait resplendir le sable de la cour et qu'il lui parlait comme s'il lui avait lancé un défi, s'adressant à elle exactement comme il se serait adressé à un homme : « Sors dans la rue si tu as envie de te battre » — elle accepta, comme elle savait très bien qu'elle le ferait, sans aucun calcul : elle prenait les choses comme elles se présentaient. Ce n'était pas tellement l'argent qui l'attirait que son désir de ne pas changer de vie, bien que naturellement l'argent ne fût pas étranger à l'affaire, pas plus que les étés à Myrtle Beach. Un mariage avec un autre que Jeff eût signifié une sorte de déchirement qu'elle voulait éviter à tout prix. Elle était, avant tout et par-dessus tout, en proie à l'inertie.

Mais la mort du chien amena un changement. Elle en voulait vraiment à son mari maintenant — non pas avec une réelle intensité mais jusqu'à un certain point — ce qui n'était jamais arrivé auparavant, pas même lorsqu'elle avait pris conscience que son lit conjugal aurait désormais une allure de cirque, pas même lorsque, après l'accident, elle se trouva harnachée avec un aveugle. Cela présentait des avantages : elle pouvait se dire qu'elle ne l'abandonnait pas, et c'était vraiment avantageux quand une affaire comme celle de Perkins survenait. Mais le chien, la mort du chien : « ça, c'était une chose terrible ».

« Elle m'avait attaqué. » C'était vrai. D'un certain point de vue, c'était vrai. La chienne s'était défendue et il avait cru qu'elle l'attaquerait s'il la lâchait. Amy ne le croyait pas cependant.

« Oh, toi ! »

Ainsi leurs relations entrèrent dans une phase nouvelle, caractérisée par l'hostilité, jour et nuit. Bien sûr, ils avaient toujours passé leur temps à se chamailler. Il y avait eu les luttes de gladiateurs au cours desquelles elle s'emparait de la première arme qui lui tombait sous la main pour faire taire leurs dissensions. Mais ce genre de combat relevait presque du sport : cela semblait la seule façon naturelle de clore leurs disputes, tout comme on prétend que la guerre est la continuation de la politique, de la diplomatie. Maintenant c'était une affaire de mort, avec un aspect de combat sans merci et, pour la première fois, elle commença à faire des plans pour l'avenir, à calculer. De plus en plus, son esprit se tournait vers Briartree dont elle avait hérité. Elle savait que Jeff aussi voulait partir, voulait *la* faire partir. En outre, Perkins était vraiment devenu impossible, la pelotant dans la même pièce que Jeff qui tournait les yeux de tous côtés et semblait dresser l'oreille à chaque bruit de baiser. Alors, pour la première fois, Amy dressa des plans, sachant que le point sur lequel il convenait d'insister était la tristesse de cette plantation dans le Mississippi, l'idée qu'il la retirait du monde.

Ils firent le voyage en avril et elle agit en accord avec ses plans : « Tout est si perdu, si solitaire », dit-elle, et Jeff acquiesça, bien qu'il y vît clair dans son jeu. Elle avait très bien calculé. Ils revinrent en juillet pour surveiller les progrès de la restauration, et maintenant ils habitaient la maison dans toute sa nouvelle gloire qui surpassait l'ancienne. Elle était la maîtresse, la châtelaine, « Old Miss », qui succédait à toutes les autres femmes mortes maintenant depuis plus d'une génération, celles qui faisaient marcher la maison (et d'autres comme celle-ci tout le long du lac), qui brandissaient l'efficacité comme un muletier son fouet, portaient des vêtements qui les recouvraient hermétiquement, tels une armure, et qui néanmoins arrivaient, lacées et baleinées comme elles l'étaient, non seulement à rester sveltes et tendres, mais à porter aussi un grand nombre d'enfants dans leur sein et à les élever conformément à la formule d'après laquelle la vie était simple, parce que l'indécision ne l'obscurcissait pas. Amy était la maîtresse et Jeff était le maître. On l'aurait appelé « Maître Jeff » dans les temps lointains, à l'époque où vivaient les hommes qu'il remplaçait, les hommes qui avaient occupé ces terres au temps de Dancing Rabbit, qui les avaient travaillées, y avaient construit les maisons parsemées sur les rives ombragées de cyprès du lac Jordan, qui vivaient dans un but unique, mis à part quelques distractions éventuelles : poker, chasse et whisky, tels des prêtres dont le culte eût été le coton. La maison n'était ni la plus vieille ni la plus grande, mais c'était celle qui se trouvait maintenant dans le meilleur état. Elle était la plus majestueuse. L'argent des Carruthers personnifié par l'architecte, le paysagiste, les serviteurs de Caroline en avait fait le joyau du lac.

Ils firent bientôt partie du *Bristol Country Club* et devinrent un des couples habituels des bals de fin de semaine. Jeff avait renâclé. Il ne voulait être membre d'aucun club, ni « chez eux » (autrement dit en Caroline), ni ici dans le Delta. Mais Amy, en se tournant vers lui, lui lança avec fureur :

— Après tout ce que j'ai sacrifié pour toi !

— Pour moi ! Il plissa sa petite bouche épaisse.

— Descendre dans ce pays damné, à l'autre bout du monde, ce *nulle part* !

— Pour moi ! Et moi, à quoi est-ce que j'ai renoncé pour toi ?

Ils se turent. Aveugle, il la dévisageait et elle recula. Il reprit froidement :

— Où serais-je maintenant et qu'est-ce que je ferais si tu n'avais pas été te trémousser sur une piste de danse avec ce Perkins ?

— Je t'avais dit de faire attention, murmura-t-elle sur la défensive. Je t'avais dit que cet autobus venait de prendre le tournant, hurla-t-elle en essayant de reprendre l'offensive. Mais non, oh non, il a fallu que tu...

Mais il l'interrompit :

— *Moi*, cria-t-il. Pour *moi* ?

Ils finirent par se raccorder néanmoins. Comme toujours. Amy avait gagné tout en ayant l'air de céder :

— Très bien, comme tu voudras. N'est-ce pas toujours ainsi ?

Les samedis et dimanches soir, la longue voiture grise stationnait au milieu des Ford et des Chevrolet, comme si elle avait fait des petits sur le gravier à côté du club. A l'intérieur, l'orchestre de cinq noirs jouait du jazz : *Button up your over coat, I'll Get By* et *That's my weakness now* mêlés à des morceaux qui existaient avant et continueraient à exister après : *San, Tiger Rag* et *High Society*, tandis que les planteurs et les banquiers, les docteurs et les avocats, les cultivateurs de coton et les marchands s'exhibaient en initiant leurs femmes respectives aux arcanes du Charleston, du Black Bottom, du Barney Google, ou bien reculaient pour regarder une dame exécuter un solo, improvisant, jouant de la tête et des hanches, se mouillant les pouces et roulant des yeux, selon les règles du rituel, désespérément cramponnée à la queue de l'âge du jazz — si désespérément, si frénétiquement en fait, qu'une personne qui se pencherait sur cette époque pourrait presque croire qu'ils avaient prévu la dépression, Roosevelt, et une autre guerre et qu'ils dansaient ainsi, tel des Cassandre, dans une frénésie de désespoir.

Jeff et Amy participaient à tout ceci, bien que jamais avec l'optique des gens du pays. Ils n'étaient pas des indigènes. Ils venaient d'ailleurs. Ils étaient des étrangers qu'on distinguait à une espèce de vernis cosmopolite qui leur permettait de s'adapter sans pour autant s'assimiler. Même leurs façons de boire les mettait dans une catégorie à part. Les gens du Delta ne buvaient que du whisky de maïs et du Coca-cola ; le gin était du parfum, le scotch avait un goût de bois brûlé. Ils regardaient Amy avec des airs pincés quand elle préparait ses étranges mixtures : Pink Ladies, Collinses et Whiskey sours ; ceux qui essayaient, finalement persuadés, en buvaient un peu du bout des lèvres, frissonnaient et mettaient leur verre de côté : « Merci — légèrement choqués, minaudant — je préfère m'en tenir au bourbon. »

D'autres différences existaient. La cécité de Jeff, par exemple, avait quelque chose de gênant. Il tournait les yeux vers celui qui parlait en tordant sa bouche épaisse si absurdement petite, puis, brusquement, il se refermait en lui-même, comme s'il avait poussé un interrupteur ou avait des rabats insonorisants sur les oreilles telles les chauves-souris. Et les voix parlaient ainsi dans le vide, se perdaient dans le lointain, et les gens se regardaient embarrassés, mal à l'aise. Il y avait aussi cette atmosphère d'argent, de valeurs bordées d'or, de coûteuses écoles préparatoires et de collèges, et toute la variété également des barrières qui séparent les gens aisés des gens riches et les gens riches des gens très riches. Bien qu'on ne les oubliât jamais, on arrivait quelquefois à les surmonter. S'ils avaient bu suffisamment de whisky, certains parfois arrivaient à dire *nous* en désignant Jeff et Amy, sans se sentir trop embarrassés. Toute camaraderie possible était toujours bien accueillie.

Cela s'avérait particulièrement vrai aux réceptions de Briartree. Un mois à peine après les travaux de restauration, elles devinrent le summum de l'élégance dans la saison du Delta. Un coup d'œil sur les numéros du *Clarion* de Bristol montrerait que chacune d'elles occupait plus de place dans le carnet mondain que n'importe quelles autres, y compris le bal de Noël et les danses des joyeux drilles à Pâques. *Mr. et Mrs. Jefferson T. Carruthers ont reçu à Briartree, leur charmante plantation du lac Jordan, dans la soirée de mardi dernier* et ainsi de suite pendant deux pages, avec, pour conclusion, la liste des invités qui était aussi longue, une sorte de passage en revue de l'élite. Musiciens, traiteurs, décorateurs, tout venait de La Nouvelle-Orléans ou de Memphis. Le whisky, le gin, l'eau-de-vie s'alignaient interminablement sur la desserte et sur des tables. La pelouse était éclairée par des lanternes vénitiennes qui scintillaient au-dessus des invités et des traiteurs. Jeff et Amy arboraient leurs tenues de soirée comme, du reste, la moitié des invités : Jeff dans le vestibule d'entrée (où Bertha Tarfeller s'était emportée contre sa mère quarante ans plus tôt) auprès d'une longue table-buffet éclairée par deux lampes de cuivre, avait une main enfoncée jusqu'au pouce dans la poche de son habit — (l'ongle du pouce tout rose scintillait contre le bleu foncé) — et Amy, affairée au milieu des invités, passait d'un groupe à l'autre sans s'arrêter trop longtemps à aucun. C'était ce qu'elle avait toujours désiré, et maintenant elle l'avait.

Cependant vers la fin de l'année, les choses avaient commencé à se gâter. « C'était la faute des gens », disait-elle. Les femmes étaient complètement vides, frivoles, vraiment absurdes. Quant aux hommes : les hommes étaient ennuyeux : des planteurs — ou des imitations de planteurs, ce qui était pire — trop bluffeurs, trop costauds, trop musclés et trop tannés. Ils ne parlaient que de coton et de Nègres, de Nègres et de coton, aussi vides que leurs femmes. Dans son ennui, Amy commença à penser qu'elle avait fait une erreur de tactique en poussant Jeff à venir habiter cet endroit. Si elle avait pu prévoir un peu l'avenir, cependant, elle aurait repris courage. Quelqu'un qui allait changer tout cela arrivait justement au même moment.

3.

HARLEY DREW

C'était un grand jeune homme mince dans les trente-cinq ans, le visage rouge avec une moustache couleur paille, un "acheteur" pour une firme de coton de Saint-Louis. Non qu'il achetât réellement quelque chose, mais on l'appelait ainsi. Il avait des yeux bleu pâle, sans profondeur et une mâchoire prognathe ; ses cheveux étaient soigneusement divisés au milieu de façon à former une ligne aussi nette et précise que si on l'avait tracée au cordeau. En plein soleil ses cils et ses sourcils devenaient invisibles — ce qui lui donnait une expression un peu ahurie, comme celle d'un visage qu'on aurait dessiné sur une boule de billard —, mais à l'ombre ils ressortaient, blancs et distingués sur son teint rougeâtre. Dans les communautés rurales du pays du coton où ses affaires l'amenaient pour la première fois maintenant, vêtu d'une imitation de tweed taillée dans un style de ville qui contrastait avec le coton et le coutil campagnard des hommes avec qui il était en rapport, Drew se détachait — comme autrefois les joueurs professionnels avec leurs amples popelines et leurs chapeaux hauts de forme, leurs favoris et leurs grosses chaînes de montre, leurs auréoles de Chance — par un air d'intelligence exagérée, que les hommes voyaient d'un mauvais œil mais que les femmes étaient enclines à trouver romantique.

Il arriva à Bristol au début de septembre 1928. C'était une année de bonne récolte succédant à l'inondation qui elle-même avait succédé aux saisons de panique de l'après-guerre quand les prix avaient varié de haut en bas comme la gamme d'une soprano légèrement étourdie. Mais maintenant tout se stabilisait, lui dirent ses employeurs, avec cet optimisme particulièrement tenace des hommes d'argent. Il devait rester en ville pendant trois jours conformément à son programme, faire du porte à porte auprès des bureaux d'affaires connus sous le nom de Cotton Row. Il s'asseyait une ou deux heures dans chacun d'eux, parlait des récoltes et du marché, surtout du marché, toujours avec une suggestion de tuyaux secrets dans le ton de sa voix et la profondeur de sa réticence — la réticence surtout. Il n'y avait pas de véritables affaires à traiter, pas de commandes à solliciter ou même à confirmer : son travail consistait à donner une note personnelle à des contrats déjà conclus. Dans une profession qui considérait la chaleur d'une poignée de main comme partie aussi intégrante d'une transaction que la ligne pointillée, Drew fournissait la poignée de main, l'huile vitale pour les rouages les plus petits de la grosse machine. Le fait que les clients le regardaient un peu de travers était porté à son crédit : la compagnie désirait qu'il apparût ainsi : distant et un peu mystérieux, symbole du monde crépusculaire des finances, émissaire du pouvoir, aussi différent du commun des mortels que s'il avait été un agent de Mars, du ciel ou même de l'enfer. Sympathique, courtois, avec ses tweeds de ville, son affabilité distante et un tant soit peu condescendante, on l'avait choisi pour ce genre de travail. La cordialité naturelle derrière le brillant suggérait que derrière la façade de la haute finance, la compagnie avait aussi un cœur d'or — ce qu'elle avait du reste, mais en un tout autre sens.

Cependant, cette allure naturelle, il ne l'avait pas acquise naturellement. La guerre lui en fournit l'occasion, comme à bien d'autres, mais il faut lui reconnaître qu'il en fut conscient et la saisit. Mobilisé à Yougstown, Ohio, où il était devenu vendeur dans un magasin de chaussures du bas de la ville (cela, au moins il y avait réussi de lui-même. Il avait refusé de suivre son père et ses frères dans les aciéries), il franchit les mers avec un des premiers contingents. Il avait le grade de caporal et il finit la guerre avec un D.S.C. et un brevet d'officier. Il passa deux ans en Europe après l'armistice : six mois de grands froids à combattre les bolcheviques, six mois à s'en remettre, et un an avec l'armée d'occupation en Allemagne. Alors il goûta pour la première fois à la vie aisée et à la distinction sociale dues à un beau garçon, officier décoré d'une armée victorieuse. Puis il revint chez lui pour être démobilisé. En jouant au poker pendant dix jours sur le bateau, il gagna huit mille dollars. Aussi, une fois rendu à la vie civile, s'offrit-il trois ans de congé. "Pour voir venir", s'était-il dit parce qu'il n'avait pas de projet précis. Il n'y avait qu'une chose dont il fût absolument certain, et c'était qu'il ne retournerait jamais dans son magasin de chaussures de l'Ohio.

En fait, il ne retourna pas du tout en Ohio. Il dépensa ses premiers mille dollars en vêtements et cinq cents de plus en accessoires ; quant au reste, il pensa l'utiliser au cours des trois ans qu'il comptait passer "à voir venir". Il essaya même d'établir un budget provisoire — un futur compte des dépenses —

du moins, il commença. Mais il n'avait pas été bien loin, avec son crayon posé sur le carnet, avant de s'apercevoir que sa connaissance de la vie qu'il se disposait à mener était trop limitée pour qu'il pût même en figurer le prix. Alors il renonça et se contenta de la résolution de surveiller ses deniers. En définitive, cela lui revint moins cher qu'il ne l'avait imaginé. Lésiner sur les petits déjeuners et les déjeuners pris aux comptoirs rendait possibles des dîners dans des restaurants élégants à un prix qui ne dépassait guère celui de trois repas normaux. Deux jours de marche à pied, bien que mauvais pour le cuir des souliers, lui permettaient de prendre un taxi le troisième jour et n'aplatissaient pas son porte-monnaie beaucoup plus que trois jours dans des bus ou des ascenseurs. Il apprenait. Tout cela était préparatoire, encore qu'il n'aurait pas su dire préparatoire à quoi.

Au bout d'une année à New York parmi des femmes resplendissantes et des hommes aux plastrons empesés dans le foyer des théâtres et les restaurants du centre — toujours en observateur, jamais en participant au véritable sens du mot ; si on regardait dans sa direction (au début tout au moins), il se retournait brusquement comme un voyeur pris en flagrant délit — il commença à écrire à des copains de régiment. Il avait un carnet d'adresses où il les avait plus ou moins classés par ordre d'éligibilité, avec un système très compliqué de points, de cercles et d'étoiles. Et quand leur réponse suggérait un « viens donc me voir » il empaquetait sa garde-robe de mille dollars dans une somptueuse valise en peau de porc et allait leur rendre visite.

Maintenant qu'il les voyait de tout près, les bien lotis qu'il enviait, et plus seulement de l'extérieur, dans les cercles, les lieux publics, il les admirait avec plus d'extravagance que jamais : non à cause de leur personnalité, de leur esprit ou de leur charme en général, mais simplement pour la vie qu'ils menaient. Maintenant qu'il les avait vus dans l'intimité, pendant leurs heures libres, pour ainsi dire, loin de la lumière publique, il pensait qu'il pourrait mener la même vie, sinon une meilleure. Il pourrait certainement le faire en se rendant mieux compte des avantages, puisqu'il connaissait une autre vie qui lui permettait la comparaison. Mais, le plus souvent, il regardait sans faire de conjectures ; il observait, il imitait, copiait leur expression d'ennui et de dédain en face de ce qui était en réalité la plus folle des excitations. Il s'en tirait très bien. Cependant, tôt ou tard, on lui posait la question qu'il en était venu à craindre. On voulait savoir ce qu'il faisait. Pendant un certain temps, il réussit à l'éviter, à couper court à la communication quand il sentait la question approcher — il devint très expert à pressentir ce moment-là — ou à passer à côté en éclatant de rire. Après tout, il ne pouvait pas leur dire la vérité. Il ne pouvait pas dire : « Je flotte. » Mais il savait qu'il lui faudrait trouver une réponse avant de se sentir à l'aise parmi eux.

Quand il fut invité à Saint Louis, il eut une occasion. Son hôte, un courtier en coton dont le fils avait été tué dans le peloton de Drew lui offrit du travail. Proposition qu'on ne lui avait encore jamais faite. Drew le remercia et dit qu'il réfléchirait... puis il n'y pensa plus et repartit, continuant la série de ses visites. La fin de la troisième année approchait, il abordait la phase de post-apprentissage, encore sans plan défini et cela commençait à perdre de sa saveur. Six mois plus tard, alors qu'il chassait le canard au Canada, son courrier le rattrapa. Parmi les lettres — invitations en réponse à des billets qu'il avait écrits, quelques vieilles factures en retard et *tutti quanti* — il y avait un relevé bancaire qui montrait un solde de deux cent onze dollars. Il jeta son courrier dans le feu de camp, relevés, factures, invitations, etc., puis, quand il revint en ville, il écrivit au courtier. Sans attendre de réponse, il prit le premier train pour Saint Louis.

On lui donna un bureau à la maison mère et une liste de livres de références. Il passait toutes ses heures de travail à vérifier les factures et, à ses moments perdus, il étudiait les livres, apprenait le métier. Il ne tarda pas à pouvoir réciter toutes les cotes de prix à la bourse de La Nouvelle-Orléans, de la hausse record cent quatre-vingt-dix en septembre 1864 jusqu'à la baisse record quatre un quart en novembre 1909. Il se familiarisa avec le cycle vital de l'anthonome et il lut des articles sur les manœuvres financières de Nicholas Biddle avec un intérêt qu'il n'avait jamais connu depuis les éditions bon marché de Deadwood Dicks et de Nick Carters de son enfance dans le Middle West. Cela lui prit presque tout son temps, mais il n'en abandonnait pas le reste pour autant. Il resta en contact avec la grande vie grâce à des dîners hebdomadaires avec son employeur, un vieillard dont les mains tremblaient et dont la bouche humide et rose avait la forme d'un baiser.

Bientôt, cependant, il commença à craindre ces soirées. Invariablement, elles arrivaient à un stade où son hôte le prenait à part, en général dans son bureau, préparait quelque boisson, sortait des havanes et posait à Drew des questions sur son fils et sur la guerre. Drew se rappelait à peine le garçon. Terriblement effrayé, il était venu faire un remplacement, il était resté moins d'une semaine avant de se faire renvoyer à l'infirmerie, avec une balle dans le pied, une balle tirée par lui-même, disaient les médecins — et il était mort de la gangrène.

— Parlez-moi de Léo, disait son hôte en le regardant par-dessus le bord de son verre et prenant bien soin de la cendre qui s'accumulait au bout de son cigare.

— Eh bien, il est venu se joindre à nous, en octobre, comme vous savez...

Et pendant tout le récit, attribuant au garçon tout l'héroïsme qui avait été crédité à un soldat de son bataillon, Drew observait les yeux de son patron qui se voilaient de larmes et le tremblement de ses mains qui augmentait ; le verre débordait, les cendres se répandaient par terre et Drew continuait : « Une fois près de Perle Capelle... » Sa voix rappelait un phonographe, et il écoutait aussi, surpris de ce qui en sortait. Il pensait derrière le bourdonnement des mots, il se disait qu'il n'était pas un gredin, que le vieillard désirait qu'on lui mente et que la fin justifiait les moyens. Mais peu importait sa façon de mentir, d'attribuer faussement et de finir par inventer, le père restait insatiable. Drew était son protégé et dans la semaine qui suivrait, il le prendrait à part, préparerait des boissons, allumerait des cigares et : « Parlez-moi de Léo », dirait son hôte, tremblant déjà.

Après un peu plus d'un an de travail de bureau, on l'envoya en tournées. Après deux saisons dans le Texas, on le rappela à la maison mère et on lui dit qu'il avait réussi. Il avait plu aux Texans ; son apprentissage était terminé et maintenant il allait recevoir sa récompense. On l'envoya dans le Yazoo-Mississippi delta, pays du coton à longues fibres et de l'argent à foison.

Sorti de Memphis par le sud, après avoir dépassé les Chickasaw Bluffs et traversé une région de vastes champs plats où l'air dégageait une odeur et une brume de fumée de bois, Drew regardait les grandes maisons des plantations lointaines qui défilaient de chaque côté des portières du train, comme un spectacle de lanterne magique d'une splendeur aristocratique. Trois ans de travail lui avaient permis de comprendre que, même avec les plus grandes chances du monde et la plus grande habileté, il n'obtiendrait ce qu'il désirait qu'après des années d'effort, protégé ou non. Mais il gardait le même but présent à l'esprit, guettant toujours la meilleure des chances.

« Bristol ! », cria le contrôleur qui passait, les jambes écartées dans le couloir, balançant ses mains de siège en siège et avançant comme un danseur de corde pour se protéger des secousses des roues sur la vieille voie ferrée. Le train mit à peine sept heures pour parcourir deux cents kilomètres ; c'est pour cela qu'on l'appelait le Boulet de Canon, à l'inverse du compliment sous-entendu. Drew descendit sa valise du filet au-dessus de sa tête : « Bristol ! », cria de nouveau le contrôleur, la bouche ouverte quand il franchit la porte vitrée en direction du wagon des Noirs à l'avant : « Tous les voyageurs descendent pour... » et la porte se referma bruyamment derrière lui.

Les bureaux du major Barcroft étaient les plus grands de Cotton Row. On avait prévenu Drew, à Saint Louis que le major était un client difficile, mais de prix. Aussi avait-il à peine retenu sa chambre d'hôtel, pris son bain et changé de costume qu'il partit lui rendre visite. « A Bristol, voyez d'abord le major Malcolm Barcroft, lui avait-on dit. Il s'y attend, de même que les autres. Comme ça, personne ne pourra s'offenser. Et faites bien attention, ne l'appelez pas Monsieur. Appelez-le Major. »

C'était une fin d'après-midi, un jour de novembre estival. La ville s'assoupissait dans le calme trompeur qui précède l'heure de fermeture. Sur les trottoirs, vendeurs et patrons de magasin somnolaient sur des chaises et tournaient la tête tous ensemble lorsque Drew passait ; ils le suivaient dans la rue d'un œil morne. Le major Barcroft ne se trouvait pas dans son bureau, le comptable qui commençait à se faire vieux et qui portait une visière épaisse de mica vert et des manches de lustrine dit qu'il était sorti pour une minute mais qu'il allait bientôt revenir. Drew s'assit et causa avec le comptable jusqu'à l'arrivée du major. Il se leva alors et se présenta : « Harley Drew. Je crois que la compagnie vous a écrit que j'arrivais : Anson Grimm. » Il tendit la main, raide comme la justice, le pouce levé et le major la toucha, avec une certaine réserve, regardant par-dessous ses gros sourcils grisâtres. Ce n'était pas exactement une poignée de main, mais jamais par la suite ils n'en seraient plus près.

Dix minutes plus tard, le major Barcroft lança un regard aigu vers la porte par-dessus l'épaule de Drew. Son pince-nez étincela, verres sans monture, opaques des deux côtés de son nez étroit, sous le grand front pâle, et la mèche de cheveux. Puis il jeta un coup d'œil à la pendule, se leva et ferma le cylindre de son bureau. Il le ferma à clé, vérifia la serrure, décrocha son chapeau de la corne de cerf et adressa à Drew un petit signe de tête, sec et péremptoire : « Bonjour Monsieur. »

Drew se leva surpris et même gêné. Il éprouvait toujours un choc quand on lui faisait sentir qu'on ne l'aimait pas. Comme le major passait devant lui, il se tourna et vit une jeune femme, debout sur le pas de la porte. Elle était vêtue de gris, avec de la dentelle aux poignets et au cou. Sous le chapeau de feutre, ses cheveux tirés si serrés sur les oreilles que les lobes ressortaient, formaient un nœud serré à la base du crâne. Ses yeux avaient une étrange couleur violette et son visage trahissait une pâleur anormale comme si elle n'était pas encore guérie d'une longue maladie, ou venait juste d'en guérir.

— Bonsoir, papa, dit-elle. Elle avait la voix basse.
— Amanda, dit le major Barcroft.

Et ce fut tout. Elle ne regarda pas Drew. Il les vit s'éloigner : le major raide et droit, dont les épaules étroites si fortement tirées vers l'arrière formaient un pli dans sa veste, entre les omoplates, et Amanda toute menue et souple à côté de lui, presque aussi grande que son père. Descendant de son haut tabouret, le comptable enleva ses manches de lustrine et les lança sur son bureau où elles ressemblèrent à la dépouille de deux serpents noirs. Le soleil était bas ; ses rayons arrivaient presque au niveau de la fenêtre, projetant un demi-cercle vert sur le visage du comptable jusqu'au moment où il ôta sa visière qu'il posa à côté des deux peaux de serpent en lustrine.

Drew resta debout sur le seuil :

— A-t-elle été malade ? dit-il sans tourner la tête.

— C'était Amanda, dit le comptable. Il fermait son bureau à clé, tout comme le major. Vous pensez à l'autre ?

— A l'autre ?

— L'autre sœur, Florence. Vous ne savez donc pas ? On la garde enfermée dans le grenier ou quelque part ; c'est comme qui dirait un secret. Il acheva de fermer son bureau, vérifiant la serrure tout comme le major l'avait fait : Elle a un grain. Du moins c'est ce que j'ai entendu dire.

— Ah oui ?

— Oui. On lui glisse ses repas sous la porte. C'est ce que les gens prétendent. Moi, j'en sais rien. On a raconté des tas de choses, mais maintenant on n'en parle presque plus.

— Ah ! dit Drew. Il dit cela comme s'il ne faisait pas trop attention, comme s'il lui avait fallu choisir entre regarder et écouter, et qu'il avait choisi de regarder. Le major Barcroft et Amanda s'étaient déjà éloignés dans la rue, mais Drew restait toujours là

80

debout, à les observer. Il ne s'était pas retourné pour regarder le comptable.

— C'est tout, rien que ces deux filles ?

— Oh, il y a bien eu un fils, un drôle de petit bonhomme, mais il a eu le crâne emporté, il y a déjà pas mal de temps. C'était, voyons, il y a une quinzaine d'années, ou seize peut-être ? Seize. Et la mère naturellement, la femme du major : elle est morte à la naissance du garçon. Il n'y a plus que ces trois-là qui restent de la riche et puissante famille Barcroft.

Le comptable, curieux et amusé, riant presque, observait Drew en enfilant sa veste et en attachant son nœud de cravate noir tout fait entre les pointes de son col en celluloïd, une version moins défraîchie que celle du major.

— Mais faut pas vous faire des idées, dit-il en s'avançant vers la porte. Ça n'en vaut pas la peine.

— Je suppose que non, dit Drew d'un air distrait. Il observait toujours ; il observait et il pensait. Ce fut vraiment aussi rapide. Le comptable se mit à rire bruyamment pour la première fois et Drew se retourna sur le pas de la porte, étonné. Puis lui aussi se mit à rire : Je suppose que non, dit-il.

Le lendemain matin, il fit deux visites, toutes les deux très brèves, puis il partit faire un tour en ville. Le temps se maintenait. L'été indien faiblissait, encore doux après le coup de froid de la mi-octobre. Les arbres gardaient leurs maigres feuilles comme des flammes dans le vent, attendant le dernier tournant de l'année, la grosse pluie qui les dénuderait et amènerait l'hiver en une seule nuit. On sentait dans l'air une sorte d'urgence, l'effort hésitant d'une roue qui ralentit avant sa rotation finale, le calme faux mais lourd de conséquences de la dynamite en passe d'exploser.

C'était un samedi. Les trottoirs du bas de la ville étaient couverts de monde, de campagnards vêtus de costumes achetés par correspondance, tout raides, hommes et femmes hâves pour la plupart, enfants aux cheveux blonds filasses, assis sur les marches, aux joues gonflées de bonbons gros comme des noisettes et qu'on appelait *wining balls*. Les Noirs se regroupaient sur les trottoirs des deux pâtés de maison les plus près de la digue. Là se trouvaient les magasins de confection les moins chers, et, de temps à autre, un vendeur apparaissait sur le seuil d'une porte, regardait, le nez busqué et l'air sinistre du fond d'une obscurité presque caverneuse et les invitait à entrer, seuls ou par groupes. Si aucun des Noirs ne bougeait, le vendeur sortait, en prenait un par le bras et le faisait entrer en affectant une cajolerie bon enfant : « Je te le demande, tâte un peu la qualité de cette marchandise, une occasion exceptionnelle, je t'en donne ma parole. » Et bientôt la victime ressortait, l'air piteux, portant dans ses deux mains un paquet ficelé à la hâte, et le vendeur arrivait derrière lui, s'arrêtait sur le pas de la porte pour choisir un autre client. Drew regardait, étonné par ce qu'il prenait au début pour de l'exploitation de gens ignorants. Mais il n'eut pas longtemps à regarder pour comprendre de quoi il s'agissait, un jeu entre deux personnes, un match. L'appât était présenté d'un côté comme de l'autre et le résultat était toujours le même quelle que fût la façon dont on l'obtenait ; les Noirs avaient la marchandise et les marchands avaient l'argent.

Il s'éloigna du quartier des affaires et se dirigea vers la partie résidentielle où les maîtresses de maison en toilette d'été se montraient aux fenêtres ou sur les vérandas, avec leurs balais soudainement immobilisés, et le regardaient passer. Parfois il marchait vite, parfois il flânait, parfois il s'attardait, regardant les écureuils batifoler dans les arbres et les fils électriques. Quand les pelouses soignées et les élégants cottages cédèrent la place aux cours sans herbe, au sol durci, et aux petites maisons basses, en bois, sortes de boîtes pour les ouvriers d'usine, Drew reprit le chemin de l'hôtel, un édifice à quatre étages dont il voyait l'enseigne, de temps à autre, entre les feuilles flétries, rouges et jaunes.

Bien qu'Amanda fût presque à un pâté de maison plus loin quand il l'aperçut, il la reconnut tout de suite, une silhouette mince, grise, qui marchait légèrement de travers pour compenser le poids d'un panier de marché. Drew hâta le pas. Arrivé à trois mètres d'elle, il s'arrêta, ôta son chapeau d'un geste qui se voulait élégant sans l'être vraiment. « Bonjour, Miss Barcroft », dit-il gaiement en souriant au-dessus du chapeau qu'il tenait à deux mains à l'envers, ce qui permettait de voir le satin brillant de l'intérieur. Un parfum qui rappelait l'héliotrope s'en dégageait. Il se présenta avec un profond salut : « Harley Drew, très heureux de faire votre connaissance. Je suis un ami d'affaires de votre père. »

Elle parut effrayée. Quand il saisit l'anse du panier, elle la serra plus fort pendant un instant. Puis leurs mains se touchèrent et elle la lâcha : « Ce n'est qu'à un pâté de maisons plus loin », dit-elle, couvrant de son autre main celle qui avait tenu le panier, celle qu'il avait touchée : comme si elle cachait l'évidence d'un baiser.

Mais il se chargea de la conversation :

— J'aime cette ville, dit-il, je l'aime vraiment. Elle est tellement mieux que celles de chez moi. Il se tut en lui souriant sous le reflet de son chapeau. Chez moi, ça veut dire le Missouri. Saint Louis. Puis il attendit qu'elle parle comme un acteur expérimenté qui provoque la réplique d'un amateur.

— Tout le monde dit combien elle est agréable, répondit-elle cachant toujours sa main droite sous sa main gauche, mais je ne sais pas, je n'en ai jamais vu d'autre.

— Ah ! dit-il avec un mélange de sympathie compréhensive et de regret.

Ils se trouvaient maintenant devant la grande maison grise qui s'élevait avec sa décoration de mauvais goût et ses coupoles rococo. Ils entrèrent dans la cour et Amanda s'arrêta au bas des marches tendant la main vers le panier de marché. Ils étaient face à face à trente centimètres à peine l'un de l'autre et elle pouvait voir les poils de sa moustache, la courbe de ses narines.

— Merci de m'avoir aidée, Mr. Drew.

— Trop heureux, Madame. Il souleva son chapeau de ce même geste pas tout à fait élégant. Il souriait et la lumière du soleil, filtrée par les feuilles des quatre chênes devant la maison donnait à sa moustache une teinte vieil or :

— J'aimerais beaucoup vous revoir si vous me le permettez. Je suis encore ici pour plusieurs jours.

Elle monta les marches presque en courant. Drew la regarda un instant puis il fit demi-tour et s'en alla. Vingt mètres plus loin, sur le trottoir il s'arrêta pour allumer une cigarette. Puis il jeta un coup d'œil derrière lui, par-dessus son épaule, tenant toujours la flamme abritée dans sa main, et il vit Amanda debout sur le seuil qui le regardait. Il en fut surpris, mais il se ressaisit vite ; il sourit, ôta la cigarette de sa bouche et s'apprêtait à soulever encore son chapeau. Mais quand elle vit qu'il se retournait, elle entra rapidement chez elle et ferma la porte.

C'était un samedi. Le lendemain matin, il l'attendit dans la rue en face de l'église. Il avait eu l'intention d'assister au service, mais il était en retard. Il entra dans un restaurant et prit un café, assis au comptoir, surveillant la porte de l'église à travers la vitre de la fenêtre, à sa gauche. Après sa deuxième tasse de café, il ressortit et se mit à faire les cent pas comme une sentinelle qu'il était en réalité. Au bout de la rue, il y avait une boutique de cacahouettes fermée le dimanche. Les écorces de la veille crissaient sous ses souliers. De temps en temps, il entendait chanter dans l'église, quelquefois le chœur seul, il pouvait alors distinguer les paroles, d'autres fois, l'assemblée des fidèles, les paroles lui parvenaient alors tout embrouillées. Une demi-douzaine de pigeons picoraient et se rengorgeaient parmi les écorces de cacahouettes sur le trottoir. Ils étaient non seulement apprivoisés, et sans aucune crainte, mais ils le lui faisaient comprendre en ne se donnant même pas la peine de s'écarter alors qu'il faisait les cent pas. Finalement, sans y prendre garde, il marcha sur la patte d'un oiseau, qui lança un couac et qui, au lieu de s'envoler, recula simplement d'un pas ou deux, solidement planté sur ses pattes de corail, le regardant et tournant la tête pour montrer un œil doré, parfaitement rond qui se dilatait et se rétrécissait avec indignation. L'oiseau se mit à le gronder exactement comme une personne aurait pu le faire. Drew restait là, debout, étonné. Puis il se mit à rire en baissant les yeux vers le pigeon ; de l'autre côté de la rue, les chants devinrent soudain plus distincts. Les portes du temple étaient ouvertes et le ministre du culte sortait suivi d'abord par ses acolytes, porteurs d'étendards et de la croix, puis par le chœur qui chantait bravement dans la lumière du soleil. Ils avaient des habits religieux et clignaient des yeux comme des gens qui sortent d'une cave.

Amanda sortit parmi les derniers car le banc des Barcroft se trouvait sur le devant et l'époque était révolue où les occupants des bancs de derrière patientaient volontiers sauf pour des cérémonies aussi solennelles que les mariages et les enterrements. Drew l'observa. Elle paraissait attendre son tour pour serrer la main du pasteur. Ce jour-là, Amanda portait une robe noire, qui semblait avoir été coupée sur le même patron, avec les mêmes revers de dentelle aux poignets et au cou. Peut-être les revers étaient-ils détachables, interchangeables, pensa-t-il. Puis elle traversa la rue et il vit qu'elle portait un chapeau plus large avec des tubéreuses artificielles sur le bord.

Il évita soigneusement de rester dans son champ de vision et la suivit à quelque distance jusqu'à ce que la foule se fît moins dense, passant entre les autos stationnées à côté du restaurant et du cinéma de l'autre côté de la rue. Quand elle fut presque seule, il l'aborda :

— Miss Barcroft, dit-il en jouant la surprise.

— Bonjour, Mr. Drew, il n'y en avait aucune dans la sienne. Elle le regarda puis détourna rapidement les yeux, plus pâle que le jour précédent, mais aucunement surprise — et il se rendit compte qu'elle avait dû le voir du porche, alors qu'elle attendait pour féliciter le pasteur de son sermon.

— Je ne suis pas arrivé à temps à l'église, j'ai jugé préférable d'attendre. J'ai pensé que vous n'y verriez pas de mal.

— Oh ! non, fit-elle, d'une voix tremblante.

Mais elle évitait toujours de le regarder et il ne trouva rien à dire. Il faillit ajouter : « Charmante matinée » mais il renonça, trouvant cela idiot. Puis, brusquement, il le dit : « Charmante matinée », Amanda approuva de la tête mais continua de ne rien dire.

Ils marchèrent en silence. Ils étaient arrivés à mi-hauteur du dernier pâté de maisons, en vue de la demeure, et il lui demanda l'autorisation d'aller ce soir-là lui rendre visite.

— Je ne crois pas que ce me soit possible, dit-elle.

— Mais, je le désire si vivement.

Tout en lui était étrange, même sa syntaxe. Amanda restait les yeux baissés, détournant le visage et évitant son sourire. Il semblait presque planer au-dessus d'elle. Elle dit d'une voix faible, angoissée :

— Je tiens compagnie à Florence tous les soirs.

Drew ne s'attendait pas à ce qu'elle mentionnât sa sœur. Il eut une vision soudaine des deux jeunes filles, l'humble personne en noir ou gris et la folle dans une soupente du grenier, au plafond bas et incliné, avec des barreaux aux fenêtres et une chaîne cliquetante à la porte.

— Oh ! dit-il, trop surpris pour pouvoir imaginer une réponse. Puis il s'efforça de penser, mais il fut interrompu dans ses réflexions car elle se remit à parler.

— Parfois je fais une petite promenade après dîner... Elle aspira profondément comme toute surprise de ce qu'elle venait de dire.

— A quelle heure ? C'était un peu trop insistant, trop rapide et il se reprocha d'avoir oublié qu'il avait l'intention d'être romantiquement audacieux, mais jamais impudent. Puis il se rassura. Il n'avait pas été trop loin car, bien qu'elle détournât la tête encore davantage et qu'elle hâtât encore plus le pas, Amanda répondit à sa question.

— A 7 h 30, dit-elle.

Ils étaient arrivés à la maison maintenant, la grande demeure grise, couleur poussière, avec sa large véranda et ses fenêtres hautes. Amanda s'empressa de passer devant lui et il resta planté là à la regarder monter rapidement les marches. Quand elle s'arrêta sur le perron et se retourna, Drew remarqua qu'elle rougissait. « Telle une jeune mariée », pensa-t-il. Comme le rouge lui montait au visage, descendant de la ligne de ses cheveux jusqu'à sa gorge, puis s'infiltrant dans le grand col de sa robe, Drew eut une autre vision : des seins en flammes, très virginaux dont les bouts rutilaient comme des gouttes de sang.

— Alors, à très bientôt, dit-il soulevant son chapeau. Ensuite, il se rendit directement au bureau du télégraphe où il trouva l'employé sur le point de fermer la porte avant d'aller déjeuner.

— Vous m'avez cueilli au vol, dit l'homme, rouvrant la porte et la tenant entrebâillée, vous arrivez juste à temps. Entrez donc.

Il s'effaça tandis que Drew rédigeait et fignolait son message pour Saint Louis. Alors il le prit et tapa chaque mot avec le bout en métal de son crayon. LÉGÈRE GRIPPE. RIEN DE SÉRIEUX SANS DOUTE. RETARD D'UNE SEMAINE. LETTRE SUIT.

— Douze mots, dit l'employé, soixante cents. Vous vous sentez vaseux ? reprit-il en comptant la monnaie.

Drew se contenta de le regarder.

— Sucre d'orge et whisky. Mettez-vous au lit et restez-y. Dans vingt-quatre heures vous n'y penserez plus ; je vous le garantis.

— Merci, dit Drew.

Il se rendit à l'hôtel, déjeuna et monta dans sa chambre. Il enleva son complet de crainte de le froisser et resta sur le lit tout l'après-midi à contempler le plafond souillé de taches d'eau. Pendant un moment, il envisagea d'appeler le chasseur pour qu'il lui envoie une fille. Puis il changea d'avis et chassa l'idée de son esprit. Plus tard, sa chambre devint sombre. Des échos montaient de la rue, cinq étages plus bas, le ronronnement de la circulation, le grincement des changements de vitesse et, de temps à autre, un klaxon aussi vague et triste que de la musique dans un rêve. A 6 h 30, alors qu'il faisait déjà presque noir, il se leva, alluma un plafonnier et s'habilla. Il prit un sandwich dans la salle à manger, l'avala rapidement dans le brouhaha des familles venues pour le repas du dimanche soir. En partant, il régla sa montre sur la pendule de l'entrée. Il était 7 h 15.

A 7 h 30, quand Amanda descendit les marches, elle ne le vit pas. Puis quelque chose s'agita dans l'ombre et elle l'aperçut debout près d'un des chênes, son chapeau à la main. A la lumière du jour, le chapeau avait une couleur gris pâle, mais maintenant, le clair de lune lui donnait une teinte argentée, comme un casque.

— Miss Barcroft.

— Bonsoir, dit-elle. Elle dit cela d'une voix si basse qu'il l'entendit à peine.

Le lendemain soir, il était encore là. Tout en marchant, il lui parla de la guerre, de son travail, toujours avec quelque sous-entendu de solitude. Il lui dit qu'il était amoureux du Sud profond :

— Ailleurs le monde est tellement agité. Mais ici un homme peut vraiment *vivre*. Vous voyez ce que je veux dire ?

Elle dit que oui. Et le mardi soir, au cours de la troisième promenade nocturne, il lui demanda de lui permettre d'entrer dans le salon :

— Pour une véritable visite.

— Je ne pourrais pas, dit-elle, je regrette, mais je ne pourrais vraiment pas.

Drew crut que c'était à cause de la sœur, la folle. Il crut qu'Amanda ne voulait pas qu'il entendît les hurlements, les gargouillis ou le genre de bruits que peuvent faire les fous, aux heures tranquilles de la nuit. Il voulait la réconforter, la rassurer, lui faire savoir que rien dans ce monde ne pourrait l'effrayer. « Comme si cela avait la moindre importance », pensa-t-il, seul une nouvelle fois dans sa chambre d'hôtel. « Pour tout ce qui vient avec, j'épouserais bien la sœur folle. » Mais ce n'étaient là que paroles, vantardises. Il se stimulait lui-même, s'accusant d'une plus grosse énormité afin qu'une plus petite en parût d'autant moindre, même à ses yeux.

Cependant, la nervosité commençait à se manifester — la peau de son visage s'était tendue comme un masque ; son sourire devenait une grimace. Il décrocha le téléphone : « Envoyez-moi le chasseur à la chambre 415. » Le Noir arriva et resta debout près du lit, le visage sans expression, tandis que Drew lui disait ce qu'il désirait :

— Ne m'envoie pas une vieille carne, dit-il, étendu dans ses sous-vêtements d'été d'une seule pièce.

— Non, *Monsieur*, répondit le Noir, sérieux comme un pape.

Environ dix minutes plus tard, on gratta légèrement à la porte comme avec des griffes. « Ce n'est pas fermé », cria-t-il, et une fille entra. C'était sa première depuis Memphis, il y avait environ huit jours. Drew était couché, les mains sous la nuque. Elle était jeune, massive et n'avait pas de maquillage.

— Combien ? dit-il.

— Trois dollars.

— J't'en donne deux. Elle le regarda un instant puis se retourna pour partir.

— D'accord, dit-il, deux cinquante.

Elle commença à dégrafer sa robe.

— T'es difficile en affaire, chéri, dit-elle. Elle était assise près de lui sur le lit ; elle portait des bas et un soutien-gorge. Ses flancs étaient durs comme ceux d'un lutteur, mais très lisses comme si elle les avait passés au papier de verre.

— J'm'appelle Alma, dit-elle. Vaudrait mieux que tu m'paies maintenant. C'est l'usage. Et bientôt après :

— *Déjà* ? Bon Dieu, chéri, sûr que t'en avais besoin, pas vrai ?

Elle avait gardé son soutien-gorge ; il lui avait demandé de l'enlever, mais comme elle ne semblait pas vouloir, il n'avait pas insisté. Il se trouva qu'elle était originaire de l'Arkansas, exactement de l'autre côté du fleuve ; les ongles de ses orteils ressemblaient à de toutes petites coquilles d'huître. Cela tenait à ce qu'elle avait marché pieds nus pendant toute son enfance.

La cinquième nuit, le jeudi, Amanda lui permit de l'accompagner jusqu'à la porte. Mais elle s'échappa vite dans l'embrasure. La nuit suivante, il lui prit le bras pour monter les marches sans le lui lâcher tandis qu'ils traversaient la véranda. Elle était captive et il l'embrassa. Elle en devint toute raide de peur, face à tant de choses qu'elle avait ignorées jusqu'à ce jour — la soudaine odeur entêtante de tafia et de tabac, le tweed rêche comme de la toile à sac et qui sentait l'homme, ces cuisses contre les siennes, cette main au creux de son dos, cette moustache soyeuse et caressante —, puis elle se retourna avec un geste spasmodique et, haletante, elle rentra dans la maison en courant, les mains derrière le dos, légèrement élevées, les paumes ouvertes, comme si elle fuyait devant un déchaînement de fureur. La porte moustiquaire se ferma d'un coup sec, brusque dans le silence.

Pendant un moment, après qu'elle se fut enfuie, le laissant planté là debout sur la véranda, Drew pensa : « J'y suis allé trop fort. » Mais, le lendemain soir (c'était encore samedi, et la température restait douce), elle le retrouva comme d'habitude et, au retour de leur promenade, elle lui prit la main et lui fit monter les marches. Tout d'abord, il crut qu'elle allait l'introduire dans la maison. Il s'apprêtait même à répéter ce qu'il allait dire au major Barcroft. Mais elle s'arrêta près de la porte, le dos au mur. Cette fois, quand il l'embrassa, Amanda mit ses mains sur ses épaules et le serra contre elle avec un frisson. Drew fut surpris de cette réaction, trop surpris pour pouvoir parler, mais il se ressaisit vite et lui dit qu'il l'aimait ; il lui dit qu'il l'aimerait toujours. « Moi aussi, je *vous* aime Harley », dit-elle dans un murmure et quand il lui demanda de l'épouser, elle le serra plus fort et lui dit qu'elle acceptait. Elle le dit très bas, les lèvres presque contre sa joue. « Mais vous devez d'abord en parler à papa », dit-elle.

Les cloches carillonnaient quand il s'éveilla. Dominicales, chantantes et sereines, elles appelaient les fidèles au temple. En allant jusqu'à la fenêtre, il pouvait les voir, les gens de la ville, avec leurs beaux habits du dimanche flânant dans la rue avec un air de sainteté voulue et presque pompeuse, serrant dans leurs mains leur livre de cantiques. Mais il ne bougea pas ; il resta étendu sur son lit à écouter. Au bout d'un moment les cloches se turent, vibrantes encore et toutes tristes aux dernières notes, puis il entendit une congrégation voisine chanter : *Il est une fontaine*. C'étaient des méthodistes. Les épiscopaliens se trouvaient deux rues plus loin, à l'est, et il imagina Amanda parmi eux, à genoux, dans le banc des Barcroft, pensant à lui tout en murmurant les réponses. Il se rappelait ce dimanche matin, huit jours auparavant, quand il faisait les cent pas au milieu des pigeons sur le trottoir opposé à l'église, attendant que le service se termine afin qu'il puisse la rejoindre et l'accompagner jusque chez elle, affectant d'admirer les roses artificielles de son chapeau et lui débitant des absurdités romantiques, comme un scélérat dans un livre :

Il est une fontaine remplie de sang
Tiré des veines d'Emmanuel

Et les pécheurs plongés dans ce sang
Sont lavés de leurs péchés

L'orgue ronflait ; les voix montaient, devenaient plus sonores :

Sont lavés de leurs péchés
Sont lavés de leurs péchés
Et les pécheurs plongés dans ce sang
Sont lavés de leurs péchés

En repensant à la semaine qui achevait de s'écouler, il estimait avoir agi habilement : il avait franchi prudemment les premiers stades de sa cour, sans jamais oublier d'être audacieux, mais en maîtrisant toujours des impulsions qui auraient pu lui faire perdre ses chances. Le moment venu, il avait frappé fort et vite, et donné l'impression d'un jeune homme qui ne pouvait plus cacher ses sentiments. C'était chose faite, maintenant ; et bien faite. Il ne restait plus que la formalité d'une entrevue avec le père, la rédaction des articles de la reddition, la scène lors de laquelle il offrirait sa main, jurerait sur son cœur et se déclarerait prêt à consacrer toute sa vie au bonheur de la jeune fille. Amanda lui avait dit de venir à la maison à 4 heures. Il trouverait le major dans son cabinet de travail. Elle avait tout arrangé, et Dieu sait avec quelles craintes et quelles palpitations.

Couché dans la chambre d'hôtel crasseuse, comme le dimanche précédent, quand il était revenu tout droit du bureau de télégraphe pour préparer son plan de campagne — le télégramme lui-même avait été le premier coup de canon pour engager toutes ses forces —, Drew se mit à faire des plans pour sa prochaine entrevue. Mais plus il essayait de se concentrer, plus son esprit était distrait, encombré de souvenirs importuns de son enfance et de la maison dans le quartier de Youngstown. Quand on faisait couler l'acier, le ciel nocturne devenait un dôme rouge, comme la voûte de l'enfer, et les ouvriers dont la journée était finie s'emboîtaient le pas, le visage épuisé, vide, comme des visages de damnés. Son père s'appelait Joseph Drubashevski. Il était petit, brun et sa tête était ronde comme un pot, et plate sur le dessus. Il avait des yeux d'un bleu très pâle presque incolore et des bras longs et velus. Le dimanche, il portait une chemise rayée avec des élastiques pour retenir les manches. Il jouait du concertina et chantait en polonais. Quand il avait bu suffisamment, il dansait le trepak en frappant le plancher du talon, « Haï, Haï ». Ses fils lui ressemblaient, sauf Charles. Charles était le plus jeune et il tenait des parents de sa mère, grands et blonds, scandinaves pour la plupart. Sur une étagère, dans la cuisine, il y avait cinq gamelles, celles de son père et de ses quatre frères, et, un jour, il y en aurait six, avec la sienne.

Mais une nuit — il avait quatorze ans et il était en seconde, ce qui faisait déjà un an de plus que n'en avaient fait ses frères, il se réveilla et entendit son père et sa mère qui parlaient : « Pas celui-là, Joe », disait sa mère. Il dormait sur un lit de camp, dans un coin éloigné de leur chambre :

— Tu as pris les autres, très bien, mais pas celui-là, Joe. Pas le bébé.

— Le bébé ? dit le père. Ce garçon est un homme, presque un homme. Je te le dis, femme, un homme, faut que ça fasse un travail d'homme. Il se retourna et les ressorts du lit grincèrent. Il était tard ; il voulait dormir.

Mais la mère insista :

— Y a d'autres hommes que ceux qui travaillent l'acier. Tu te figures qu'il n'y a que ça dans toute la création ? Laisse-moi m'occuper de celui-là, Joe, et tu verras.

— Ah, femme ! dit le père, et il crut que c'était tout, que son père avait gagné.

Puis juin arriva ; l'année scolaire était terminée, et il alla travailler à l'usine comme puddleur. Et voilà, pensait-il, quand il mettait sa gamelle sur l'étagère à côté des autres. Les boîtes en fer noir se ressemblaient toutes avec leurs couvercles arrondis qui rappelaient les paniers de voyage des toutous à leurs mémères.

En septembre, cependant, il s'aperçut qu'il avait sous-estimé sa mère. Quand il rentra chez lui le samedi avant le lundi, jour de l'ouverture de l'école, il la trouva qui l'attendait, habillée sur son trente et un. Elle l'emmena en ville, et ils dépensèrent son salaire en vêtements, cahiers et crayons. Il reprit ses études le lundi et les poursuivit jusqu'à sa sortie du lycée, travaillant l'été à l'usine. A la fin du secondaire, il était déjà contrôleur de présence, un travail de col blanc, ce qui amena son père à le considérer comme un apostat. Puis il partit. Il trouva un emploi dans le bas de la ville comme vendeur dans un magasin de chaussures. Il suivait les cours du soir afin de devenir comptable. Tel était son but. La nuit, il murmurait ces mots dans son lit : « Charles Drubashevski, comptable. »

Il finit par prendre une chambre dans une pension de famille — pour être près de son travail, dit-il. Mais il ne trompa pas ses frères qui le regardèrent avec des yeux hostiles. C'était l'histoire de Joseph qui recommençait, bien qu'il n'eût pas de vêtement de plusieurs couleurs et qu'il fût loin d'être le favori de son père. Il ne trompa même pas sa mère en définitive car il allait les voir de moins en moins et vers la fin, ses yeux devinrent également hostiles. Puis ce fut la guerre et il revint — mais pas à Youngstown — il était officier et décoré. Il se donna trois ans "pour voir venir", accepta de travailler pour le Saint Louis Cotton Trust et maintenant il se trouvait à Bristol, Mississippi, couché sur un lit d'hôtel, les yeux fixés sur le plafond souillé de taches d'eau, méditant ou essayant de méditer ce qu'il allait dire au major, le père d'Amanda.

— C'était capital — il s'en rendait bien compte à présent. Auparavant, il ne s'était pas beaucoup préoccupé de cette entrevue ; il considérait plutôt qu'en général les parents se réjouiraient d'une offre qui les débarrasserait d'une fille plus toute jeune pour se marier. Il y songerait le moment venu, s'était-il dit en lui-même. Mais maintenant, à quelques heures seulement de la scène, il commençait à juger cette entrevue comme quelque chose de plus sérieux. Il comprit brusquement qu'un échec pouvait entraîner la ruine sur toute la ligne. Il se rappelait le major tel qu'il avait été cette seule et unique fois dans le bureau de Cotton Row, son grand front, sa couronne de cheveux gris fer, son allure sévère à la fois brusque et courtoise, distante et compréhensive, avec ce pince-nez étincelant dressé entre son visage et le monde. Drew se demandait s'il avait commis quelque erreur de tactique. Il en vint à penser qu'il aurait dû commencer par travailler d'abord le major. La phase II aurait dû être la phase I.

A 2 heures, quand il descendit déjeuner, la salle à manger était encore envahie par les convives du dimanche. Il resta longtemps assis devant son assiette, puis il commanda une seconde tasse de café ; ce qui le fit rester encore plus longtemps. A 3 h 30, dans une salle vide, le serveur, debout, ayant l'air d'un martyr blessé, mais patient, une serviette serrée dans le poing — « Encore un peu d'eau », répétait-il sans cesse, en faisant cliqueter les glaçons dans le pichet — Drew paya sa note et partit. Il se tourmentait de plus en plus à l'approche de cette entrevue, imaginant les différents obstacles que le major pourrait dresser devant lui. Ses craintes, bien que mal définies, n'en étaient pas moins présentes. Quand il approcha de la maison de Lamar Street, il était véritablement effrayé, et même démoralisé, mais il trouva deux consolations. En premier lieu, comme un général qui s'apprête à livrer une dernière bataille pour clore une campagne heureuse, il se rappela ses récentes victoires, toutes assurément beaucoup plus difficiles que le combat présent. En second lieu, comme un boxeur froussard qui arrive sur le ring pour affronter un adversaire particulièrement féroce, il concentra son esprit sur la bourse d'un million de dollars.

Alors qu'il montait les marches, la porte s'ouvrit brusquement et un homme portant une veste à ceinture sortit de la maison avec un petit sac noir à la main. C'était le Dr Clinton. Il venait de faire sa visite mensuelle à Florence et au major. Il salua Drew sèchement en haut de l'escalier, évidemment surpris de voir chez les Barcroft un visiteur qui n'apportait ni les secours de la médecine ni ceux de la religion. Drew se dirigea vers la porte où Amanda l'attendait. Elle avait l'air encore plus pâle que d'habitude. Pensant qu'il y avait peut-être eu une scène, il voulut avoir le temps de l'interroger, d'apprendre ce qu'elle avait bien pu révéler à son père et ce que celui-ci avait répondu quand elle avait arrangé l'entrevue. Peut-être pourrait-on la retarder. Mais elle ne lui en donna pas le temps. Elle le conduisit tout droit à travers le grand couloir ténébreux vers la porte du cabinet de travail du major. Comme un général dont la section de renseignement a été décimée, Drew s'apprêtait à pénétrer sur le champ de bataille en aveugle et sans la moindre information. Cependant, juste avant d'arriver à la porte, Amanda s'arrêta et lui dit à voix basse qu'elle le retrouverait à l'heure habituelle, le soir même, devant la maison. Puis elle fit demi-tour et le laissa. On aurait dit qu'elle s'était évanouie brusquement et pour toujours ; il était seul.

Il frappa légèrement. Il n'y eut pas de réponse. Le doigt tout prêt, il s'apprêtait à frapper encore : « Entrez », dit une voix, et il ouvrit la porte.

La petite pièce du rez-de-chaussée que le major appelait son cabinet de travail était meublée d'un bureau à cylindre en noyer, réplique de celui de Cotton Row, d'un coffre-fort trapu, vert, avec un motif dessiné sur la porte, d'un divan en cuir de cheval capitonné rehaussé à un bout, avec pour pieds des griffes enserrant des boules, et d'une chaise tournante. Un Plutarque à dos de cuir et à reliure marbrée était ouvert sur le bureau. Un ouvre-lettres en ivoire était posé en travers. Le feu avait été préparé dans l'âtre mais n'était pas encore allumé. A côté, il y avait un seau à charbon ; les morceaux gros environ comme le poing avaient été enveloppés dans des journaux afin de ne pas salir les mains. Les murs étaient nus, à l'exception d'un espace juste au-dessus du bureau où deux sabres dans leur fourreau avaient été croisés sous la photo pâlissante d'un jeune homme élancé vêtu de kaki froissé (Drew reconnut l'uniforme car il l'avait vu reproduit dans des magazines et dans des films ; il ressemblait à celui qu'arboraient les Rough Riders), avec un foulard poussiéreux autour du cou, des guêtres de toile, un chapeau à larges bords et des galons de capitaine. Il y avait une autre photographie sur le bureau. On y voyait en pied, dans un cadre d'argent, une jeune femme habillée comme il y a trente ans, portant un chapeau Rubens, les deux mains posées sur la pomme d'une ombrelle en soie de couleurs variées. Sa tête était trop grosse pour ses épaules. Le major Barcroft, assis dans son fauteuil, se penchait légèrement en arrière. Ses pieds chaussés de bottines noires plissées aux chevilles avec des petits crochets au lieu d'œillets pour les lacets, reposaient à plat et parallèlement sur le plancher, comme des souliers sous les lits dans une caserne quand les troupes sont à l'exercice.

Il ne se leva pas pour saluer ; il resta assis, la tête en arrière, les yeux fixés sur le visiteur de grande taille. Son pince-nez, rendu comme opaque par la vive lumière, brillait telle une lame hors de son fourreau ; « Asseyez-vous, jeune homme », dit-il enfin. Le divan s'affaissa brusquement sous le poids de Drew et autour de ses cuisses s'éleva une odeur de moisi, vaguement ammoniaquée, une odeur de paille et de cuir de cheval. « Ma fille m'a informé que vous désiriez me voir. Je vous prierai de me dire ce que vous êtes venu me dire. »

Drew bafouilla peut-être pour la première fois de sa vie d'adulte. Tandis que le major l'observait à travers son pince-nez miroitant, ses cheveux gris fer dressés tout raides sur son front pâle, Drew fut saisi d'une espèce de panique. Il avait pensé que, dès qu'il aurait commencé à parler, sa confiance en lui reviendrait. Mais il n'en fut rien. Plus il parlait, plus sa détresse augmentait. D'abord, il était gêné par le mot Monsieur. C'était un mot qui venait naturellement à ces gens-là — ils s'en servaient pour ponctuer, modeler leurs phrases. Il donnait à leurs remarques les plus insignifiantes une dignité sans commune mesure avec leur contenu, mais quand Drew l'employait, il avait l'impression que cela le faisait paraître obséquieux, comme un homme qui se présente en vue d'obtenir un travail pour lequel il lui manque les qualifications requises en vue de son exécution. Puis, tandis qu'il parlait (son esprit fonctionnait à deux niveaux ; il pensait derrière le son même de ses mots), il se rappela qu'Amanda lui avait dit qu'elle le retrouverait *devant* la maison, et il lui sembla, en vertu de ces paroles, qu'il avait déjà obtenu la réponse du père. Néanmoins, il continua, hésitant, bégayant comme un élève pris en flagrant délit de copiage, ou comme un joueur avec six cartes, et, tout en parlant, la pensée lui vint que cela valait peut-être mieux. Peut-être était-il préférable de bégayer, de chercher ses mots, en un moment pareil. Il se rappelait des scènes comme ça au théâtre ; le jeune homme bredouillait, restait bouche bée, transpirait, et l'auditoire comprenait, sympathisait même. Une certaine confiance commença à se manifester dans sa manière d'être : « J'aime beaucoup Amanda », dit-il pour conclure.

Le major le regarda, vérifia la pointe de son ouvre-lettres sur son pouce. Son seul signe d'émotion consista en une dilatation et une contraction légères des narines qui les firent se border de blanc. Brusquement, Drew comprit qu'il avait échoué ; il comprit qu'il était éconduit. S'il y avait jamais eu le moindre doute quant à l'issue de l'entrevue, ce doute était levé. Le major Barcroft lui dit alors doucement, en le regardant fixement :

— De quelle couleur sont ses yeux ?

— Pardon ? dit Drew. Tandis que le major le regardait sans répéter sa question, il se demanda s'il ne devrait pas bluffer pour se tirer d'affaire. La couleur ? De quelle couleur étaient-ils ? Une espèce de couleur bleu sale, croyait-il. Mais il ne pouvait tout de même pas lui dire ça. Il ne savait pas.

Le major Barcroft, après avoir attendu quelque peu, se leva. Il ne dit rien, il se contenta de rester debout, lui signifiant ainsi son congé sans même lui proposer de le raccompagner. Comme Drew longeait le couloir en se demandant s'il était le premier homme à se trouver éconduit — ostensiblement du moins — parce qu'il ne pouvait pas se rappeler la couleur exacte des yeux de celle qu'il convoitait, il prit conscience d'un sifflement aigu qui se répétait comme une fuite de gaz intermittante : « Pst ! Pst ! » Il vit alors au bout du couloir, vers l'entrée à gauche, une porte légèrement entrouverte et un visage qui regardait dans l'embrasure. C'était un visage qu'il n'avait jamais vu, un visage de femme, avec une chair couleur de mastic pas encore très sec, et deux boucles de cheveux toutes raides dont les pointes dirigées vers les coins de la bouche entouraient les deux tiers supérieurs du visage comme des parenthèses. Elle fit un geste d'appel avec une main, l'index replié : « Pst ! Pst ! » et il vit qu'elle portait une veste en cretonne à motifs violents de fleurs rouges et pourpres. La sœur folle, pensa-t-il. Elle s'est sauvée de son grenier !

Il envisagea sérieusement de s'enfuir. Mais il arriva à contrôler sa peur et se dirigea vers elle, tenant délicatement son chapeau, comme un bouclier, pour se préserver d'une attaque soudaine — qui sait si elle ne tenait pas un couteau ou même une hachette dans sa main cachée, attendant l'occasion de frapper ? Quand elle parlait, penchée de telle façon que seuls son nez, sa bouche, la moitié de chaque œil et ses cheveux coupés à la chien apparaissaient dans l'entre-bâillement, sa voix était aiguë et tremblante, comme le grincement d'un gond rouillé à force de ne pas servir. Mais les mots étaient assez clairs : « Vous êtes l'amoureux d'Amanda ? » dit-elle, le visage tout proche. Il pouvait distinguer les pores de la peau. Elle parlait d'une voix brusque, pressée, comme si elle craignait que quelqu'un ne vienne les découvrir et les interrompre, peut-être même leur faire du mal : « Emmenez-la ! Emmenez-la loin de cette terrible maison ! »

Surpris par sa violence, Drew recula et courut vers la porte. Il n'était pas poltron — son D.S.C. était bien mérité, mais, cette fois, tout cela échappait à ce qu'il connaissait déjà ou à ce dont il s'attendait ; c'était comme entrer en contact avec le monde occulte. En outre, son entrevue avec le major l'avait abattu. Il descendit l'escalier quatre à quatre sans prendre garde qu'Amanda l'observait peut-être d'une des fenêtres du haut.

Mais, en se rendant à l'hôtel, remis de sa frayeur, il pensa à ce que Florence lui avait dit. A la distance où il se trouvait maintenant, sa peur lui parut absurde. La folle ne s'était pas conduite en ennemie mais en alliée, en conseillère. Elle lui avait donné la seule vraie réponse à son problème : la fugue, puis sans aucun doute, une scène furieuse, une période de brouille avec peut-être quelques récriminations — et enfin le pardon. Après tout, Amanda était en fait une fille unique. Devant la réalité irrécusable du mariage, le père finirait par en prendre son parti. Drew avait le sentiment qu'il en serait ainsi ; il imagina même la scène du retour à Lamar Street. Il se voyait, debout devant le major, pas exactement repentant, mais humble. Le major le regarderait d'un œil sévère. Puis, petit à petit, ses traits s'adouciraient ; ses verres s'embrumeraient ; finalement, il ouvrirait ses bras tout grands et Amanda s'y précipiterait. Quant à Drew, il resterait un peu en arrière, tournerait poliment la tête pour éviter la vue de ce spectacle et attendrait le moment de s'avancer pour une poignée de main d'homme à homme.

Il regrettait maintenant de n'avoir pas agi ainsi dès le début. Et ce soir-là, quand Amanda descendit les marches et vint le rejoindre à l'ombre des chênes, il lui dit que c'était le seul espoir. Ils s'éloignèrent sous la lune haute et pure, comme de l'or battu, dans l'air encore tiède ; les gens disaient qu'il n'y aurait pas d'hiver cette année-là : « Venez demain soir, comme d'habitude, lui dit-il, en lui serrant le bras et se penchant de telle sorte que ses lèvres lui frôlèrent les cheveux. Vous n'avez pas besoin d'apporter des choses avec vous, venez telle que vous êtes. Nous nous marierons devant le juge de paix et nous prendrons le train de 10 heures pour La Nouvelle-Orléans. Dites oui. » Elle hésitait malgré son envie. Drew s'en rendit bien compte. Il lui serra le bras et respira dans ses cheveux. Quand ils retournèrent à la maison, elle le serra contre elle plus tendrement encore qu'elle ne l'avait fait la nuit précédente et elle lui dit qu'elle partirait avec lui.

— J'irai avec vous n'importe où, Harley.

2

4.

CITOYEN CÉLIBATAIRE

Cette nuit-là, le temps se gâta. Peu après minuit, le vent se leva, il y eut de soudaines ondées, intermittentes et brusques comme des petites poignées de gravier lancées contre les vitres. Aux premières lueurs de l'aube, la cadence se précipita ; pendant toute la matinée du lundi, ce fut une pluie constante, une véritable pluie d'automne que le vent chassait en nappes cinglantes, arrachant les feuilles des arbres, les collant sur les rues, les trottoirs, les pelouses, trempées, visqueuses, dépouillées de leurs fraîches couleurs. « Grand Dieu du ciel, disait Drew, c'est ça qu'on appelle le Sud ensoleillé ? » Juste après 3 heures cet après-midi-là, la tempête se calma. Une heure plus tard, elle avait cessé. Le soleil reparut, froid, pâle, distant, à travers une brume sale qui noyait le paysage transformé dans une lueur jaune et sinistre comme le scintillement d'un éclair. Les branches des arbres, sans feuilles, et noires d'humidité se détachaient, lugubres sur le ciel quand, à 5 heures, Amanda sortit retrouver son père.

Drew lui avait recommandé de ne rien faire qui pût lui donner des soupçons. Mais, comme ils revenaient ensemble par les rues couvertes de feuilles, sous cet étrange reflet, le père sembla avoir deviné ses plans. Cela se voyait à son attitude et non à ses paroles. Ils étaient à mi-chemin de chez eux quand il parla : « Amanda », dit-il. Il s'arrêta : « Je veux que tu te rendes bien compte des conséquences avant d'entreprendre quelque chose que tu regretterais. » Il ne la regardait pas et elle gardait les yeux fixés droit devant elle ; « Tu sais que lorsque je dis quelque chose, je ne plaisante pas, pas le moins du monde. Tu peux dire cela à ton jeune homme, Amanda. Dis-lui que le jour où vous vous marierez sans mon consentement, je te couperai les vivres et tu n'auras plus un sou. Pas le moindre sou, Amanda. Je te laisserai tomber, je te déshériterai, et qui plus est, je ne le regretterai pas. Je ne penserai même plus à ton nom.» Jusque-là, il avait parlé lentement, avec des temps d'arrêt entre les phrases ; mais maintenant, les mots arrivaient rapidement, comme des assauts d'escrime. « Dis-le à ton jeune homme, Amanda et tu verras bien sa réaction. »

Le major tourna la tête et la regarda pour la première fois depuis qu'ils avaient quitté le bureau. Elle savait qu'il la regardait ; elle s'en apercevait du coin de l'œil ; néanmoins, elle ne détourna pas la tête et après quelques pas de plus sur le pavé humide, il se remit à parler. A un mètre, personne n'aurait pu entendre ce qu'il disait.

— Mais il y a plus, et je me demande comment ça ne t'est pas venu à l'esprit ; je me demande comment tu n'y as pas pensé. Il branla la tête. Cela ne te ressemble pas Amanda, pas du tout.

Il se pencha vers elle et parla rapidement, toujours de cette voix posée qu'aucun témoin n'aurait pu entendre.

— *Moi*, je l'entends aux premières heures de la nuit, et je l'entends aussi quand tu vas la trouver. Je sais très bien ce à quoi rêve Florence. Voudrais-tu laisser ta sœur seule ici ? Voudrais-tu la laisser se réveiller en hurlant, sans qu'elle te trouve près d'elle ? Voudrais-tu laisser Florence pour que ce soit *moi* qui la réconforte, pour que ce soit moi qui me trouve près d'elle et lui tienne la main quand elle sort de son rêve ?

Amanda regarda son père et vit que son visage était tourné vers elle. Elle vit l'expression contractée de sa bouche, les maillons enchevêtrés de sa chaîne d'or qui retombait en une étincelante parabole jusqu'au bouton de son revers, les sourcils grisonnants, touffus, le plastron empesé avec sa perle unique couleur de lait écrémé. Puis tout devint confus, car elle avait les yeux remplis de larmes. Ils étaient maintenant devant la maison. Elle monta les marches en courant, traversa le couloir, grimpa l'escalier et tourna la clé derrière elle, puis, faisant volte-face, elle s'appuya contre le panneau, les bras étendus dans une pose de crucifixion, la bouche et la joue collées contre la surface vernie, haletante : Dieu est affreusement méchant envers les gens, pensa-t-elle, sanglotant contre l'odeur et le goût du vernis. Dieu est affreusement méchant envers moi.

Bientôt cependant, elle s'essuya les yeux avec sa manche et traversa la chambre. Elle s'assit de côté sur le lit et contempla ses mains sur ses genoux. Elle resta ainsi pendant une dizaine de minutes, sans bouger. Puis elle se leva, résolue, alla à son bureau où elle prit une feuille de papier dans le tiroir, déboucha l'encrier, prit sa plume et écrivit rapidement. Dans le calme de la pièce, le grincement de la plume semblait résonner très fort. Quand elle eut rempli à peu près une demi-page — sept lignes, sans compter les salutations ou la signature, elle posa sa plume et resta assise, les yeux fixés sur le papier, pendant que l'encre séchait. Elle se leva, plia la feuille, la mit sous enveloppe et se dirigea vers la porte. Puis, sans s'arrêter, elle tourna sur le seuil et revint à la table où elle rédigea l'enveloppe. Ses mains tremblaient. L'écriture était à peine lisible : « Mon Dieu » dit-elle, en y jetant les yeux. Elle décida que ça irait tout de même et elle descendit l'enveloppe sans même attendre que l'encre fût sèche.

De la véranda elle fit signe à un petit Noir qui passait sur le trottoir. Il traversa l'étroite pelouse et prit la lettre qu'elle lui tendit :

— Porte ça à l'hôtel *Bristol*, lui dit-elle. Vas-y tout de suite. Elle se tut, regarda l'écriture sur l'enveloppe, puis elle dit tranquillement : C'est pour Mr. Harley Drew.

— Oui, M'dame, dit-il. A l'hôtel *Bristol*. Oui, M'dame.

Il ne bougeait pas cependant. Il restait planté là dans ses vieux souliers détrempés, son pantalon coupé aux genoux, sa chemise en toile bleu ciel, et il levait les yeux vers elle en découvrant beaucoup de blanc au bas de ses prunelles. Amanda attendit mais il resta immobile. Elle finit par prendre son porte-monnaie dans la poche de sa robe, ouvrit le fermoir et en tira une pièce.

— Tiens, voilà pour toi, dit-elle.

Il la prit mais resta immobile encore un instant, regardant le reflet de la pièce, sombre et gris, pas tout à fait argenté, sur le fond rosâtre de sa paume.

— Oui, M'dame, dit-il tristement. Ce n'était que cinq *cents*.

Drew venait d'entrer par la porte qui donnait sur Marshall Avenue. Il revenait de la gare où il avait pris des billets et réservé un compartiment dans le train de nuit pour La Nouvelle-Orléans quand le réceptionniste l'appela :

— Mr. Drew, voilà un gosse avec une lettre.

Le jeune Noir était debout devant la réception, serrant à deux mains la lettre sur sa poitrine :

— C'est vous Mr. Harley Drew ? demanda-t-il, méfiant.

— Oui, c'est moi, dit Drew gravement.

— Alors voilà, dit le gamin encore plus gravement, et il tendit la lettre qu'il tenait toujours à deux mains, veillant à toute tentative de vol imprévu.

Drew la prit et l'ouvrit. Dans le coin gauche, en haut de la page, il y avait une initiale, un B enjolivé et au bas du texte la signature : *Toujours votre Amanda*, écrite en caractères plus grands que les autres. Le papier de la lettre était lourd, cher et légèrement jauni : Il doit appartenir à sa mère, pensa Drew. Il leva les yeux sans avoir encore lu la lettre et, voyant que le petit Nègre attendait toujours, il sortit une pièce de sa poche et la lui lança : 25 cents. La main noire du garçon interrompit la trajectoire tournoyante et, lorsqu'il franchit les portes de verre, ses deux rangées de dents apparurent, toutes blanches sur son visage.

Drew s'adossa à une des colonnes près du bureau et regarda le billet qui nécessitait un peu de déchiffrage, car les t pour la plupart n'étaient pas barrés et les i n'avaient pas de points ; d'autre part, on n'arrivait pas à distinguer les ens et les yous, les ayes et les ohs. Il l'étudia d'abord en partant du bas et en ne lisant que les passages qui attiraient son attention : *Ce soir à 7 h 30. Il ne change jamais. Sans le moindre regret. Impossible. Ne prenez pas de billets.* Surpris par cette dernière phrase il traversa le hall et s'assit dans un des fauteuils de cuir où de vieux bons à rien s'asseyaient chaque matin et chaque après-midi, crachant dans les crachoirs de cuivre et parlant du coton, tout en regardant les jambes des femmes sur le trottoir. Il ouvrit la lettre en grand et la lut soigneusement du commencement jusqu'à la fin :

Cher Harley,

Je vous verrai comme convenu, mais ne prenez pas de billet. Ce que nous avions projeté est impossible, non parce que papa dit qu'il me coupera les vivres — et il m'a chargé de vous le dire — plus un sou. Je sais qu'il le ferait, et sans le moindre regret, parce qu'il l'a dit et, une fois qu'il a dit une chose, il ne change jamais, quand bien même il le désirerait. C'est pour une autre raison que je ne puis vous écrire. Je vous la dirai ce soir à 7 h 30.

Toujours votre Amanda.

Il relut le tout sans s'arrêter. *Toujours votre Amanda, Cher Harley,* non qu'il subsistât le moindre doute quant au sens, simplement il voulait retarder le moment où il faudrait y penser, retarder le moment où il se rendrait compte de sa défaite. Assis, la lettre une fois encore pliée sur son genou, il aurait pu la réciter par cœur — syntaxe confuse, fautes d'orthographe, etc. La calligraphie hâtive et maladroite était microfilmée dans son cerveau. Plus question de fugue. Amanda lui avait dit qu'il y avait une autre raison, mais Drew n'avait pas besoin d'une autre raison. Neuf mots du message lui avaient donné la seule raison qu'il lui fallait : *Il me coupera les vivres. Il ne change jamais.* Cela suffisait.

Il resta assis encore une heure dans le hall, la lettre dans sa poche intérieure avec les vieux billets de chemin de fer inutiles en tâchant de se décider s'il devrait la rencontrer ou pas. Sa première intention fut de partir tout de suite, de conclure sans une scène finale d'adieu ; il détestait la sentimentalité, même quand elle pouvait lui rapporter. Mais son amour-propre ne lui permettait pas de partir de cette façon. Le fait qu'Amanda y mît fin lui donnait une chance d'être considéré avec compassion et il préférait qu'elle pensât à lui ainsi. En outre — et ceci comptait plus dans ses calculs —, il y avait peut-être un moyen de garder l'affaire en main. C'est alors qu'il lui vint à l'esprit, presque soudainement, que le major Barcroft n'était pas éternel.

Aussitôt qu'il y eut pensé, il se demanda comment il n'y avait pas songé plus tôt. Il se dit en lui-même : tu as pris cette affaire trop à cœur. Mais il se trompait. Il ne s'était pas donné assez de peine. Tout s'était déroulé le plus aisément du monde jusqu'à l'entrevue avec le major. Là, il avait été pris de panique et il avait cherché à se raccrocher à ce qu'il pouvait. Il avait suivi le premier conseil qu'on lui avait donné, même venant de celle qu'il appelait la sœur folle et, parce que tout avait échoué, il avait sombré dans le désespoir. Calme-toi, tout bonnement, se dit-il comme un athlète, quand le score commence à favoriser l'adversaire. Tu as pris cette affaire trop à cœur.

Bien que ce ne fût pas absolument vrai, ça l'était cependant dans une certaine mesure. Tant de choses dépendaient du résultat, et il avait pris trop à cœur ce résultat. Drew se laissa aller sur sa chaise, les mains dans les poches, les genoux relevés presque au niveau de la tête. La nuit était tombée derrière la fenêtre vitrée, les réverbères brûlaient en rangs bien ordonnés le long des deux trottoirs de l'avenue. Les poteaux comme des arbres de fer, sortaient du ciment chacun avec une flaque d'or autour du tronc, et portaient comme fruits des globes incandescents. Il était venu de loin, de si loin qu'en se penchant sur son passé, il avait l'impression de regarder d'une grande hauteur après une escalade : tout le parcours depuis les années d'aciérie à Youngstown, son père qui criait « Haï ! Haï ! », frappait le sol avec les talons rouges de ses bottes et jouait du concertina : le magasin de souliers où, agenouillé aux pieds des clientes, il tournait poliment la tête quand elles écartaient les genoux ; l'armée pendant la guerre, les nuits de métal hurlant et d'explosions, les jours sanglants puis la période d'occupation, quand il avait pris conscience de ses goûts et de ses désirs ; les trois années passées à "voir venir", y compris les maigres repas, les désirs de luxe, les longues journées de travail au siège central de la firme cotonnière, l'étude des livres et des statistiques, le séjour au Texax — « heureux de vous connaître » — et ceci maintenant. Tout cela n'aboutirait-il à rien ? Il se le demandait. Est-ce que tout se terminerait par un échec, quand la première véritable occasion se présentait à lui ? Il maudit le major. Puis il se calma brusquement. Ce n'était pas tellement différent de l'armée en réalité. Là-bas, ç'avait été les balles et les balles s'étaient tues. La fusillade avait diminué jusqu'à ne plus devenir qu'un murmure avant d'atteindre un paroxysme et de cesser tout à fait. Quant au major..., eh bien, le major pouvait tout aussi bien mourir. Ce n'était qu'une question de temps, aujourd'hui comme alors et, depuis des années, attendre avait été sa spécialité. Et puis, qui pouvait prévoir l'avenir ?

En sortant, il s'arrêta à la réception et rédigea un télégramme à l'adresse du siège central de Saint Louis. GRIPPE TERMINÉE PARTIRAI DEMAIN POUR VICKSBURG. Quand il franchit les portes tournantes, la pendule sur le mur marquait 7 h 30.

Cette fois, c'était Amanda qui attendait. Elle sortit des ombres et lui prit le bras ; comme ils descendaient Lamar Street, les branches au-dessus d'eux, raides et noires sous la lune grondaient et claquaient dans le vent. Les feuilles mortes du temps des lutins, chassées par le vent, sèches maintenant après l'averse de la nuit précédente, émettaient de petits grincements, des espèces de murmures sur les trottoirs. Elle resta un

moment silencieuse, légèrement appuyée au bras de
Drew, mais, après avoir parcouru une faible distance,
elle commença à lui dire ce qu'elle avait promis de lui
révéler dans sa lettre. Elle dit qu'elle ne pouvait pas
abandonner Florence.

— Je me demande comment j'ai bien pu penser
pouvoir le faire. Ou plutôt si. Je le sais. Je pensais au
début que nous resterions ici, vous et moi — voilà. Et
puis plus tard, quand j'ai su que ce n'était pas possible,
je désirais tellement rester près de vous que plus rien
d'autre ne comptait. C'est pour ça. Mais je sais
maintenant que j'avais tort. Florence a plus besoin de
moi que personne. Nous devons attendre.

— Attendre ? Drew croyait comprendre, mais il
voulait être sûr. Il voulait le lui faire dire. Attendre
quoi ?

— Son cœur, dit Amanda ; elle hésitait ; elle a le
cœur malade, je le sais. On me l'a dit.

Drew la regarda :

— Malade comment ?

— Je ne sais pas. Malade. Elle va mourir.

C'était ce qu'il attendait, ce à quoi il avait voulu
l'amener. Alors, il lâcha ce qu'il avait à l'esprit.

— Ça ne serait pas *lui* plutôt ?

— Lui qui ?

— Votre...

— Papa ? dit-elle incrédule. Il était clair qu'elle
n'avait jamais eu une telle pensée. Elle considérait son
père comme inattaquable, immortel. Papa ne va pas
mourir.

Drew se tut alors, faisant les cent pas, les mains dans
les poches et pensant à la mort — pensant à eux deux
en train de l'attendre : elle attendait la mort de sa sœur,
lui attendait la mort du père, une sorte de course de
chevaux monstrueuse, à rebours. Nous formons un joli
couple, pensa-t-il ; et il sourit à cette pensée. Si

Florence mourait la première, eh bien, tout simplement, il ne viendrait pas quand Amanda l'appellerait. Mais s'il arrivait que le major disparût le premier, il accourrait avant qu'on l'ait mis en terre. C'était une course, un risque à prendre — sans pourtant en être vraiment un, car Drew n'avait rien à perdre quel que fût le gagnant. Mais il avait beaucoup à gagner si les choses marchaient comme il l'entendait.

Il sentit alors qu'on le tirait par la manche. Ils se trouvaient maintenant devant le deuxième pâté de maisons, à mi-chemin entre les réverbères, là où il faisait le plus sombre. Il s'arrêta, se tourna vers elle et baissant les yeux, il la vit, le visage levé vers lui, pâle dans le clair de lune, les lèvres blanches et contractées, les yeux brillant faiblement dans leurs orbites : « Oh, Harley », dit-elle. C'était presque une plainte. Il l'embrassa, l'attirant contre lui, murmurant des mots dénués de sens et lui caressant le dos de la main. Au début, cela l'étonna, elle se cacha le visage contre le tweed de son épaule : « Ah, Harley », dit-elle, et il continuait à la caresser, comme pour calmer un poney trop fougueux. Bientôt ils firent demi-tour et revinrent ; il l'embrassa de nouveau, en prenant congé sur les marches.

— J'attendrai aussi longtemps qu'il faudra, dit-il. Il n'y aura jamais personne d'autre pour moi, Amanda.

Il était sincère ; il était sincère alors et, quand il revint à l'hôtel, il s'arrêta à la réception. Le gardien de nuit était là.

— J'ai laissé un télégramme. Est-ce qu'on l'a envoyé ?

— Un moment, Mr. Drew. Le garçon alla au standard et fouilla dans les papiers. Il faisait non seulement fonction de gardien de nuit mais de standardiste.

Drew savait que cette recherche était un prétexte car, dès qu'il venait prendre son service, le gardien de nuit lisait tous les messages de la journée, même les cartes postales.

— Voilà, dit l'employé. Il se retourna, la feuille jaune à la main : « GRIPPE TERMINÉE STOP. » On l'enverra dès demain matin.

— Donnez-le-moi. Drew le prit : Bonne nuit.

— Oui, Monsieur, reprit le gardien en le regardant par-dessous la ligne nette de ses sourcils.

En haut, dans sa chambre, Drew déchira et redéchira le message sans se lasser, en faisant des morceaux aussi petits que possible, et il jeta le tout dans une corbeille à papier, près du bureau. Voltigeant comme de la neige jaune, quelques morceaux tombèrent sur le tapis. Il décrocha le téléphone.

— Monsieur ?

— Envoyez-moi le chasseur au 415.

— Tout de suite.

On aurait pu croire qu'il avait à peine eu le temps de raccrocher quand on frappa, et, lorsqu'il ouvrit la porte, le Noir était là, debout, serrant contre sa poitrine un pichet en métal tout givré.

— Laisse ça tranquille, dit-il, envoie-moi Alma. C'est bien son nom ?

— Oui, Monsieur.

Drew ferma la porte. Le bruit de la glace dans le pichet résonna tout le long du couloir, et disparut peu à peu. L'ascenseur grinça, s'ouvrit, se referma bruyamment puis se remit à grincer. Un silence s'ensuivit qui lui sembla d'autant plus long que l'attente exacerbait sa perception. L'ascenceur grinça de nouveau, s'arrêta, et s'ouvrit bruyamment. Des pas s'approchèrent, arrivèrent à sa hauteur puis s'éloignèrent : une clé cliqueta dans une serrure, tout au bout du couloir ; et le silence retomba à nouveau. Drew resta

117

encore un moment assis sans bouger, puis il se leva brusquement, s'avança jusqu'au bureau. Il s'age- nouilla sur le tapis, et commença à rassembler les morceaux de papier jaune, les plaçant un à un dans la paume de sa main. Il les jeta dans la corbeille puis se releva, s'épousseta les genoux et retourna s'asseoir sur son lit. Il alluma une cigarette et la fuma rapidement, aiguisant de temps en temps la cendre sur le bord d'une soucoupe qui se trouvait sur la table de nuit comme si c'eût été la pointe d'un crayon.

Il se mit à penser à Amanda. Pourquoi une telle pensée ?, se dit-il en lui-même, et il se remit à penser à elle. Aurais-je dû aller plus loin ? Aurais-je dû — puis il prit conscience d'un grattement à la porte. Il avait été si absorbé en pensant à Amanda qu'il n'avait entendu ni l'ascenseur ni les pas dans le couloir. Il se leva et ouvrit la porte :

— Il commence à être temps, dit-il. Elle était habil- lée comme quatre nuits auparavant.

— J'avais un rendez-vous, répondit-elle.

Peu après, alors qu'ils étaient au lit, complètement immobiles, et regardant en l'air le rectangle de lumière projeté par le vasistas, elle dit :

— Oh, chéri, j'ai comme qui dirait l'impression que je te vole. Vrai de vrai.

— Je me mêle de mes affaires, dit Drew. Toi, mêle-toi des tiennes.

Elle se tourna de côté et l'observa appuyée sur un coude :

— Tu me plais, dit-elle.

Elle lui posa une main sur l'épaule. Il ne la regardait pas :

— Vrai de vrai, tu me rappelles quelqu'un. Puis elle reprit doucement, amoureuse : J'peux enlever mon soutien-gorge si tu veux. Tu veux ? Apparemment, c'était une grande concession, une reddition intime qui n'avait rien à voir avec l'argent. Elle l'enleva et le pendit par les bretelles au dos d'une chaise, près du lit. On aurait dit un hamac mal tendu.

— Là, dit-elle. Viens, qu'on se serre bien. Ils se blottirent l'un contre l'autre.

— Oh, tu me *plais*, murmura-t-elle, sûr que tu me plais. J'ai été mariée un temps avec un garçon tout pareil à toi... Dis chéri, *comment* que tu t'appelles ?

Un peu plus tard, étendus côte à côte, ils regardaient de nouveau le rectangle de lumière que projetait le vasistas quand Drew entendit des coups de sifflets solitaires et lointains dans la nuit — un long, un bref, un long ; une plainte, un ululement, une plainte. Il était 10 h 05, et le train de La Nouvelle-Orléans approchait de la pleine campagne. Étendu, il pensait au compartiment vide, aux couchettes rabaissées, à la vibration, à l'odeur d'escarbilles légère, mais pas déplaisante, et soudain il lui vint à l'esprit qu'Amanda devait les entendre elle aussi, seule dans sa chambre ou assise près de sa sœur dans la grande maison de Lamar Street. Elle avait interrompu ce qu'elle était en train de faire et elle était là assise, parfaitement immobile, écoutant la plainte du sifflet. « J'aurais dû annuler ma réservation », pensa-t-il.

— Quoi ?

— Rien, dit-il, comprenant qu'il avait dû penser tout haut.

Il se leva, nu, et traversa la chambre où sa valise était posée devant la commode. Il s'agenouilla : « Qu'est-ce qu'il y a ? » dit la fille, en se redressant sur le lit. Drew ne répondit pas. Il ouvrit la valise et, sans avoir même à fouiller — car il savait juste où il l'avait mis, exactement dans quel coin ; il s'attendait à le faire dans l'obscurité — il sortit un paquet enveloppé dans du papier de soie.

— Tiens, dit-il, revenant au lit où Alma était assise,

le bord du drap relevé sous le menton malgré l'obscurité, c'est pour toi.

— Qu'est-ce que c'est, dit-elle. Qu'est-ce ? Puis elle comprit. Le papier sussura quand elle l'ouvrit. Alors ça ! dit-elle sur un ton qu'elle aurait pu tout aussi bien réserver à la prière : Une chemise de nuit !... C'est une chemise de nuit.

Drew l'avait achetée le matin même. Il avait fait tous les magasins de Marshall Avenue jusqu'à ce qu'il eût trouvé ce qu'il voulait et au prix qu'il était disposé à payer. C'était la chemise nuptiale d'Amanda et elle lui avait coûtée huit dollars.

— Allons, essaie si elle te va, dit-il, en avançant la main vers la lampe.

— Pas encore. Elle lui prit le bras. Je te dirai quand.

Ses pieds nus faisaient un bruit feutré sur le tapis. La chemise de nuit froufroutait et susurrait un peu à la manière du papier, mais en plus doux, en plus étouffé. Drew apercevait sa silhouette devant la fenêtre sur un fond lointain de pâles étoiles. Elle fit encore quelques ajustements ; « Maintenant », dit-elle. Il alluma et elle était là, debout, la gorge dans un flot de dentelles : « C'est pas quelque chose ! dit-elle, je tremble comme une jeune mariée. » Elle se tourna à droite à gauche, pour qu'il pût l'admirer. La chemise de nuit était longue et tombait en plis au-dessous de la taille. L'ourlet reposait sur ses gros pieds de sorte qu'on ne voyait que ses orteils avec leurs ongles épais. Elle répéta :

— C'est pas quelque chose !

— Bien, dit Drew — il s'interrompit. En tout cas, tu la remplis mieux qu'elle ne l'aurait fait.

— Qui ça ?

— Elle. Viens te recoucher.

— Attends que je l'enlève.

Le lendemain matin, il se réveilla tard. Il resta

étendu encore quelques minutes, rassemblant ses es-
prits. Puis, conformément à une résolution qu'il avait
prise la veille au soir en rentrant à l'hôtel (et qu'il avait
déjà commencé à mettre à exécution quand il s'était
fait donner le télégramme de Saint Louis et l'avait
déchiré) il prit le téléphone, s'éclaircit la gorge et
demanda un numéro. « Mr. Tilden, s'il vous plaît.
Oui ; Allô. Til ? Oui, Harley Drew. Très bien. Dis-moi,
j'ai pensé... » Il se mit à rire, ou du moins il fit
semblant. « Cette offre, j'aimerais bien qu'on en re-
parle. Non. Sérieusement. Bien sûr. Quand tu voudras.
Parfait. Certainement. Midi trente. Ce sera parfait. »
Étendu, il pensait ; puis, il reprit le téléphone : « Café
et toasts, tout de suite », et il raccrocha. Il musarda,
couché nu sur les draps souillés, et le couvre-lit sens
dessus dessous, regardant le plafond maculé de taches
d'eau où un rectangle de lumière se reflétait. « Ce
qu'un homme est amené à faire ! » dit-il tout haut.

A midi trente, après s'être baigné, rasé et avoir pris
son petit déjeuner, il montait les marches de la Planters Bank and Trust Company quand un homme sortit
par la double porte et l'appela par son nom. Sans
doute l'avait-il guetté par la fenêtre. Ils se serrèrent la
main en plein soleil. L'homme devait avoir dans les
quarante ans et il était légèrement bedonnant. Il lui
fallut renverser la tête pour regarder Drew, car il ne
mesurait pas plus d'un mètre soixante. Son visage était
d'un rose poupin, rond sans être gras ; il avait l'air
d'avoir été soigneusement nettoyé et bien que le coup
de rasoir du matin fût déjà vieux de 4 ou 5 heures, il
semblait n'en avoir jamais eu besoin. A part la bedaine
et la calvitie qu'il remarqua quand ils entrèrent dans le
restaurant et ôtèrent leurs chapeaux, il avait très peu
changé depuis la guerre. C'est là où Drew l'avait
connu. Il s'appelait Lawrence Tilden. Il avait été major
du régiment de Drew où on l'appelait Tante Tilly à

cause de ses manies, de sa nervosité dès qu'il s'agissait de documents et de l'habitude qu'il avait de se mettre à l'abri dès qu'un ordre de se tenir prêts arrivait. Il avait témoigné beaucoup d'affection envers Drew, il s'agissait presque d'une vénération de héros, bien qu'en fait Drew fût dix ans plus jeune que lui. Tout ce qu'il pouvait faire pour lui, il le faisait. Tout, depuis l'octroi de quelques jours de permission supplémentaires jusqu'au partage des colis qu'il recevait de chez lui et cela avait fait l'objet de plaisanteries encore plus nombreuses de la part des autres officiers et de regards en coulisse de la part des hommes.

Drew l'avait vu au début de la semaine précédente peu de temps après son arrivée à Bristol. Il entendit quelqu'un crier : « Drew, lieutenant Drew ! » Il marchait dans la rue. Il se retourna et c'était Tilden. Il emmena Drew prendre un café dans un restaurant. Ils y passèrent une heure à parler de la guerre et de ce qui était arrivé ensuite. Ce fut Tilden qui parla la plupart du temps. Il avait succédé à son père à la banque, la plus importante des trois à Bristol. Il y avait maintenant huit ans qu'il était marié, mais il n'avait pas d'enfant, « pas encore », disait-il du ton d'un homme qui répète un espoir auquel il ne croit plus depuis longtemps. Puis il se mit à parler affaires et sa voix monta jusqu'au gémissement. « J'ai des projets, dit-il, et des grands, mais je n'ai personne avec qui travailler. » C'est alors que l'idée lui vint apparemment : « Pourquoi ne viendrais-tu pas avec moi ? Il suffirait de quelques mois pour t'apprendre les ficelles du métier, alors, tu serais fin prêt. » Il se pencha au-dessus de son café qui refroidissait et sa voix diminua jusqu'au murmure : « Tu as ce dont j'ai besoin, ce dont la banque a besoin : l'Art de vendre, de la personnalité — quelqu'un pour les sortir de leur ornière. Bon Dieu, Harley, tu devrais voir les gourdes avec lesquelles je suis obligé de travailler. » Il se penchait presque au-dessus de la table, les mains crispées sur le bord au point que ses jointures en devenaient toutes blanches.

C'était vraiment un peu absurde, pensait Drew, les yeux fixés sur le visage rond et doux, d'un rose poupin, dont les yeux montraient un peu de blanc entre les iris et les paupières inférieures, à cause du besoin qu'avait Tilden de lever les yeux vers les gens à qui il parlait ; même assis. Maintenant ses yeux trahissaient l'urgence, le désir — c'était vraiment absurde. Drew se mit à rire, mais plutôt par nervosité que par amusement. Il rit comme aurait ri une jeune fille dans une situation semblable. Puis il regretta ce rire comme l'eût également regretté la jeune fille, et il expliqua qu'il avait des engagements avec Anson Grimm, la firme de coton. Il dit cela aussi gentiment que possible, et il ne refusa pas l'offre catégoriquement (en fait, il ne refusait jamais d'offre catégoriquement). Il se borna à dire qu'il n'était pas libre. Et Tilden écouta, détournant les yeux, regardant dans sa tasse de café froid comme si elle avait eu la profondeur d'un puits. Ils se séparèrent ensuite. Il avait appelé l'hôtel trois ou quatre fois depuis, pour inviter Drew à venir chez lui. Une fois même, il avait fait téléphoner par sa femme. Mais Drew avait toujours refusé. Il n'était pas libre, disait-il.

Cela se passait la semaine précédente et il ne l'avait pas vu depuis. Mais le lundi soir, après la scène de séparation avec Amanda — celle où il lui avait dit : « Il n'y aura jamais personne d'autre pour moi », il commença à s'inquiéter et à concevoir des craintes. Il s'était dit au début qu'il avait de la chance que personne d'autre n'eût pensé qu'Amanda valait le gambit, et maintenant il ne pouvait pas croire que sa veine durerait. Quelqu'un d'autre (un "talent local", se disait-il) s'en rendrait bien compte et viendrait s'en mêler. Il avait été le premier, et tout avait été facile ;

peut-être, serait-ce encore d'autant plus facile pour le second, maintenant qu'il avait montré le chemin — le bon comme le mauvais, car il savait alors qu'il aurait dû travailler d'abord le major. Il lui faudrait rester, pour protéger sa mise. Puis il se rappela Tilden et il s'arrêta pile entre la maison et l'hôtel : « Voilà ! » s'écria-t-il ; il fit réellement claquer ses doigts, pressa le pas, s'arrêta à la réception et réclama son télégramme.

Maintenant Tilden et lui étaient assis au restaurant, le même où ils étaient allés la première fois. Ils avaient fait leur commande et attendaient assis. Jusqu'à présent, rien n'avait été dit quant à l'objet de leur entrevue : « Qu'est-ce qui t'a fait changer d'avis ? » demanda Tilden brusquement. Il baissait toujours les yeux, tripotant l'argenterie de ses mains aussi roses et sans poils que son visage. Il était plus homme d'affaires aujourd'hui, pas tout à fait distant mais quelque peu prudent. Drew regrettait les invitations qu'il avait refusées.

— J'ai pensé à quelque chose, dit-il. Il se carra dans son fauteuil pour observer Tilden qui s'obstinait à ne pas le regarder : Un homme, un homme qui voyage — en premier lieu, je n'ai jamais été fait pour ce genre de vie. Je les ai vus, ils sont finis à cinquante ans. Un homme veut s'établir quelque part, avoir un endroit qu'il puisse appeler son foyer et j'ai décidé que, si je ne me retirais pas maintenant, je ne le ferais jamais. Pour te dire toute la vérité, c'est pour ça que j'ai attendu de te voir : je voulais aller au fond des choses par moi-même, moi seul. Parce que je n'hésite pas à te dire que ce serait un sacré boulot que j'abandonnerais.

Drew s'arrêta pour faire bien pénétrer cette affirmation. Puis il reprit :

— Alors j'ai réfléchi. J'ai décidé. Et je te dirai même autre chose, bien que certains puissent trouver cela ridicule. Ma décision vient en partie de Bristol — le fleuve, les arbres, tout ça. Il fit un geste vague : J'ai circulé un peu partout, j'ai parlé avec les gens. Je suis tombé amoureux de cette petite ville endormie.

— Ce n'est pas ridicule du tout, dit l'autre, et la servante posa des assiettes sur la table.

— Ce sera tout Mr. Tilden ?

— Merci, Flora, dit Tilden. Elle partit.

Drew regarda dans son assiette. Elle contenait une tranche de roastbeef suintant le sang, comme si on venait de la couper sur la vache vivante, de la purée de pommes de terre, des asperges en conserve et des petits pois ; la salade consistait en une feuille de laitue sous un cube de Jello rouge rubis, avec un soupçon de mayonnaise et une petite couche de fromage râpé. Le sorbet de deux couleurs viendrait plus tard. C'était le déjeuner des hommes d'affaires. Il se demanda pendant combien de temps il lui faudrait manger ici avant de pouvoir apprécier la cuisine de ménage dans la maison de Lamar Street. Le major Barcroft avait un aspect dur et coriace. Les individus de ce genre-là vivent parfois plus de cent ans.

Tilden se dégela au cours du repas, se remettant de sa mauvaise humeur consécutive aux invitations refusées. Ils quittèrent le restaurant et se rendirent à son bureau, à la banque ; maintenant il était aussi enthousiaste que huit jours auparavant devant sa tasse de café qui refroidissait : « Voici comment ça sera », dit-il, en s'asseyant derrière la partie astiquée du bureau qui était environ de la taille d'un billard. Il expliqua la hiérarchie dans les banques. Normalement, un homme commençait par être garçon de recette, mais on pouvait sauter cet échelon. Drew commencerait comme guichetier. « Tu manieras de l'argent, tu en apprendras le toucher. C'est très important. » Au bout de six mois, il retournerait au service des comptes courants où on lui montrerait "la grande vue d'ensemble", et où on lui donnerait une idée de la politique bancaire en ce qui concerne les prêts, de même que les relations avec les autres banques.

— Avec d'autres banques ?

— Oui, c'est important.

— Je vois, dit Drew qui ne voyait pas du tout.

Il en aurait pour un an environ, selon ses aptitudes :

— Tu te débrouilleras très bien, dit Tilden. Tu te débrouilleras parfaitement. J'en suis sûr.

— Hum ! dit Drew.

Ensuite, ce serait le grand saut : Caissier Adjoint. Un caissier adjoint était un directeur. Il avait un bureau à côté de l'entrée où il écoutait les demandes pour de petits prêts personnels. Plus important encore, c'est lui qui gérait les comptes des acheteurs de coton ; les emprunts étant couverts par des prêts garantis sur la marchandise. C'est là où l'expérience de Drew avec Anson Grimm serait d'une valeur inestimable :

— Nous sommes dans le pays du coton et, naturellement, comme tout le monde ici, c'est grâce au coton que nous gagnons notre argent, d'une manière ou d'une autre.

— Je vois, dit Drew. Il avait résolu de ne plus poser de questions et il éprouvait quelque difficulté à ne pas frissonner.

Ensuite venait l'échelon de Caissier, mais ça, on pouvait le sauter. « Ce n'est qu'une question de technique », dit Tilden avec un geste méprisant. L'échelon suivant, pour Drew serait Vice-Président Adjoint et, comme tel, il serait un de ceux qui décident de la politique à suivre.

— C'est là où je compte sur toi, dit Tilden, tu n'as pas idée du nombre de gourdes qui s'amoncellent dans les banques au cours des années.

Drew estima qu'il valait mieux se dispenser de dire

Hum en entendant cela, mais il opina de la tête comme s'il comprenait, ou tout au moins compatissait. Deux choses le préoccupaient :

1) Le salaire, 2) Tilden n'avait pas mentionné le temps qu'on pouvait rester caissier adjoint.

— Maintenant, le salaire, dit Tilden. On aurait pu croire qu'il avait lu dans le cerveau de Drew. Il regardait ses mains qui reposaient toutes roses sur la surface polie du bureau. Il est notoire que les banques ne paient jamais de gros salaires. Un débutant, habituellement, touche cent dollars par mois. Quand il arrive à l'échelon de guichetier, il gagne cent douze dollars cinquante. Nous commencerons à ce tarif et nous t'augmenterons à cent vingt-cinq dollars, dès que tu reviendras à la tenue des livres, disons, dans six mois. En un an (après cette date, s'entend) tu gagneras cent cinquante-sept dollars cinquante. Qu'est-ce que tu en dis ?

— Eh bien... Drew gagnait cent trente dollars maintenant, plus les faux frais. C'était plutôt une dégringolade. Il avait espéré davantage.

— Mais ne pense pas seulement au salaire, se hâta de lui dire Tilden, il y aura des bonus, des occasions de placements. Pense à tout cela, Harley.

Drew cependant pensait à Amanda. En réalité, il n'avait pas eu à prendre de décision. Il l'avait prise la nuit précédente en descendant Lamar Street. Il se leva. Tilden se leva également. Soudain, comme obéissant à un signal, ils se penchèrent par-dessus le bureau et se serrèrent la main :

— Alors, parfait, dit Tilden en souriant. Ce sera parfait.

Deux heures plus tard, une fois rentré dans sa chambre, Drew regardait une feuille de papier à en-tête de l'hôtel en mordillant son porte-plume. Il resta longtemps sans rien écrire : il regardait la feuille,

mordillait son porte-plume et réfléchissait. Puis il
commença à écrire, phrase par phrase tout d'abord,
puis rapidement. La plume faisait un grattement
continu comme une souris derrière une boiserie.
Quand il eut terminé, il mit une feuille de côté pour
qu'elle sèche pendant qu'il rédigeait l'adresse :

> *Hon. Leo G. Anson*
> *Anson Grimm Bldg.*
> *Saint Louis. Mo.*

Puis il mit l'enveloppe de côté et lut la lettre. Tout
en lisant, il en approuvait de la tête le ton et le style,
puis il plia la feuille et la mit dans l'enveloppe. Il
l'envoya par avion, en exprès quand il descendit dîner.

12. 5. 1928

Cher M. Leo,

*C'est une chose difficile à écrire — difficile à
présenter clairement car vous savez l'importance que
j'attache à tout ce que vous avez fait pour moi, et je ne
le ferais pas si je pouvais m'en dispenser. Je n'y peux rien.
Gardant le lit et convalescent, je suis tombé amoureux de
cette petite ville du Sud ensommeillée et, une position
m'ayant été offerte dans la banque la plus importante par
le conseil d'administration, je ne me suis pas senti justifié
de refuser. Je m'explique mal, sous le coup de l'émotion,
quand je pense à toutes les bontés que vous avez eues
pour moi en tant d'occasions, à nos longues conversations et à tout le reste, mais, comme je vous l'ai dit, je ne
voyais pas comment je pouvais justifier mon refus. Par
suite, je vous présente ma démission avec l'espoir que
vous me comprendrez pour vous accorder avec moi sur ce*

sujet. Comme tout homme, je désire fonder un foyer, avec
tout ce que cela comporte.

Cordialement à vous, votre ami.

Harley Drew

P.-S. *M. Leo, en ce qui concerne les indemnités, je ne crois*
pas justifié de vous les demander après un aussi bref
préavis. Néanmoins, si vous pensiez différemment, adres-
sez-les à c/o Planters Bank and Trust Co, ici à Bristol.
C'est le nom de la banque.

Ainsi, il était debout dans sa cage ; les barreaux de
cuivre s'harmonisaient avec le reflet cuivré de sa
moustache dans la pénombre de la pièce, dallée de
marbre, caverneuse, percée de hautes fenêtres.
Mr. Drew était imprimé en petites majuscules sur une
plaque de métal au-dessus de l'arche, de sorte que
même les étrangers pouvaient l'appeler par son nom ;
ce qu'ils faisaient. Déjà, au cours de cette première
semaine, alors qu'il était encore un peu lent à compter
l'argent et pas encore habitué à remplir les formulai-
res, son guichet était le plus aimé des femmes ; elles lui
demandaient de leur expliquer une nouvelle fois
comment on remplit un bulletin de dépôt, comment on
endosse les chèques, pendant que le guichetier de la
cage voisine restait là sans rien faire à fulminer. Il
s'appelait Sanderson. Il avait des cheveux gominés et
on prétendait qu'il ressemblait à Rudolph Valentino
(bénie soit sa mémoire) ou du moins à Ramon Navarro. Il avait été, pendant deux ans, garçon de recet-
tes, et il entamait sa deuxième année dans la cage de
guichetier. Néanmoins, Drew était venu travailler à
salaire égal et semblait destiné, sans aucun doute, à de
plus hautes fonctions. Il n'était pas étonnant que
Sanderson fulminât tout comme Valentino dans *The*

Sheik ou Navarro dans *Ben Hur*. On l'avait écarté comme un excédent de bagages pour un meilleur chargement. C'était ce qu'il pensait. Il lui fallut des mois avant de se rendre compte qu'il n'avait rien à craindre de Drew et qu'il n'était pas plus question de compétition entre eux deux qu'il n'y en avait eu, disons, entre Dempsey et Kid Chocolate.

Bien que ce fût la première semaine de Drew dans la cage, c'était sa seconde semaine à la banque. Il avait passé ce qui restait de la première semaine à s'habituer, à s'installer. Tilden (qui maintenant était Mr. Tilden, du moins durant les heures de travail) le prit en charge et le présenta aux autres : « Comment allez-vous », disaient-ils, ou tout simplement : « Ça va », sans employer le ton de l'interrogation.

Ils récitaient les mots, sans plus. Leurs poignées de main étaient brèves et froides, distantes et neutres. Il en était de même pour tous, aussi bien de Mr. Cilley, le vieux comptable qui portait des cols et des manchettes détachables, et se trouvait déjà là du temps du grand-père de Tilden — le fondateur — que de Sanderson avec ses airs de beau ténébreux et ses cheveux luisants : il était le plus jeune, de cinq ans le cadet de Drew qui venait ensuite. Ils avaient des yeux méfiants, à la limite de l'hostilité — on la sentait présente quoiqu'elle fût dissimulée — et chaque poignée de main ressemblait à celles qui annoncent les bagarres à coups de poing. Drew ne cessait de revenir à ces comparaisons avec la boxe. Il y avait une exception : le garçon de recette noir, Rufus, qui était presque aussi vieux que Mr. Cilley. « Ça va ? » dit-il d'un ton interrogatif ; c'était vraiment une question, mais en la posant, il ne perdait rien de sa dignité, au contraire des autres qui avaient tant semblé redouter cette hypothèse.

— Très bien, répondit Drew. Il sourit pour la

première fois. Il savait que Rufus savait qu'il n'avait rien à craindre de lui, néanmoins, c'était agréable de trouver de la camaraderie dans cette atmosphère de contraintes. En outre, il ne s'en inquiétait pas. Il savait que tout se terminerait très bien. Il avait déjà connu cette situation quand il était entré à la maison mère à Saint-Louis.

Ce soir-là, il attendit près de la maison Barcroft de 7 heures passées jusque vers 8 heures ; assez long-temps pour fumer quatre cigarettes en laissant un petit intervalle entre chacune. Mais Amanda ne vint pas. Elle se désole, pensa-t-il ; elle ne s'est pas remise encore d'avoir entendu le train de 10 heures en croyant que j'étais dedans. Il écrasa sa quatrième cigarette et, relevant son col — car maintenant il faisait réellement froid, le thermomètre marquait 10° ; décembre s'était précipité comme un furieux — il rentra à son hôtel. Peut-être ne sort-elle que lorsque le temps est doux, pensa-t-il. « Comme les primevères », dit-il tout haut.

Mais le lendemain soir, il était encore là ; à peine avait-il allumé sa cigarette, que la porte s'ouvrit. Quelqu'un sortit. La lune n'était pas encore levée. Drew dissimula sa cigarette entre ses deux mains, et se cacha derrière un arbre, pensant que c'était peut-être le major Barcroft. Puis l'inconnu descendit les mar-ches et il put le voir, pas très bien, mais presque ; il était à peu près sûr. Alors il se montra — il se risqua : « Amanda ? » dit-il.

Elle se retourna et elle ne fut pas surprise. Elle ne sursauta pas, elle ne cria pas son nom. Elle ne fit rien de ce qu'il avait présumé. Elle resta là, debout, sim-plement et le regarda quand il lui prit le bras. On aurait dit qu'elle avait perdu toute capacité d'étonnement, mêlée déjà comme elle l'était à des événements si éloignés de son expérience ou de ses espoirs ; comme si après le choc initial, lorsqu'elle avait découvert qu'il l'aimait — ou du moins qu'elle l'aimait — toutes les surprises étaient vouées à perdre de leur intensité. Drew lui prit le bras et ils s'éloignèrent comme s'ils n'avaient pas manqué leur rendez-vous de la veille, comme si même leur rendez-vous deux soirs plus tôt n'avait pas été une scène d'adieu ; la plainte solitaire du sifflet deux heures plus tard avait peut-être été entendue en rêve, dans une sorte de lent cauchemar dont l'horreur venait précisément de cette lenteur, et qui maintenant s'avérait infondé.

— Je n'ai pas pu partir, dit-il, je n'ai pas pu vous quitter.

Ils marchaient ; tout d'abord, sa voix n'était qu'un murmure quand il lui dit combien elle lui avait manqué, comment il avait essayé de se donner le courage de prendre le train, comment il était resté couché sur son lit et avait entendu le sifflet. « Quel son lugubre », lui dit-il et il était resté là, couché, seul et triste, à l'écouter.

— Moi aussi, je l'ai entendu, dit-elle.

— Et vous avez pensé que j'étais dans le train ?

— Oui.

— J'avais bien l'intention d'y être, mais je n'ai pas pu.

Il s'était installé à Bristol pour de bon maintenant, reprit-il, afin de se trouver auprès d'elle. Puis il éleva un peu la voix ; il parla prudemment, donna ses instructions :

— Il ne faut pas que nous nous voyions trop souvent. Je suis resté ici pour être près de vous. Je ne suis pas venu pour vous faire mener une vie misérable. Je sais quels sont ses sentiments envers moi, Amanda, et, d'une certaine façon, je ne peux pas l'en blâmer — nous nous connaissons si peu. Si vous étiez ma fille, je crois que ma réaction serait la même. Ils marchèrent et il sembla réfléchir. Il dit : Nous finirons par être ensemble, quoi qu'il arrive. Nous le savons, n'est-ce pas ? Il lui serra le bras.

— Oui, dit-elle.

— Et du moment que nous le savons, le reste importe peu. Pas vraiment, je veux dire. N'est-ce pas ? Il lui serra le bras.

— Non, dit-elle.

— Autrement dit, je serai toujours là quand vous aurez besoin de moi. Vous n'aurez qu'à m'appeler et je serai avec vous, Amanda. Sinon, il vaut mieux ne pas lui donner d'occasions de se fâcher. Une seule chose importe, c'est que nous sachions que nous finirons par être ensemble. Il ne cessait pas de le répéter, il y revenait sans cesse comme le refrain d'une ballade, comme le thème A de quelque rondo qu'il lui ressassait aux oreilles.

Ils se séparèrent au bas des marches mais, cette nuit-là, il ne retourna pas à l'hôtel. Le matin même, il était allé s'installer dans la maison des Pentecost, sur le prolongement de Marshall Avenue. Tilden l'avait recommandé. Mrs. Pentecost que Tilden appelait tante était une cousine au second degré, une nièce du grand-père, le fondateur. La maison était située dans le plus beau quartier. Drew avait deux chambres avec salle de bains au rez-de-chaussée et une entrée particulière sous la porte cochère. Mrs. Pentecost était une personne bien née — ce qu'on appelait bien née. C'était la fille unique du vieux juge Hellman. Mais elle avait épousé quelqu'un au-dessous de sa condition, ainsi qu'elle le faisait souvent remarquer à son mari quand leur mariage commença à mal aller et qu'il se fut adonné au whisky dès la quarantaine. Il était mort maintenant. Sa mort avait trouvé le moyen d'être à la fois scandaleuse et tragique, car il était mort une nuit, dix ans auparavant, dans une cellule de la prison de la ville. La police l'avait mis là dans son propre intérêt, avec l'intention de le ramener chez lui plus tard, comme cela était arrivé bien des fois. On prenait toujours soin de le ramener avant l'aube afin que les voisins ne s'aperçoivent de rien. Ils avaient pensé que l'apoplexie n'était que de la saoulerie — il avait déjà eu des crises de delirium tremens, ici même, dans la cellule — si bien que, lorsqu'ils comprirent la gravité de la situation, il était déjà mort. La veuve bénéficia de toute la sympathie publique au cours du procès qui suivit. Bien que sachant qu'il leur faudrait payer en taxes les frais du procès (bien que sachant aussi, à des degrés variés qui dépendaient de leurs diverses façons de voir les choses) que c'était elle et non la police qui avait tué son mari, personne ne lui en voulut des quinze mille dollars que le jury lui alloua. Et pourtant, à la voir, on n'aurait jamais imaginé les nuits où elle avait attendu son mari qu'elle-même avait poussé à boire avec sa prétention invétérée et parce que son mariage n'avait jamais été conforme aux rêves dont ses parents avaient bercé sa jeunesse : « Ce pauvre Edward », comme elle l'appelait maintenant, modeste et qui parlait toujours à voix si basse qu'il fallait être tout près de lui pour comprendre ce qu'il disait. Drew l'entendit raconter son histoire peu de temps après s'être installé ; cependant, il ne fut pas surpris. A cette époque, il avait déjà entendu bien des histoires similaires. Bristol regorgeait de gens comme ça. Toutes les villes, peut-être, pensa-t-il, mais à Bristol, tout le monde savait ce que faisait son voisin — comme si Dieu, tel un Œil énorme dans le ciel, dévoilait les secrets.

Drew avait dit, tout d'abord, qu'il était tombé amoureux de « cette petite ville du Sud endormie » ; il l'avait dit deux fois, avant même d'en avoir connu la population : d'abord à Tilden puis, comme cela semblait faire grande impression, à Leo Anson dans sa lettre adressée à Saint Louis. Ce n'était vrai ni quand il l'avait dit ni quand il l'avait écrit. En vérité, il y avait à peine fait attention. De plus, cet énoncé demandait à être traduit car, quand il disait *Bristol*, il voulait dire Amanda et quand il disait *Amour*, il voulait dire également autre chose. Mais maintenant, il était bien obligé d'y faire attention. Il se trouvait en plein milieu et il ne lui restait plus qu'à regarder autour de lui.

Il ne tarda pas à connaître l'histoire de Bristol depuis les jours lointains où ce n'était qu'une escale sans nom où les bateaux à vapeur embarquaient du coton et du bois de chauffage sans s'arrêter suffisamment pour modifier la pression dans leurs chaudières. Avec le temps, néanmoins, bien que toujours dédaignée par les palais flottants, l'escale servait aux bateliers. Ils avaient alors cuvé leurs excès — Memphis était à deux cent cinquante kilomètres en amont et, quand ils arrivaient à Bristol, ils étaient prêts pour une nouvelle bordée — « gonflés à bloc », disaient-ils — qui ne pourrait pas attendre jusqu'à Vicksburg à cent cinquante kilomètres de plus en aval. L'escale devint ensuite un petit village, et les boutiques n'étaient guère que des bistrots. Puis le village grandit et devint une ville. La guerre des années soixante ménagea une sorte de pause, un moment de répit. Lentement, pendant la période qui suivit et rapidement pendant la fièvre de la Reconstruction qui atteignit son paroxysme dans les années quatre-vingts, après les décès dus à la fièvre jaune de 1878, la ville s'épaissit à l'intérieur de ses limites. Mais la maison Barcroft fut la dernière des grandes résidences privées à être bâtie à l'intérieur des anciennes limites car, à ce moment-là, la ville commençait à s'étendre à l'est ; au-delà de la courbe argentée des rails du chemin de fer, là où la vieille Mrs. Sturgis, "la Mère de Bristol" morcelait la plantation de son père. Les gens de la ville ne tardèrent pas à montrer aux visiteurs des emplacements plus ou moins éloignés et ils leur disaient : « Autrefois ici, c'était la campagne. Il y avait des buissons d'églantiers où nous allions chasser le lapin. Je m'asseyais généralement sous ce grand orme et j'attendais le soir le retour des tourterelles. Vous voyez comme Bristol s'est développée. Et puis, un beau matin, on a appris que la chambre de commerce lui avait donné le nom de ville, "La Ville Reine du Delta". Deux ans après l'arrivée de Drew, le recensement indiqua une population de plus de quinze mille habitants.

Quinze jours après son entrée à la banque, il devint membre du *Kiwanis Club*. C'était une suggestion de Tilden — pour raison d'affaires. « Plus tard nous te ferons monter en grade, dit-il, tu viendras au *Rotary* avec moi. » Ainsi tous les mardis, sur le coup de midi, Drew faisait un Kiwanian de plus, chantait dans les chœurs et se rendait utile dans les comités. Ils l'intronisèrent et lui donnèrent le sentiment d'être un des leurs. Parfois, ça lui plaisait presque. Puis il réfléchissait, regardait les autres tout au long de la table, avec leurs vêtements de confection, leurs coupes de cheveux pas tout à fait campagnard, penchés sur les restes fondants d'un sorbet, en train d'écouter un orateur quelconque leur indiquer la tendance des affaires ; et Drew se rappelait les années de New York et les années passées parmi les riches. Alors le temps lui semblait s'immobiliser. Tout au long de la table, ils se figeaient sur place, et il se demandait : « Est-ce que c'est moi ? Est-ce que c'est bien moi ? Qu'est-ce que je fais au milieu de tous ces gens-là ? » — sachant très bien pourquoi il était venu et quels compromis il avait acceptés. Mais cela ne lui valait rien ; il en devenait malheureux, éprouvait même des regrets. Alors il essayait de penser simplement à l'avenir, à l'époque où il serait peut-être très fier de ce qu'il aurait enduré, tout

comme déjà, il commençait à être fier, rétrospective-
ment, des maigres repas et des longues marches à pied
de sa phase new-yorkaise. Cependant, parfois il ne
pouvait empêcher que le passé ne surgisse au milieu
du présent, et, tout au long de la grande table, ses
camarades Kiwaniens, dans leurs vêtements de
confection, avec leurs coupes de cheveux style Mississippi se trouvaient figés sur place. Il se surprenait à
penser : « Est-ce que c'est moi ? Est-ce que c'est
vraiment moi ? »

Quand il quitta la cage du guichetier pour retourner
au service général des comptes courants — où il se
familiarisa avec ce que Tilden avait appelé "la grande
vue d'ensemble", il constata qu'après tout elle n'était
pas si grande que cela — le mystère de la banque se
bornait surtout aux détails fortuits qu'on pouvait
apprendre en un mois ; les points essentiels étaient
simples comme un jeu d'enfant. Si un certain élément
de terreur pesait encore sur chaque transaction, cela
venait simplement du fait que l'argent changeait de
main. Il était également membre des Elks, un grand
bâtiment de trois étages, en stuc, sur Marshall Avenue
à quatre pâtés de maisons de la digue. Comme dans
l'*Autre Monde* de Dante, il se composait de trois
parties, une partie par étage. Le dernier étage était une
salle de bal ; le second comprenait des salles de lecture
et de billard. Le rez-de-chaussée était criblé de salles
de jeu de cartes — paradiso, purgatorio et inferno.
Dans celui-ci, les hommes s'asseyaient à des tables
recouvertes de tapis blancs, sous des cônes de lumière
d'un bleu diamanté. Les cartes serrées contre la poitrine, les épaules courbées, le visage sans expression,
les joueurs avaient l'air de cadavres installés dans leurs
fauteuils. Cigares et cigarettes laissaient échapper des
panaches couleur d'acier, et il n'y avait pour tout bruit
que le murmure des cartes distribuées, le tintement des

jetons quand on ouvrait les jeux ou qu'on pariait et le calme langage des joueurs de poker : « Je relance... je vois... Passe... Je renonce. »

Là, dans cet enfer stérile et cliquetant, Drew apprit encore quelque chose sur les gens auxquels il s'était joint. Juste au moment où son mépris se trouvait à son comble, par le fait qu'il les voyait dans l'atmosphère amicale mais assez trompeuse des kiwanians, il découvrit qu'ils étaient les meilleurs joueurs de poker du monde. Il fut adopté rapidement, lui qui avait vidé les poches de tout un bateau d'officiers résolus à dénicher des nids pleins d'œufs, à une époque où le poker était le seul intérêt, la seule occupation même des forces expéditionnaires, en route vers l'ouest. Alors il renonça et s'adonna au vingt et un dont une partie se livrait toujours dans un des recoins de ce gâteau de miel. Il éprouva un nouveau respect pour ces nouveaux associés. A partir de ce moment-là, même le mardi, aux réunions de midi, il n'était plus aussi prompt à les regarder de travers.

Et puis ce fut le mois d'octobre, presque l'anniversaire de son arrivée. Les jours diminuèrent. Et brusquement le marché s'effondra. Tout le monde savait que c'était sérieux. Tout le monde le disait, mais personne ne le croyait vraiment. On considérait l'affaire seulement comme l'aboutissement d'un long régime républicain et on se disait que c'était à prévoir. Maintenant que les anciens gros faiseurs d'argent avaient pris une leçon, le marché allait se rétablir et se raffermir sur des bases plus fermes. C'est ce qu'on disait avec un optimisme incurable. Et pourtant, il y avait un petit refrain qu'on répétait en riant jaune :

> *Hoover a actionné le sifflet*
> *Mellon a sonné la cloche*
> *Wall Street a donné le signal*

Sur ces entrefaites, Tilden avertit Drew qu'il était temps pour lui de devenir membre du *Country Club* : « C'est la première chose à faire, maintenant », dit-il. Il parlait de la voix sourde des conspirateurs, adoptant l'attitude qu'il prenait quand il discutait des progrès de Drew dans la banque. Parfois, il lui arrivait même de parler comme un gosse qui joue au gendarme et au voleur.

— Je ne peux pas m'offrir ce luxe, lui dit Drew.

— Tu ne peux pas ne pas te l'offrir, reprit Tilden. Ils étaient au restaurant. Ils y venaient une fois par semaine pour ce que Tilden appelait une conférence-bilan. Bientôt Drew quitterait le service des comptes courants. Il y avait très bien réussi, aussi bien que dans la cage de guichetier. Mr. Cilley avait fini par l'aimer. Maintenant qu'il était sur le point de grimper encore un échelon, lui dit Tilden, il allait être obligé de se plier à certaines..., euh... obligations sociales qu'entraîne l'occupation d'un bureau près de l'entrée et le fait de parler aux clients plus ou moins sur un pied d'égalité. Devenir membre du *Country Club* serait un excellent début.

L'objection de Drew, en l'occurrence qu'il n'était pas assez fortuné pour se le permettre, reposait sur le respect exagéré que lui avaient inspiré les clubs qu'il avait visités dans le pays pendant les trois ans passés à "voir venir". Quelque chose d'aussi désirable ne pouvait être qu'onéreux, à tel point qu'il n'avait jamais pu se résoudre à s'informer du prix. Quand Tilden lui expliqua les conditions qu'il fallait remplir pour devenir membre — possession d'une action de deux cents dollars (qu'il signerait au nom de Drew et que Drew lui signerait en retour aussitôt qu'il serait devenu membre) et l'acceptation de payer mensuellement cinq dollars et cinquante *cents* — Drew fut d'abord étonné puis tout heureux. Sa réaction vint ensuite. Il fut quelque peu déçu de constater qu'un de ses plus grands désirs était, après tout, bon marché.

Tandis que Tilden parlait et continuait ses explications, Drew remarqua une nouvelle notice manuscrite derrière le comptoir :

CAFÉ 5 Cents
JAMAIS DE RÉCHAUFFÉ

Si les banquiers, les courtiers, les hommes d'argent du Nord et du Sud croyaient que cet effondrement du marché était quelque chose de temporaire — « un réajustement. Maintenant vous allez voir comment ça va remonter » — le propriétaire du restaurant ne pensait pas de même. Il se retranchait, bêchait en vue d'un siège. Dans un an ce serait : *Café, 5 cents. On réchauffe gratuitement. Dites-le aux amis.* Tilden s'était tu et le regardait, attendant sa réponse :

— Je me joindrai à vous avec plaisir.

— En ce cas, je vais m'en occuper cette semaine, dit Tilden.

Comme membre du club, il se mit au golf. Il ne tarda pas à devenir assez fort. Il fut classé troisième dans l'équipe de Bristol un an après le jour où il avait fait ses neuf trous, pour la première fois. Cela n'avait rien d'extraordinaire de son point de vue. Tout d'abord, il ne s'y serait jamais mis, s'il n'avait pas eu l'intention de prendre la chose au sérieux. Il attaqua le golf avec la même ardeur qu'il mettait à tout ce qu'il entreprenait, y compris sa cour à Amanda Barcroft. Aucune distraction ne restait une simple distraction entre ses mains, aussi n'en eut-il jamais réellement. Ce qui était fort bien au demeurant : il n'aurait jamais été heureux autrement, sachant qu'il ne pouvait pas se le permettre — non à cause du coût en argent, mais à cause du coût en temps. Il avait fait bien du chemin, mais il en avait encore beaucoup à faire et le char du temps brimbalait toujours derrière lui.

Il assista aussi aux bals du samedi soir, réunions organisées en principe dans la salle de danse, bien qu'en réalité elles s'étendissent beaucoup plus loin, sur le terrain de golf voisin, sur les sièges arrière des automobiles rangées pare-chocs contre pare-chocs le long de l'allée de gravier où les maris se blottissaient contre les femmes d'autres maris, se délassant ainsi de la tension de six jours de bureau. Là-haut, dans l'Est, l'âge du jazz était terminé — mais ici, dans le Sud, cet âge avait débuté plus tard et il dura plus longtemps, jusqu'au début des années trente. Des hommes entre deux âges aux plastrons froissés, les cheveux sur le front et les yeux, empruntaient le bâton du chef d'orchestre et les femmes vêtues de robes aux genoux, selon la mode de l'année précédente, dansaient encore le shimmy.

Drew circulait parmi eux, affable, poli, buvant sa part de whisky de contrebande qu'il apprit rapidement à ingurgiter sans avoir des haut-le-cœur. On savait à qui il faisait la cour et on conjecturait quelle en était la raison. On savait que le major l'avait mis en déroute et on soupçonnait les motifs qui lui avaient fait élire domicile ici. Cela lui donnait un petit air romantique que les femmes trouvaient séduisant. Elles désiraient le réconforter, mais il ne se promenait pas sur le terrain de golf avec elles, pas plus qu'il ne s'asseyait avec elles dans les autos ; il s'en tenait strictement à la salle de bal, prenant bien soin de danser au moins deux fois chaque nuit avec les femmes des meilleurs clients de la banque. C'est là qu'il vit pour la première fois le riche et jeune aveugle Jeff Carruthers. C'est là où, pour la première fois, il vit Amy, la femme de l'aveugle.

5.

SECONDE AFFAIRE DE CŒUR

Néanmoins, il lui fallut presque six ans avant de les connaître plus que par leur nom. Ce n'était pas tellement parce qu'ils étaient snobs (ils l'étaient certes — du moins autant qu'on pouvait l'être dans le Delta), mais parce qu'ils étaient partis : d'abord en Caroline, pour l'enterrement du père de Jeff, au printemps de 1930, peu de temps après que Drew fut devenu membre du *Country Club*, puis en Europe. Josh Carruthers mourut en prenant son petit déjeuner. Il était assis très droit, les bajoues moites au-dessus du bord coupant de son col ; « Passez-moi le sucre », disait-il, furieux d'être obligé de le demander, quand, brusquement, comme une poupée articulée dont la ficelle a lâché, il s'affaissa, renversant son café, sa tasse et le reste sur les genoux de sa femme. On aurait pu croire qu'il la lui avait jetée et, c'est ce qu'elle pensa tout d'abord car, depuis qu'on lui avait enlevé la prostate, trois ans auparavant, il était coutumier de ces accès de colère. La jeunesse de sa femme était un affront, un défi, qu'il ne pouvait pas relever. Mais, juste au moment où elle se disposait à se sauver, elle vit sa main se lever d'une secousse vers la poche où il gardait ses petites capsules de nitroglycérine et il mourut avant qu'elle n'eût atteint le téléphone.

Jeff et Amy arrivèrent suffisamment tôt pour qu'Amy pût jeter un coup d'œil avant la fermeture du cercueil. Elle se rappelait son oncle comme un homme plus grand que la moyenne, car elle le voyait dans son esprit tel qu'il lui était apparu pendant son enfance, lorsqu'il remplaçait son père. Mais maintenant, il avait l'air ratatiné et tout petit dans sa boîte doublée de satin comme s'il s'était recroquevillé sur lui-même dans la mort. Plus question d'aura, et la huppe de cacatoès s'était fanée et éclaircie — de blanche qu'elle était, elle avait viré au jaune sale. L'employé des pompes funèbres qui mettait du rouge sur les pommettes étrangement pointues et qui donnait à la bouche une moue rébarbative — il trouvait qu'une moue avait plus de dignité qu'un sourire, il enterrait toujours ses clients les plus riches avec les sourcils froncés —, avait transformé ce qui restait en une caricature de ce qui avait remué, respiré et resplendi.

— Comment est-il ? dit Jeff à côté d'elle, une main sur le bord du cercueil, s'approchant le plus possible comme pour mieux le voir.

— Il n'a pas changé, dit Amy, et ils firent demi-tour.

De temps en temps, en attendant que le pasteur commence, la veuve se levait de sa chaise et s'approchait du cercueil. Abaissant ses yeux pleins de larmes, elle avançait la main, le poignet raide, et elle tapotait le front du mort, déplaçant la petite houppe fanée. « Pauvre ami, répétait-elle, pauvre ami. » Puis l'aîné des trois beaux-fils d'un premier mariage du défunt (deux d'entre eux étaient plus âgés qu'elle), s'approchait, lui prenait le bras et la ramenait à sa chaise.

Mais elle ne tardait pas à revenir au cercueil, le visage tordu par la douleur :

— Pauvre ami, pauvre ami !

— Je voudrais bien qu'elle cesse de faire ça, dit une voix sonore dans le silence. Amy se retourna et vit que c'était le plus jeune des trois beaux-fils. Bien que quadragénaire, il avait un visage infantile, en réalité un visage stupide. C'était lui maintenant le cerveau des affaires. Dis-lui donc de le laisser tranquille, reprit-il, comme un enfant gâté quand un visiteur s'amuse avec ses jouets.

Puis le pasteur se leva et se mit à prier. Au début, sa psalmodie fut ponctuée de sanglots étouffés, mais la veuve ne tarda pas à se maîtriser, à moins qu'elle ne fût simplement exténuée ; il n'y eut plus que le murmure monotone de mots unis les uns aux autres, qui s'élevait et retombait. Au-dessus de la cheminée, le portrait du grand-père, le patriarche, regardait du haut de sa verdeur d'homme entre deux âges, la bouche moins cruelle que sardonique, les yeux bleu clair, une main posée comme une griffe sur le bord sculpté du bras de sa chaise. Un bel homme robuste, disait le pasteur. C'est grâce à des hommes comme lui que la nation s'est formée et a pu devenir puissante. « Amen », dit-il, et Amy, pendant un instant, crut voir le portrait sourire.

La famille se retira et les porteurs des cordons du poêle se mirent en position près de la porte. Descendant le trottoir vers le corbillard, à raison de deux hommes pour chacune des six poignées d'argent, ils trébuchaient sous le poids de leur fardeau. L'effort se lisait aux coins de leurs lèvres, et les muscles de leurs cous ressortaient, comme si le vieillard avait emporté tout son or avec lui dans sa boîte. Au cimetière, quand les croquemorts relâchèrent les courroies et que le cercueil commença à descendre, la veuve glissa brusquement de sa chaise, et tomba à genoux sur la belle herbe verte artificielle qui bordait la tombe. Les deux aînés des beaux-fils, qui l'encadraient, se penchèrent et la saisirent par le bras. « Une belle exhibition », dit le plus jeune, tout au bout de la file. « Elle se croit retournée à Broadway où il l'a trouvée. »

Plus tard, pendant la réunion où le notaire de la famille donna lecture du testament, elle fut toute différente. Elle avait son propre homme de loi — un jeune juif, bien que son mari eût été violemment antisémite sur ses vieux jours. Elle ne pensait plus à sa douleur, qui apparemment s'était consumée par sa propre violence, comme une substance extrêmement inflammable, extrêmement volatile qui ne laisse ni cendre ni fumée. A quarante-deux ans, ceinturée et corsetée, elle était encore bâtie comme une Vénus, avec des seins un peu moins gros que des ballons de rugby (mais presque aussi durs, et chose curieuse, de la même forme) ; les injections de paraffine avaient été poursuivies et sans cesse augmentées. Ses cheveux n'avaient pas changé non plus. Ils avaient toujours leur reflet dur, métallique et brillant, comme si chacune des mèches avait été astiquée individuellement avec du liquide pour faire les cuivres — on pouvait le respirer, du moins on en avait l'impression, huileux et acide. Mais ses yeux n'étaient plus couleur de la rosée. Ayant vu son mari mourir, elle avait peur de mourir elle-même un beau jour. Et auparavant elle était décidée à jouir de son héritage, son héritage *bien gagné*, disait-elle, employant ce mot emphatique comme un reproche à l'égard de ses beaux-fils qui n'avaient fait que naître pour empocher l'argent. Elle voulait plus qu'elle n'avait reçu en testament.

Son homme de loi se chargea de parler, plein de déférence, et faisant mine de s'excuser. « Nous ne voulons pas de litiges », répétait-il sans cesse. C'était son atout, et il le jouait périodiquement. « Qui sait, messieurs, pendant combien de temps la succession serait immobilisée, si nous la laissions tomber entre les mains de la justice. »

Jeff et Amy ne s'inquiétaient guère de l'issue de l'affaire ; les deux frères aînés non plus. L'un d'eux était un grand amateur de chemins de fer miniature, l'autre était un alcoolique, et ni le premier ni le second ne montraient le moindre intérêt pour quoi que ce soit d'autre. Le plus jeune se chargea des discussions, des atermoiements. Comparativement, il parlait avec l'autorité de la vertu et du droit outragés. Puis il finit par renoncer comme il aurait dû savoir dès le début qu'il le ferait. La veuve — *maman* — obtint ce qu'elle avait demandé tout d'abord, plus quelque chose pour son homme de loi qui l'avait bien gagné. Cela se passait six mois plus tard. Jeff et Amy reçurent un million de dollars. Jeff du moins. Ils retournèrent à Briartree pour faire leurs valises à la hâte, et huit jours après, ils reprenaient le train vers l'est et le bateau vers l'Europe.

Ils partirent en août et restèrent cinq ans absents. Il n'était plus question maintenant d'attendre les dividendes ou les paiements trimestriels qui généralement avaient déjà été dépensés quand ils arrivaient. Donnant une fausse application aux mots : *noblesse oblige* — qu'ils interprétaient comme une obligation, héritée par les riches, de se conduire comme les pauvres s'y attendaient, ne fût-ce que pour donner aux pauvres une occasion d'envier les riches par la lecture de leurs faits et gestes dans les magazines consacrés à la grande vie — ils estimaient qu'il était mal de ne pas dépenser au moins une partie de leur fortune d'une façon flamboyante. L'état du Mississippi ne fournissait guère l'occasion de semblables dépenses, et la Caroline pas beaucoup plus. Ils prirent alors le bateau pour le Vieux Monde, selon la coutume respectée et ce fut assez flamboyant pour satisfaire même les lecteurs les plus avides de ces magazines chics dont les clichés donnaient l'impression que la garde-robe des sujets photographiés se résumait à des costumes de cheval, des tenues de soirée et des maillots de bain réduits au minimum.

Ce fut un étrange interlude dans un étrange mariage. Quelques-unes de leurs aventures parvenaient même à Jordan County plus ou moins déformées. A Paris, bien qu'il eût laissé à 6 000 kilomètres derrière lui le fleuve près duquel cette musique était née, bien que Bessie Smith eût chanté à un bal de Noirs à 15 kilomètres de Briartree pendant qu'ils faisaient leurs valises pour leur voyage à travers l'océan, et bien que Duff Conway, le plus grand cornettiste de son temps — pour ses enregistrements éraillés et usés, Jeff payait jusqu'à cinquante et soixante dollars pièce —, fût né et eût été élevé à Bristol, fils de la cuisinière des Barcroft dans leur maison de Lamar Street, Jeff découvrit le jazz. Il tomba au milieu d'adeptes et d'exégètes des "nouveaux" rythmes américains sans excepter celui dont Eddie Condon, à qui on demandait son opinion, dit plus tard : « Faudrait-il que j'aille à Paris lui montrer comment on fait le vin ? » A partir de Paris, partout où Jeff et Amy allaient, leur collection de disques les suivait, emballés dans des malles de cuir pesant cent cinquante livres chacune qui faisait vraiment mériter leurs pourboires à ceux qui les portaient. Une fois le phonographe monté et les malles ouvertes, l'aile de l'hôtel où ils logeaient vibrait pendant leur séjour au rythme des tambours, aux plaintes des clarinettes, aux lamentations des saxophones, aux hurlements des trompettes qui aboutissaient à un paroxysme connu sous le nom de « ride out ».

A Vienne, ils se firent psychanalyser tous les deux, mais ce fut un échec : le docteur était un petit homme à voix grinçante, quasiment chauve et, comme ni l'un ni l'autre ne pouvait effectuer un transfert, ils partirent. A Bruxelles, Jeff se cassa une jambe dans une collision de taxis et resta couché sur la terrasse d'un hôtel où il passait ses disques, la jambe suspendue à une machine à traction. Quand sa jambe fut presque ressoudée, il se la cassa de nouveau en trébuchant et en rampant à travers tout l'appartement, parce qu'il avait cru entendre Amy dans la chambre avec un homme qui la déshabillait et nommait tous les articles de sa toilette, à mesure qu'il les enlevait. Jeff aurait pu tout au moins se demander comment elle en était venue à porter six paires de bas, car, lorsqu'il parvint à pousser la porte, il s'avéra que "l'homme" était une femme de chambre à voix grave qui aidait Amy à dresser sa liste de blanchissage, et Jeff passa un autre mois avec sa jambe dans le plâtre. En Italie, ils eurent des ennuis avec les carabiniers — une histoire où il était question de manque de respect envers l'État. Ils ne comprirent pas exactement quoi, sinon qu'Amy s'était trouvée mêlée à une espèce de discussion avec un employé des douanes au sujet de la collection de jazz et l'avait appelé un nom de Dieu de rital. Là-bas, au pays, les élections étaient terminées. L'Amérique avait un nouveau président : *Mr. Roosevelt*, comme on l'appela d'abord ; puis *Roosevelt*, puis *cette espèce de Roosevelt* et finalement *il* ou *lui*. Les bouches se tordaient amèrement sur le pronom parce que les bateaux qui se dirigeaient vers l'ouest étaient pleins d'expatriés ; « un traître à sa classe », disait-on. A cette époque, les nouvelles lois sur les droits de succession avaient été appliquées. Jeff et Amy apprirent ce à quoi ils avaient échappé, et, jetant un regard en arrière, ils virent que le vieux Carruthers avait été un homme d'affaires jusqu'au bout. Il était même mort comme prévu, financièrement parlant. Ils se trouvaient à Berlin

quand Hindenburg nomma un chancelier ; Amy
l'avait vu à Munich, l'année précédente, à la terrasse
d'un café, buvant de la bière avec un groupe d'hommes qui portaient des imperméables alors que le temps
était clair : « Il ressemble à Charlie Chaplin », avait-
elle dit, et le garçon avait ri comme s'il connaissait un
secret. Dans les Alpes suisses, il y eut du grabuge au
sujet d'un moniteur de ski, un grand Autrichien à
larges épaules et au visage tanné par le reflet des
neiges. Cette fois, ce n'était pas une femme de chambre à voix grave entendue dans la nuit, et Jeff aurait
aimé se battre avec lui : « Un aveugle ? dit le moniteur.
Me battre avec un aveugle ? Excusez-moi, monsieur,
— et madame », dit-il, debout près du lit. Il fit un petit
salut, avec beaucoup de dignité passa près de Jeff et
sortit, longeant, tout nu, le couloir avec ses vêtements
sur les bras, y compris ses chaussures de ski. Jeff s'assit
sur le lit et se mit à pleurer. Pendant quelque temps,
Amy le regarda par-dessus l'ourlet du drap, le visage
solennel, la tête penchée, pensive et troublée. Puis elle
tenta de le réconforter, caressant la calotte duveteuse
à travers laquelle on voyait encore les cicatrices laissées par le pare-brise.

— Voir l'Europe, disait Jeff amèrement, branlant la
tête. Tout ce que je fais, c'est recruter une bande de
salauds. Je veux rentrer chez moi.

— Tu es fatigué, simplement, lui dit Amy. Elle lui
avait posé un bras sur les épaules ; ç'a été trop long.
Voudrais-tu que je te trouve une fille quelque part ? ou
un garçon ? Je le ferais.

Jeff releva la tête d'un geste rapide comme un cheval
nerveux. Pendant un instant, on aurait pu croire qu'il
la regardait, si ce n'était que ses yeux avaient perdu
l'habitude de ne pas converger :

— Tu es mauvaise, Amy ; il se cacha la figure dans
les mains, tu es perverse, tu es foncièrement mauvaise.

Mais ils ne rentrèrent pas tout de suite. Ils partirent dans le sud de la France. Là-bas, c'était déjà l'été et ils purent reprendre leur cure de soleil. C'est là qu'eut lieu la scène de leur dernier incident européen. Leur hôtel était situé près de Cannes, dans la direction de Juan-les-Pins. Ils s'y trouvaient depuis un mois, bien bronzés tous les deux maintenant, et un jour qu'ils traversaient la terrasse, ils entendirent une voix crier :

— *Mon Bébé !* — C'est *maman*, dit Jeff, et Amy se retourna et la vit qui venait vers eux, brandissant sa haute et puissante poitrine comme on brandit des armes pour la bataille.

Elle avait très peu changé, pensait-on d'abord, puis, en regardant de plus près, on voyait en réalité qu'elle avait certes bien changé. Sa peau avait une sorte de poli comme si on l'avait cuite, telle une céramique dans le four de la vie dissolue. Elle s'était légèrement poudrée, et cette poudre semblait prête à s'envoler au moindre souffle ou à la moindre pichenette, comme si elle recouvrait une surface de porcelaine : « Et Amy ! Mon enfant ! », s'écria-t-elle en s'approchant. Elle marchait entourée d'un nuage de parfum Chanel, numéro quelque chose, pensa Amy. Elle en fut frappée en pleine figure, alors que le veuve était encore à trois mètres. « C'est merveilleux ! Je vais vous présenter. » Elle regarda autour d'elle : « Où êtes-vous ? Ah là... Je veux vous présenter Crispin. » Elle le remorquait, il était aspiré dans le vide de son arrière-train, comme une feuille derrière un camion rapide.

Il était mince, olivâtre, avec un visage lisse comme un œuf, de petites dents d'un blanc bleuté comme celles d'un enfant et une moustache minuscule — c'était un señorito, un réfugié d'Espagne. Ses favoris lui descendaient presque jusqu'aux mâchoires. Il portait des mocassins de couleur bronze à semelles très minces si serrées sur les pieds que les articulations des orteils se voyaient à travers. Jeff avait entendu parler de lui par la veuve, un jour qu'ils étaient seuls sur la plage, elle, sous deux parasols, couverte d'un peignoir épinglé à la gorge qui lui descendait jusqu'aux chevilles, portant une paire de lunettes fumées, énormes, qui lui donnaient un air assez étonnant sous un chapeau au bord flottant — à peine un pouce de chair était-il exposé au soleil, même par radiation — et lui sur le sable éblouissant, à plat ventre le plus souvent, pour éviter de se brûler les yeux. Amy et Crispin étaient partis quelque part faire des courses. La veuve l'avait recommandé comme conseiller quand il s'agissait de choisir des vêtements de femme. Elle ne faisait pas de mystère quant à leurs relations : « J'entretiens toute la famille, et ça en vaut la peine. On ne le croirait peut-être pas à première vue (et c'était mon cas) mais je t'assure, mon chou, que c'est bien la première fois que je vois un homme comme ça. Européen jusqu'au bout des ongles. Tu comprends ce que je veux dire. »

Jeff pensait qu'il comprenait certes ce qu'elle voulait dire, à tel point, en fait, qu'il ne fut pas surpris par les suites de l'affaire. Il n'était pas indigné outre mesure — du moins pas autant que ses actions auraient pu le laisser croire. Il fit simplement ce qu'il s'était promis de faire depuis le jour de l'incident avec le moniteur. Il avait alors acheté un revolver que, depuis, il avait toujours transporté dans son phonographe.

Il attendait d'être sûr ou presque sûr. Et puis, un jour, la veuve et lui étaient sur la plage quand un serveur vint à passer pour prendre les commandes : « Hé là », dit Jeff, de la voix tendue d'un homme qui se dispose à affronter une crise contre laquelle il s'était déjà cuirassé. Il se leva, fit tomber le sable qui lui couvrait les genoux et la poitrine, puis il enfila une robe de chambre de velours qui ressemblait à un burnous : « Je reviens tout de suite », dit-il à la veuve (mais elle s'était endormie derrière ses lunettes), et il posa la main sur le bras du garçon qui lui fit remonter la plage et traverser une terrasse de pierre où une douzaine de femmes jouaient au jacquet ou au mah-jong, en pépiant comme autant d'oiseaux dans le bruit de crécelle plus ou moins constant que faisaient les dés ou les jetons. Jeff et le garçon traversèrent le hall jusqu'à la porte de l'ascenseur où le garçon le laissa. « Troisième », dit Jeff en entrant dans la cage.

— Troisième, dit le liftier. L'ascenseur s'éleva, s'arrêta : Désirez-vous que je vous accompagne à votre chambre, Monsieur ?

— Non, dit Jeff. Il resta debout, seul dans le couloir, tandis que l'ascenseur redescendait dans une plainte décroissante. Au bout de quelques instants qu'il passa immobile, tendant l'oreille mais n'entendant rien, il se tourna vers la droite, fit trente pas décidés, puis leva les deux bras comme un somnambule, avança encore prudemment de six pas jusqu'à ce qu'il pût toucher la porte au fond du couloir. Il avait la clé dans la poche de sa robe de chambre.

Cette fois, il n'entendait aucun bruit dans la pièce voisine qui eût pu le tromper ou le détromper. Il alla droit au phonographe, souleva le plateau des aiguilles usées et, fouillant en dessous dans le nid de fils de fer, en tira le pistolet — un petit pistolet en nickel, un de ces modèles que les femmes portent dans leurs sacs. Il s'arrêta, cherchant le bras du fauteuil pour reprendre son équilibre, puis il avança, le bras gauche levé, et s'arrêta encore, la main sur le bouton de porte de la chambre à coucher. Il n'entendait aucun bruit ; il ne savait même pas si la porte était fermée à clé, néanmoins il l'entrebâilla, brusquement, comme si, dans les deux cas, il ne pouvait y avoir aucun doute ; il s'arrêta le temps de deux secondes au réveil de voyage en peau de porc d'Amy, posé sur la table de nuit, et franchit le seuil. Il était debout, pieds nus, en caleçon de bain, drapé dans sa robe de chambre qui ressemblait à un burnous, le pistolet pointé vers le lit : « J't'ai eue », dit-il d'un ton bourru, comme un acteur. Le silence régnait toujours. Puis brusquement, il entendit un faible et timide grincement de sommier qui cessa, à peine commencé. S'il avait eu le temps de penser, il aurait pu douter d'avoir entendu. Mais Amy dit :

— Jeff.

C'était une arme à six coups, et il tira six fois, aussi vite qu'il pouvait presser et lâcher la détente — la première fois en entendant la voix du petit Espagnol : « Mr. Crutters... Mr. Crutters...) puis en entendant le bruit précipité des mocassins à fine semelle, pensant en lui-même : Mon Dieu, il n'avait même pas enlevé ses chaussures. Alors la chambre retomba dans le silence, dans un silence plus profond peut-être ; le tic-tac du réveil de chevet était perceptible. Il restait debout, le revolver chaud et vide à la main, respirant l'odeur de poudre brûlée qui tournoyait et s'accumulait autour de lui, fumée légère et âcre : « Amy », dit-il. Il n'y eut pas de réponse. Et, soudain, un terrible soupçon lui vint : « Est-ce que tu faisais quelque chose de contre-nature ? »

Revenue maintenant de sa frayeur, et sachant que le revolver était vide, Amy se leva du côté opposé du lit. « Contre nature ! J'ten fous », lâcha-t-elle. Puis, soulagée et furieuse, mais surtout amusée, elle se mit à ricaner nerveusement. Jeff ne savait plus que penser ; son rire aurait pu être un sanglot. Ce qu'elle dit ensuite cependant leva toute ambiguïté. Elle riait d'un rire franc : « Tu aurais dû... tu aurais dû le voir », criait-elle entre des ricanements et des étouffements — « courant dans ses mocassins de danse au milieu des balles qui lui sifflaient aux oreilles ! »

On frappa bientôt à la porte. Trois coups délibérément espacés : un, deux, trois. Le détective de la maison, pensa Jeff. Mais les coups de feu, en vérité, n'avaient pas fait plus de bruit que des applaudissements, et quand Amy, enfilant son kimono, ouvrit la porte, elle se trouva en face de la veuve. Celle-ci resta là un moment, dans sa robe à longues manches. Sans dire un mot, elle passa devant Amy, entra dans la chambre et se mit à rassembler les vêtements de Crispin, les enlevant de la chaise où, une demi-heure plus tôt, il les avait rangés si soigneusement. Elle les plia de façon à ne pas les froisser : veste, pantalon, cravate peinte à la main : tout cela formait un petit paquet ridicule, comme des vêtements de poupée, quand elle se retourna sur le pas de la porte en le serrant sous sa poitrine comme à l'abri d'un rocher. Elle sembla sur le point de parler, mais elle préféra leur jeter un seul regard haineux à travers ses verres fumés, tels des centres de cibles noirs sous le bord mouvant du chapeau. Puis elle disparut, frappant de ses talons le tapis du couloir. Ils ne la revirent plus jamais.

Amy se mit à rire. Commencé sur un mode aigu, ce rire s'éleva jusqu'à un certain point et cessa brusquement, curieusement mécanique, incomplet. Dans le silence qui suivit, ils entendirent le bruit de crécelle des dés et le claquement des jetons sur la terrasse, quatre étages en dessous, accompagnés d'un bourdonnement de voix, confus, mal défini sauf quand une Anglaise criait à des intervalles plus ou moins réguliers : « Deux bambous ! Dragon vert ! Vent d'Est ! » Jeff assis sur le bord d'une chaise longue, le pistolet toujours à la main, écoutait gravement. Il semblait s'efforcer de trouver une signification, une explication à tout ceci. Mais il n'y avait rien. Pour lui, l'Europe n'était pas autre chose : bruits de crécelle, claquements, bourdonnements.

— Je veux rentrer, dit-il.

— Mah-jong !, cria l'Anglaise, plus bas.

Elle avait fini par en avoir assez elle-même. Cette fois, ils rentrèrent chez eux pour de bon. Ils débarquèrent à New York, la dernière semaine d'août, deux jours environ avant le cinquième anniversaire de leur départ. Pendant toute la traversée, elle n'avait pas quitté sa cabine, indifférente à tout sauf à son mal de mer ; mais, le matin de l'arrivée, soudain guérie, elle monta sur le pont. Jeff était avec elle ; tous les deux se cramponnaient au bastingage. La visière de sa casquette projetait une ombre dont le bord arrondi lui coupait la lèvre supérieure : « Comment est-ce ? », dit-il, la bouche toute rose dans la lumière du soleil. Ambrose Light était une décevante bouée à cloche. Puis, sur la droite, c'était Coney Island, avec ses grandes roues et son petit chemin de fer à la silhouette arachnéenne. Le sillage du bateau décrivait une courbe laiteuse et pâle dans le vert sans limites ; laissant derrière eux le « no man's land » de la mer, ils entrèrent dans le port où la Liberté gigantesque et morne brandissait sa torche. Devant eux, la ville attendait, blanche et verticale avec des panaches de vapeur qui se dissolvaient et se renouvelaient, annonçant l'heure de midi. Une longue traînée grise, alimentée par les cheminées, s'amoncelait au-dessus, comme une erreur sur l'aquarelle d'un étudiant. C'était l'Amérique, propre comme des dalles de marbre récemment taillées et plantées debout. Le bateau beugla, les remorqueurs apparurent et se collèrent à lui comme des veaux qui viendraient téter.

Elle descendit la planche de débarquement, puis fit

claquer ses talons sur le quai en ciment qui passait pour le sol de sa terre natale. Amy ressentit brusquement un élan presque mystique. Après quatre ans dans le Vieux Monde, elle était revenue dans le Nouveau où le péché était le plus souvent commis sans préméditation, ou en tout cas sans raffinement et abrité derrière une sorte d'ignorance tenace comme celle qui protégeait certains saints quand ils n'étaient encore que de jeunes vauriens. Les bouches étaient garnies de dents magnifiques, les trottoirs même étincelaient ; le taxi semblait rouler sur de la soie. Quand le chauffeur, au visage sanguin d'Américain, tourna la tête et parla du coin de la bouche avec le dur accent de Brooklyn, Amy hurla de plaisir : « Jeff, nous voilà chez nous ! » Et sans attendre sa remarque habituelle : « Comment est-ce ? » elle commença à lui dire tout ce qu'elle voyait, se trémoussant sur la banquette et se penchant sur ses genoux pour regarder par la vitre opposée.

Chez nous, disait-elle. C'était un mot qu'elle employait rarement, même dans son sens le plus vague. Mais le lendemain soir, dans une des tapageuses boîtes de nuit de Times Square, un quatuor de jeunes Noirs en smokings blancs, dont les visages scintillaient sous les projecteurs, entonnèrent : *Walking in Jerusalem (Just like John)*. Quand ils furent arrivés à la moitié du morceau, Amy avança brusquement le bras au-dessus de la table, et saisit le poignet de Jeff. Ses ongles faisaient comme des gouttes de sang contre sa manchette : « Rentrons chez nous », dit-elle. Jeff pensa qu'elle voulait dire : « à l'hôtel » mais le ton de sa voix trahissait une sorte d'urgence. Il n'était pas encore minuit. De retour dans leur chambre, elle téléphona à Pennsylvania Station et réserva leurs places. Elle fit même presque tous ses bagages cette nuit-là, bien qu'ils eussent encore toute la journée du lendemain, avant l'heure du train. C'était la première fois qu'elle disait chez nous, mais maintenant elle voulait dire le Delta, elle voulait dire Briartree.

Le 1er septembre qui, cette année-là, tombait un dimanche, ils étaient arrivés. Le voyage vers le sud avait été comme un voyage à reculons dans le temps. Ils laissaient derrière eux le flamboiement et les brumes des premiers jours d'automne et se plongeaient dans la fin de l'été, la plus chaude semaine de l'année dans le Mississippi. Tous les serviteurs avaient été gardés, la maison avait peu changé. Pourtant Amy était quelque peu déçue. Tout au début de sa nostalgie, elle s'était rappelée les choses comme encore plus grandioses. Par suite, ils étaient à peine revenus qu'elle était prête à reprendre ses recherches, sa chasse aux divertissements, et, le dimanche suivant, ils se rendirent en voiture au *Country Club* de Bristol.

Un changement s'était produit. Ils avaient manqué la technocratie, les marchands de pommes, la terrible tempête de neige de 1933, les saisies et les rires plutôt désespérés en réponse aux plaisanteries sur la pauvreté. Tout cela était fini maintenant, ou presque, en passe de l'être tout au moins. On ne jouait même plus aux dés sur la terrasse. Ce qui demeurait était moins une véritable modération qu'une absence de frénésie. Les gens avaient ce calme apparent qui accompagne parfois la peur. Cela se manifestait dans la danse que vit Amy quand elle sortit des toilettes et reprit le bras de Jeff. Cinq ans auparavant la salle aurait été noire de monde — ou aurait semblé l'être grâce à l'ubiquité des danseurs qui se trémoussaient, s'emmêlaient les pieds, levaient les genoux, secouaient les épaules et exécutaient de brusques sauts de côté et d'imprévisibles retraites. Mais maintenant, il n'y avait plus qu'une poignée de couples qui dansaient avec une concentration presque comique, le dos raide tels des automates, comme si tout dépendait de la précision, de l'économie de mouvements : ils avaient ce que Gogol appelle un aspect hémorroïdal.

De toute façon, c'était très ennuyeux. Au moment où la soirée battait son plein, vers les 11 heures, Amy en eut assez. Elle se mit à la recherche de Jeff. Pensant qu'il devait être soit au vestiaire, soit au bar, elle décida d'aller d'abord dans cette direction, car cela la dispensait d'un messager. Entre-temps, il s'était passé quelque chose : les gens se réunissaient en petits groupes et parlaient très excités. Elle saisit des bribes de conversation.

— Tué.

— Tué qui ?

— Huey Long.

— Pas possible !

On avait entendu ça à la radio. Puis elle s'éloigna et passa devant un autre groupe qui discutait de la nouvelle, mais plus calmement.

— Quelle espèce de docteur ?

— Un docteur en médecine.

— Du nom de Wise, vous dites ?

— Non : *Weiss*.

Le nom fut sifflé et elle s'éloigna : Huey Long ne lui importait guère. Elle resta un moment à la porte du bar, regardant par-dessus les têtes et à travers la fumée. Puis elle aperçut Jeff. Tout souriant, il était assis à une table près d'un grand homme blond devant une boîte à musique électrique équipée de ce qui à première vue ressemblait à une espèce de chasse-corps ou de grille de radiateur, faite en grande partie de tubes de verre où se déplaçaient lentement des bulles et de néon de toutes les couleurs du spectre. Les gens s'exerçaient à les appeler juke-boxes, mais Amy n'était pas revenue depuis assez longtemps pour le savoir. L'appareil jouait *Marie*, de Dorsay ; l'aube pointait et ils allaient se réveiller pour constater que leur cœur les faisait *sou-ouffrir.* Jeff avait près de deux dollars en pièces de cinq *cents* devant lui sur la table et, de temps en temps, il se retournait sur sa chaise et en glissait une dans la machine. Dans l'intervalle, il les brassait d'une seule main — il avait appris cela d'un croupier de Monte-Carlo en congé dans un de leurs hôtels près de la frontière italienne, faisant deux tas, puis un, puis deux, indéfiniment.

Alors elle s'approcha, et elle vit pourquoi il souriait. Le grand jeune homme blond racontait une histoire, quelque chose qui s'était passé à la banque. « *La* banque », disait-il, ce qui voulait dire qu'il travaillait dans une banque ou qu'il en possédait une. A le regarder, il était difficile de savoir parce qu'il était correctement vêtu, mais sans plus. Bon, toujours est-il, cette dame est venue chercher un nouveau carnet de chèques (« Elle en a déjà perdu une douzaine cette année ») mais, quand il lui reprocha sa négligence (« Pas sérieusement, vous comprenez : je plaisantais »), elle lui dit qu'il n'y avait pas lieu de s'alarmer. Elle s'était prémunie contre cet accident, en signant d'avance tous les chèques en blanc, de sorte qu'un individu sans scrupules n'aurait pas pu s'en servir. Jeff éclata de rire. Jusqu'alors il n'avait fait que sourire, mais maintenant il riait vraiment. Et ce rire avait un son étrange et fou ; il lui arrivait si rarement de rire.

— Vous voulez partir, maintenant ? dit Amy. Elle était près de lui et elle lui posa la main sur son épaule, encore toute secouée par le rire. De l'autre côté de la table, l'étranger se levait.

Elle crut entendre que Jeff lui disait : « C'est M. X. M. X., ma femme. » Tout en parlant, il tournait son visage aveugle de l'un à l'autre. L'homme de haute taille n'en finissait pas de se redresser. Puis il s'inclina. Dans la fumée, ses cheveux étaient tout dorés.

— Hello, dit-il.

M. Personnalité, pensa Amy. Elle dit quelque chose entre *He* et *Hum*, plus près de Hou ; ce qui exprimait assez clairement sa désapprobation, puis elle se tourna vers Jeff :

— Je suis fatiguée, je voudrais rentrer.

— Oh ! asseyez-vous, vous boirez bien quelque chose.

— Oui, je vous en prie, dit l'autre.

— Non, Jeff, vraiment...

— Enfin, sacré nom, Amy...

Mais elle s'était détournée et parlait maintenant par-dessus son épaule, négligemment :

— Je vais chercher mon manteau et je vous retrouverai à la porte.

Elle s'attarda dans les toilettes, se demandant si Jeff allait la défier, encouragé peut-être par l'autre. Mais quand elle apparut enfin dans le vestibule, elle les trouva tous les deux qui l'attendaient ; Jeff, la main toujours posée sur le bras de l'homme — ils devaient cependant être là depuis quelques minutes. Maintenant il parlait et l'autre écoutait. Amy passa devant eux et prit le poignet de Jeff :

— Merci, Monsieur...

— Drew, dit l'homme en souriant, Harley Drew.

Il y eut un silence embarrassant, presque une scène, car Jeff avait toujours la main sur le bras de Drew, désireux de ne pas le lâcher et tirant un peu le poignet que tenait Amy. Au bar, elle avait à peine jeté un coup d'œil à Drew bien qu'elle eût remarqué que lui la fixait des yeux. Jeff créait ainsi un lien de chair entre eux et ils se regardaient derrière son dos. A ce moment-là, ils se dévisagèrent carrément pendant une dizaine de secondes. Elle remarqua qu'il portait une veste légère en tweed, malgré la chaleur, un de ces nouveaux cols à patte et une cravate en foulard à petits dessins dont le nœud était très serré. Ses favoris étaient un peu longs, de même que ses cheveux derrière et sur le cou que généralement ici, dans le Delta, les hommes se faisaient raser. Il y avait en lui quelque chose d'étranger, pas négligé — loin de là — mais d'étranger toutes proportions gardées : anglais ou scandinave, supposa-t-elle, puis elle regarda la main tendue, presque raide au bout du bras auquel Jeff s'agrippait encore. Les ongles étaient plats, pâles, limés de près, la cuticule très repoussée, les doigts étaient plutôt carrés avec quelques poils d'or juste avant les jointures. Sans être déformée ou calleuse, cette main ressemblait plutôt à celle d'un ouvrier. Elle pouvait l'imaginer couvrant le sein d'une femme ou lui caressant la croupe, en train de faire ce qu'on appelle un tour d'inspection.

Pour une fois cependant, elle s'en voulut de penser à semblable chose. Elle tira d'un coup sec le poignet de Jeff. Perdant l'équilibre, il lâcha l'autre bras et, quand ils s'en allèrent, il se retourna pour souhaiter bonne nuit à Drew. « Bonne nuit », répondit Drew sur le pas de la porte. Amy ne se retourna pas ; elle marcha vite sans lâcher le poignet de son mari. Il trébucha, trouvant le gravier perfide sous ses souliers : « Ne t'énerve pas, dit-il, pour l'amour Dieu, qu'est-ce qui te presse ? Qu'est-ce qu'il y a ? »

Il aurait trente ans en novembre ; Amy en avait déjà trente-deux. Il y avait plus de huit ans qu'ils étaient mariés, mais c'était la première fois qu'elle goûtait à la jalousie. A partir de cette nuit-là — bien qu'elle ne s'en rendît pas compte tout de suite, de même que la douleur peut ne pas être ressentie immédiatement chez une personne qui vient de recevoir une balle ou un coup de couteau sans avertissement — sa vie entra dans une phase nouvelle. Ce fut d'abord très lent, puis plus rapide comme un film qu'on fait passer très vite.

Drew était vice-président adjoint de leur banque à

Bristol, récemment promu du poste de caissier adjoint. Elle le vit assis à son bureau quand, le lendemain, elle alla toucher un chèque, mais il était occupé avec un fermier et il ne la vit pas. Ou peut-être l'avait-il vue, pensa-t-elle, peut-être avait-il fait semblant de ne pas la voir. Elle revint sur ses pas et ne regarda dans sa direction que lorsqu'elle fut presque arrivée à la porte, fourrant un paquet de billets dans son porte-monnaie. Quand elle lui jeta un nouveau coup d'œil, elle vit qu'il la regardait. Son visage était des plus solennels. Il sourit brusquement comme s'il avait appuyé sur un interrupteur pour montrer l'éclat de ses dents. Elle sortit.

Au cours des semaines suivantes, sans qu'elle cherchât à s'informer, elle entendit beaucoup de choses à son sujet : il avait quarante ans et n'était pas marié. Il attendait une jeune fille dont les parents avaient d'autres plans en tête. Il fallait bien une sorte de situation romantique comme celle-là pour expliquer qu'il fût encore célibataire et le mettre en valeur. Elle ne sut jamais exactement à quoi s'en tenir à ce propos, car les gens affectaient de tout savoir. On ne faisait que des allusions passagères car, depuis longtemps, eux-mêmes étaient rassasiés de cette histoire. La fille s'appelait Amanda : « Amanda attend », disait-on. Amy savait au moins cela. Mais peu lui importait, elle ne songeait pas à s'informer. Chaque fois qu'elle se trouvait près de lui, elle éprouvait une grande antipathie. Il était trop doux, trop courtois. Si elle avait voulu près d'elle un type dans son genre, elle serait restée en Europe ou elle serait montée dans l'Est, se disait-elle.

La période lente dura plus de deux ans pendant lesquels ils eurent de plus en plus d'occasions d'être ensemble. Drew était le conseiller financier des Carruthers, nommé par la banque. Jeff et lui avaient une ou deux réunions de travail par semaine. Tantôt Jeff se rendait en ville, tantôt Drew venait à Briartree, sa serviette sous le bras. Quand les jours où Amy faisait ses courses coïncidaient avec ceux où son mari avait une réunion en ville, ils partaient ensemble dans leur break ; (c'était la première voiture de ce type dans Jordan County. Les gens la regardaient, souriaient, fronçaient les sourcils ou branlaient la tête, en proportion de leur envie ou de leur indignation. Citant Bob Burns, ils disaient que les Carruthers étaient ce genre de gentilshommes fermiers qui se mettaient en culotte de cheval pour planter des raiforts). Pendant le trajet, Amy observait l'impatience croissante de l'aveugle. Il finissait par s'avancer jusqu'au bord du siège. Penché en avant, les mains posées sur le tableau de bord, peut-être était-il mû par un désir de voir son corps arriver une demi-seconde plus tôt, ou peut-être fort illogiquement, voulait-il accroître la vitesse de la voiture en la poussant. Bien que cela eût son côté comique, c'était, pensait-elle, plutôt dégoûtant. Puis ils arrivaient et elle l'accompagnait jusqu'à la porte de la banque. Plus tard, quand elle revenait, elle le trouvait plus calme bien que ses joues fussent toujours enflammées.

Le mécontentement qu'elle éprouvait alors n'était rien cependant comparé à ce qu'elle ressentait les jours où Drew venait à Lake Jordan. Il arrivait après la fermeture de la banque et, si la réunion de travail se prolongeait jusqu'à la nuit (ce qui était généralement le cas, Jeff y veillait), il restait pour dîner. A table, Amy observait son mari. Dégoûtant, pensait-elle, en voyant ses mains trembler d'excitation. Il pouvait à peine tenir sa fourchette. Si elle jetait un regard à Drew, en face d'elle, il lui répondait par un sourire complice. Puis elle les quittait et ils se retiraient dans le bureau de Jeff pour continuer leur entretien. C'était du moins ce qu'ils disaient, mais elle ne tardait pas à entendre le phonographe hurler du jazz, et elle se demandait ce qui pouvait bien se passer. En admettant ce qu'elle supposait, elle se demandait jusqu'à quel point allaient les choses. Pas très loin, supposait-elle. Mais elle se le demandait.

Drew venait aussi aux réceptions de Briartree où, même Amy était forcée d'admettre qu'il ajoutait du "style", ne fût-ce que par contraste avec les planteurs ou les imitations de planteurs. Mais les réceptions étaient différentes de celles qu'ils donnaient six ou sept ans auparavant : les invités étaient moins nombreux. Du moins donnaient-ils cette impression car ils avaient cette même fausse placidité qu'à son retour Amy avait remarquée au club. On commençait à éprouver un certain sens historique, renforcé par le fait qu'un roi d'Angleterre venait de renoncer au trône pour une femme : « La femme que j'aime », disait le roi ; et ils frémissaient de joie en l'entendant prononcer ces mots, groupés autour de leurs radios comme pour y chercher de la chaleur. Le romanesque n'était pas mort, se disaient-ils. Même à leur époque des choses pareilles pouvaient encore arriver, et elles étaient à leur portée. Ils y étaient mêlés en quelque sorte quand ils avaient l'oreille collée contre les haut-parleurs. Pourtant il y avait quelque chose de faible et de sordide dans toute cette affaire. Ils ne pouvaient s'empêcher d'avoir cette impression et ils étaient vaguement mécontents, sachant qu'il n'en aurait pas été ainsi à l'époque de leurs pères et de leurs grands-pères.

Amy en avait conscience puisque cela se passait autour d'elle et colorait tout ce qu'elle voyait. Par ailleurs, il y avait cette situation dans son propre foyer, cette invasion, cette aliénation, non pas d'affection (car il n'y avait jamais eu d'affection et cela dès le début) mais d'attention ; voilà : une aliénation d'attention. Elle réagissait par un vague déplaisir qui prenait la forme d'une langueur sans cesse grandissante qui, à son tour, et bien qu'il n'y eût personne pour la déceler, même pas elle, était l'indice d'un certain trouble de même qu'un baromètre annonce la tempête. Donc c'était le calme de la basse pression, le vide qui attire le vent, et elle se trouvait en plein centre.

Ayant dépassé la trentaine, elle approchait de la vraie jeunesse, de la période des articulations plus souples, quand la peau du ventre, des bras et des cuisses s'est relâchée sans toutefois avoir commencé à s'affaisser. Elle en avait encore pour cinq bonnes années, en prenant des précautions. Ses cheveux à la Ninon des années 20 descendaient maintenant jusque sur ses épaules — bouclés à leur extrémité, avec une frange coupée très bas sur le front. Ses yeux étaient plus sombres, comme s'ils avaient mûri, et elle avait cette particularité que, lorsqu'elle souriait, les coins de sa bouche s'abaissaient, ce qui donnait à son visage une expression de fourberie, de cruauté latente — ou, pour le moins, de méchanceté — que les hommes trouvent si aguichante tout d'abord chez les femmes, quand elles les regardent à travers une salle de bal, par exemple, ou des pages d'un magazine, ou des écrans de cinéma, mais que, lorsque l'intimité se resserre (surtout la terrible et profonde intimité du mariage), ils se prennent à maudire, à détester et à condamner, y voyant la source de tous leurs malheurs : autrement dit, le visage immémorial de Lilith, d'Hélène ou, à notre époque, de Joan Crawford.

Observons-la donc, assise un soir à la fin de février, devant un feu de bois dans le salon de Briartree vêtue d'un chandail en cachemire à col roulé, d'une jupe de tweed, de bas de soie et chaussée de cothurnes, sa chaise entre deux piles de revues, l'une aux couvertures et aux tranches reliées, soigneusement alignées, l'autre qui était moins une pile qu'un tas où les revues semblaient avoir été jetées là, d'un seul coup, d'une grande hauteur, écartelées et toutes froissées. Elle se mouillait le pouce pour tourner les pages rapidement, s'arrêtant à peine même pour regarder les illustrations. Et quand elle en avait fini avec une, elle la poussait à droite, allongeant en même temps la main gauche pour en prendre une autre sur la pile de l'autre côté de la chaise. Elle s'arrêtait de temps en temps, mais cela n'avait rien à voir avec les revues. Elle levait les yeux, regardait la porte fermée à l'autre bout du couloir d'entrée : le cabinet de travail de Jeff — d'où, faibles et lointains, parvenaient les soupirs et les plaintes du jazz. Puis elle se remettait à feuilleter. Finalement, elle leva brusquement le menton, tout à coup attentive. La musique s'était tue — elle ne savait pas depuis combien de temps. Pendant une minute, assise, elle écouta le silence, la bouche pincée. Puis elle se leva brusquement, jetant de côté la revue qu'elle n'avait pas encore terminée. « J'y mettrai fin », dit-elle en se disposant à agir, prouvant ainsi que ce qui parfois passe pour de la profonde sagesse féminine, de "l'intuition", et même de la détermination — l'absence de tout conflit de pensées qui si souvent obscurcit l'intervalle entre la conception et l'exécution — peut très bien n'être rien de plus (comme dans le cas d'Amy) qu'un manque de ressources mentales.

Mais elle n'avait pas fait plus d'une dizaine de pas vers la porte du bureau que cette porte s'ouvrit lentement. Drew la tenait entrebâillée. Elle s'arrêta. Il la regarda gravement un instant, puis souriant, il s'effaça et elle vit Jeff dans le fauteuil près du phonographe, le menton sur la poitrine, les deux bras pendants de chaque côté du fauteuil. Ses mains à moitié fermées, comme des poings, frôlaient le tapis. L'une d'elles tenait encore la petite brosse dont on se sert pour ôter la poussière des disques avant et après les avoir joués. Il ronflait doucement et le couvercle du phonographe était levé.

— Il s'est endormi, dit Drew à voix basse, murmurant presque.

— Il y a combien de temps ?

Elle dit cela pour dire quelque chose et, quand elle eut parlé, elle en fut toute surprise. Ses mots semblaient un encouragement à la conversation, ce qui n'était pas du tout son intention. De plus, elle les avait murmurés et cela augmentait encore l'atmosphère de conspiration que, croyait-elle, Drew tentait depuis deux ans de faire régner entre eux. Pire, elle avait souri... ; elle souriait encore en réponse au sourire de Drew. Mais dès qu'elle en eut conscience, elle se figea.

— Je comptais partir sans le réveiller, dit Drew, qui n'avait pas prêté attention à sa question.

Puis, de nouveau, elle s'avança, marchant à pas lents, toujours avec son « j'y mettrai fin » à l'esprit : aussi ce qui suivit ne fut-il pas inspiré par le désir (bien qu'il se manifestât assez rapidement), mais par quelque chose qui était tout le contraire. Drew s'était retourné pour prendre son manteau et son chapeau qu'il avait laissés sur la table, près de la porte du bureau. Quand il se retourna, étonné de la voir debout lui touchant presque le coude, elle sourit devant sa surprise et ils se dirigèrent ensemble vers la porte. Alors elle se rendit compte qu'il avait pleine conscience de sa présence à ses côtés tout au long du couloir et en passant devant la longue table avec ses deux lampes de bronze à trois mètres l'une de l'autre sur une bande de velours couleur de sang caillé et cousue de fils d'or. Mais ce n'est qu'après avoir atteint la porte, après que la main de Drew eut saisi le bouton et que la porte eut même été légèrement entrebâillée, libérée en tout cas de la résistance du bourrelet, qu'il se retourna et la regarda. Elle ne broncha pas et resta tout près de lui. Son visage avait le sérieux d'un visage d'enfant. C'est alors qu'il se décida à agir. Avec le désespoir réprimé du joueur en pleine déveine, il lui prit le haut du bras, sentant sous la douceur du cachemire la résistance de la chair. Amy baissa les yeux vers cette main et, se rappelant tout ce qu'elle en avait pensé la nuit de l'assassinat de Long, elle sourit de son sourire habituel, les lèvres tombantes. Quand elle releva les yeux, elle vit que, bien qu'il la tînt toujours, il s'attendait à ce qu'elle le giflât. Son visage y était prêt, les muscles des mâchoires tendus, les lèvres serrées.

Tout au contraire elle pivota sur ses hanches et se pencha vers lui. La tête renversée comme dans un effort pour retrouver son équilibre perdu, elle laissa pendre ses bras de chaque côté. Elle l'aurait frôlé et serait tombée si Drew ne l'avait pas retenue. Ils s'immobilisèrent, unis des genoux jusqu'à la tête qu'elle penchait toujours en arrière, la chevelure libre, détachée de son cou et de ses épaules. Quant à Drew, il avait une expression non d'ardeur mais de crainte, et le poids de son pardessus et de son chapeau le rendait plus gauche encore. Ils restèrent ainsi dans cette position, puis elle frappa. Elle avança la tête brusquement et ses cheveux cherchant à reprendre contact avec ses épaules décrivirent une courbe comme le capuchon d'un cobra. Drew ne s'attendait pas à cela. La lueur de deux yeux grands ouverts se rapprocha de lui, s'élargissant déjà, en quête du contact — leurs dents se heurtèrent. Ce fut douloureux ; c'était aussi quelque peu ridicule, mais il ne tarda pas à oublier et la douleur et le ridicule, car elle avait glissé ses mains sous sa veste et caressait la doublure de soie ; elle se nourrissait de sa bouche.

Plus tard, elle se dirait que dès le début elle avait ressenti une affinité entre eux deux dès leur première rencontre. Pendant un instant, elle pensa qu'il allait la posséder ici même, dans le couloir, peut-être sur la longue table entre les deux lampes de cuivre. Elle était consentante — n'importe où — et le plus tôt serait le mieux. Puis : « Pas là » crut-elle entendre, comme s'il avait lu dans son esprit. Mais ce n'était pas raisonnable ; elle s'en rendit compte tout de suite, considérant à quel point sa bouche était occupée. Drew n'avait pas pu parler. La voix reprit plus forte, et cette fois elle entendit les mots tels qu'ils furent prononcés :

— Qui est là ?

Ils se séparèrent, tournant la tête en même temps. C'était Jeff. Debout, dans la lumière de la lampe, juste devant la porte du bureau, une main sur le chambranle, il avait l'air de les regarder droit en face, les yeux dardés sur eux : « Qui est là ? »

La porte extérieure s'était ouverte d'elle-même pendant qu'Amy et Drew s'embrassaient. D'une main, elle le fit sortir, de l'autre, elle referma la porte derrière lui. Puis, se retournant et regardant à ses pieds, elle vit son chapeau à l'envers sur le tapis. « Qui est là ? » répéta Jeff pour la quatrième fois.

— C'est moi. Elle portait la main à sa gorge en parlant, car elle était un peu haletante : Je suis allée me promener.

— Où est Harley ?

— Je ne l'ai pas vu, dit-elle. Elle ramassa le chapeau et aplanit la fente, là où il avait touché le sol. Tu t'es endormi ou quoi ? Est-ce qu'il s'est sauvé en te laissant ? Elle traversa le couloir pour aller vers lui et posa le chapeau sur la table en passant :

— T'en fais pas, mon petit Jeff. Il reviendra. Je vois qu'il a laissé son chapeau.

Ce n'était pas aussi simple pour Drew, chassé comme ça dans la nuit, son pardessus serré entre les bras, sans même son chapeau : une nuit froide pour comble, bien que, tout comme une main sortie d'une cuvette d'eau chaude et plongée immédiatement dans un baquet d'eau glacée ne sent le changement qu'au bout d'un certain temps, il ne s'en rendit compte que lorsque son sang commença à se refroidir. Faire démarrer la voiture était aussi un problème. Jeff pourrait l'entendre, mais cela n'avait pas d'importance. L'allée de Briartree descendait jusqu'à la route en bordure du lac, et sa voiture était déjà tournée dans cette direction. Prenant soin de ne pas faire claquer la portière, il monta, mit le contact, tira à moitié le starter et débraya. Près de la grille, il embraya, le moteur crachota et cala. Puis plus rien. « Nom de Dieu », dit-il ; mais cela n'avait pas plus d'importance. Il était maintenant sur la route et ç'aurait pu être n'importe quelle voiture avec des ennuis de moteur.

Après tous ces retards et ces problèmes, il se prépara pour le trajet de quarante kilomètres jusqu'à Bristol, nu-tête et le col de son pardessus relevé jusqu'aux oreilles ; il se rappelait la saveur, le goût de son baiser, le crissement de ses ongles sur la soie dans son dos, le petit cri plaintif qu'elle avait poussé après le choc du contact : « Mon vieux, elle était rudement prête », se dit-il avec ravissement. Tout cela était gravé dans sa mémoire maintenant et y resterait toujours, cette première étreinte. Il éprouva une certaine satisfaction à la pensée qu'il aurait toujours ça à sa disposition, prêt au moindre appel de sa part à lui apporter un peu de chaleur pour le restant de ses jours, lors de périodes aussi froides et solitaires que celle-ci. Il prit même cela philosophiquement et se servit de cette aventure pour en tirer de grandes règles de conduite d'autant plus séduisantes qu'elles étaient à la fois paradoxales et optimistes. Car il avait préparé, comploté tout cela dès le début, dès le premier jour où il l'avait vue sur le terrain de golf marchant en traînant les pieds dans ses souliers de quarante dollars avec la même indolente souplesse que les petites serveuses de quinze ans et les demoiselles de magasin (qu'il trouvait également très excitantes) dans leurs savates à deux dollars, aux languettes garnies de *pennies*. Il s'arrêta pile dès qu'elle apparut : « Bon Dieu, ça c'est pour moi », avait-il pensé. Et maintenant c'était vrai.

Cependant, il y avait une chose étrange — et c'est là où il se lançait dans la philosophie sans crainte du paradoxe —, c'était arrivé après qu'il eut perdu tout espoir et y eut renoncé. Immédiatement après le jour où il l'avait vue pour la première fois, il y avait de cela presque huit ans, elle et son mari étaient allés en Caroline pour régler leurs affaires d'héritage, puis ils étaient partis pour l'Europe afin d'en profiter pendant cinq ans. Il avait fait leur connaissance à leur retour, le soir où on avait fait son compte à Huey Long et, tout d'abord, il avait été surpris de sa réaction. Il n'était pas habitué à n'être pas aimé ; mais, bien que sans grand plaisir, il s'était dit que cela valait mieux que de l'indifférence — il pouvait attendre ; attendre était une de ses spécialités. Entre-temps, il avait cultivé le mari, au prix d'un certain déplaisir et de quelque dégoût, exposé comme il l'était, non seulement à de longues heures de musique nègre, qui tout bonnement l'ennuyait, mais à des avances qui l'effrayaient vraiment. Toute sa vie, il avait eu cette réaction en face des homosexuels, ayant, tout jeune, conçu l'idée que ces pratiques entraînaient, chez l'un comme chez l'autre, une perte de masculinité ; et le fait qu'il était prêt à risquer même cela (bien qu'avec un frisson de dégoût) prouvait la violence de son désir. Cependant, dans ce cas particulier, il s'était apparemment trompé dans son diagnostic car, bien que l'aveugle cherchât à se trouver seul avec lui, et y réussît quelque fois, il ne se passa rien, rien du moins qui eût pu l'effrayer. Drew retrouva peu à peu son calme, tout au moins en ce qui concernait Jeff.

Quand il s'agissait d'Amy, il ne connaissait jamais de repos. Il choisissait ce qui lui semblait le meilleur mode d'approche et agissait en conséquence. Elle avait raison de penser qu'il tentait d'entretenir une atmosphère de conspiration entre eux deux, sous le nez de l'aveugle, pourrait-on dire. C'était le mode d'approche qu'il avait choisi et il n'arrivait pas à comprendre pourquoi elle refusait de collaborer, car la situation était parfaite des deux côtés. Les épouses étaient fidèles pour une ou deux raisons : ou bien elles étaient amoureuses de leurs maris (il appelait cela : "satisfaites") ou bien elles étaient "frigides" — catégorie qui se subdivisait en plusieurs, depuis les lesbiennes jusqu'aux nonnes — et comme Amy n'était sans aucun doute ni « satisfaite », ni « frigide », il était inconcevable qu'elle ne le désirât pas ; c'était la réfutation de tout ce qu'il avait appris et qui avait déterminé sa ligne de conduite. Cependant, au bout de deux ans, il fut forcé d'admettre qu'il devait en être ainsi et il lui accorda encore six mois, puis, alors qu'il se préparait à renoncer à toute sa campagne, l'événement se produisit. Ainsi revenait-il au souvenir de cette première étreinte, en savourant encore la chaleur et l'exaltation. Cette fois-ci, il parla tout haut, et, son haleine embua le pare-brise : « Mon vieux, avec les femmes on ne peut jamais savoir. C'est complètement impossible. »

Les lumières de Bristol apparurent. Comme il ralentissait pour entrer dans la zone de vitesse contrôlée, le feu automatique au regard sans paupière, péremptoire, alternativement rouge et vert s'éteignit et cligna un œil topaze pour inviter à la prudence. Cela signifiait qu'il était minuit. Il tourna dans Marshall Avenue, s'engagea sur le boulevard Pentecost et gara sa voiture dans la remise transformée qui dégageait encore la faible odeur ammoniaquée du couple de chevaux bais du vieux juge Hellman, mort depuis quinze ans. Drew revint sous la porte cochère, gravit les marches de l'entrée privée qu'il ouvrit avec une clé suspendue à sa chaîne de montre. Le salon était douillet ; dans la grille de la cheminée, il y avait encore quelques restes de charbon rouge. Dans la pièce voisine, le lit avait été ouvert et son pyjama était sous l'oreiller. Il l'enfila dans le salon et suspendit ses vêtements à un portemanteau près de la cheminée. La lune s'était levée tard et maintenant, tandis qu'il fumait une dernière cigarette, elle était encadrée par la fenêtre qu'il avait ouverte au pied du lit. De l'air froid envahit la chambre. Il éteignit sa cigarette et resta couché bien au chaud sous les couvertures, les yeux brillants dans le clair de lune. Juste avant de s'endormir, il imita dans sa gorge le petit cri plaintif qu'Amy avait poussé, mais ce n'était pas une très bonne imitation, et il éclata de rire. Au bout de deux ans et demi, ses prières étaient en définitive sur le point d'être exaucées. Maintenant, il n'y avait plus de temps à perdre, pensa-t-il. Il fallait frapper. On verrait ça demain, se dit-il et il sombra dans le sommeil.

Mais au réveil, ce ne fut pas à cela qu'il pensa tout d'abord. L'habitude, ce réveille-matin de l'émotion, lui rappela que c'était un jeudi — le premier jeudi du mois. Ce soir-là, il se promènerait avec Amanda dans Lamar Street après dîner. Il en était ainsi le premier jeudi de chaque mois. Puis il se rappela une autre chose : elle lui était apparue dans son sommeil : de grands yeux lumineux sur un fond de musique de jazz. Il fallait frapper, avait-il pensé en s'endormant. Il pensa de nouveau à Amanda et son premier mouvement fut de laisser tomber la rencontre. Il pourrait toujours dire qu'il était absent, malade, ou quelque chose. Mais il repoussa cette idée. Amanda était toujours son premier souci, sa raison d'être ici pour "protéger sa mise" : il n'allait pas se laisser effrayer au point de courir un risque dans ce domaine, Amy n'avait qu'à attendre. Sans doute comptait-elle sur lui, mais tant pis, qu'elle attende — vraisemblablement, c'était même bien mieux comme ça. Et, ayant pris cette résolution, il tira une sorte d'orgueil de cette loyauté envers Amanda.

À 8 h 30, brossé, rasé, il entra dans la salle à manger où Mrs. Pentecost présidait la table. « Mr. Drew, dit-elle. Mrs. Pentecost », répondit-il, tous les deux très cérémonieux. La scène se répétait chaque matin. « Avez-vous bien dormi ? — Oui, Madame, et vous-même ? — Oh oui », et le cuisinier apporta les œufs croustillants comme de la dentelle sur les bords. Une telle politesse était récompensée, non seulement par de la bonne cuisine et par le logement (à quarante dollars par mois, les services d'une femme de chambre inclus), mais il savait que dès le début la propriétaire avait fait le tour de la ville en chantant ses louanges : « Quel charmant jeune homme, pour un Yankee ! Et si bien élevé. » Elle continuait à le faire, mais maintenant elle omettait « pour un Yankee ». « Je suis certaine qu'il est d'une très bonne famille, ajoutait-elle, et, croyez-moi, je m'y connais. »

Elle avait en effet la réputation d'avoir du flair (malgré son regrettable mariage) et Drew lui faisait crédit d'une partie de son succès en ville. Non qu'il eût vraiment besoin de son aide : il avait son poste à la banque, maintenant qu'il occupait un bureau à l'entrée pour l'aider à établir des contacts avec les gens ; il n'avait pas besoin d'autre chose — lui qui avait distribué toutes les poignées de main pour un trust de coton — dans une situation comme celle-ci. Et ce n'était pas seulement affaire de charme mais d'habileté. L'année qu'il avait passée parmi les guichetiers, puis au service de la comptabilité avec Mr. Cilley lui avait permis de connaître ce qui se passait derrière la façade d'une banque. C'était un peu comme ce qu'un horloger doit savoir sur ce qui se passe derrière le cadran d'une horloge. Tilden avait l'occasion de bénir le jour où il l'avait engagé ; car non seulement les femmes l'aimaient maintenant, mais les hommes préféraient avoir affaire à lui. Personne ne refusait un prêt avec un regret si gracieux, personne n'écartait de petites difficultés avec un grand air de confiance si flatteur. En un rien de temps, Drew avait plus que compensé la perte du compte Barcroft.

Socialement, sa position, bien que parmi les plus élevées, était quelque peu anormale. La ville entière connaissait ses rapports avec Amanda. Cela avait fait le sujet de ·bien des conjectures pendant le premier hiver et le printemps qui avait suivi ; ensuite, on n'en parla même plus et il eut la sympathie de tout le monde. Mais du coup, il ne figura plus sur la liste des « éligibles » dressée par les parents de filles, même quand ces filles traversaient la période frénétique où elles commençaient à n'être plus tout à fait en âge de se marier. Dans les dîners, c'était le garçon bouche-trou bien qu'à l'occasion, on le mobilisât pour accompagner une visiteuse. Dans ces cas-là, sa conduite était toujours extrêmement correcte. Il ne leur donnait rien de plus qu'un baiser, en leur souhaitant bonne nuit quand il les quittait à leur porte, et même alors, uniquement si la fille semblait spécialement désireuse et discrète. Si, comme il arrivait parfois, une des visiteuses désireuses et discrètes revenait à Bristol et demandait à son hôtesse d'arranger une autre soirée avec Harley Drew, la dame le trouvait « alité avec une légère grippe » ou « juste sur le point de partir en voyage d'affaires ». Dès le début, il avait fait clairement comprendre qu'il ne pouvait pas permettre de se laisser accaparer, et cela ne faisait qu'augmenter le respect que la ville avait pour lui. On admirait une existence qui, si elle n'était pas tout à fait monastique, n'en demeurait pas moins fidèlement chaste.

Ce qu'ils ignoraient, c'était un arrangement qu'il avait fait avec un des serveurs de l'hôtel où il allait fréquemment déjeuner, le plus souvent avec des amis hommes d'affaires, s'asseyant toujours à la même table et servis par le même garçon : « Un bien beau temps », disait parfois ce Noir, en tenant la chaise de Drew — malgré la pluie, le verglas ou la chaleur étouffante. Ses amis supposaient que c'était simplement quelque vieille plaisanterie qui ne signifiait rien. Mais c'était un signal, un code : cela signifiait qu'une nouvelle fille venait d'arriver ; et Drew pouvait juger de l'impression qu'elle avait faite rien qu'à la largeur du sourire du garçon lorsqu'il disait : « Un bien beau temps. » Il faisait environ une visite par semaine, qu'il y eût une nouvelle fille ou non, et il montait alors par-derrière par l'escalier de service. Actuellement leur nombre se montait à un peu plus de trois douzaines depuis cette première Alma il y avait huit ans de cela. En général, presque toutes l'aimaient bien, surtout les jeunes, celles qui débutaient.

Presque toutes ses journées étaient comme celle qui l'attendait quand il se leva de table après son petit déjeuner, le matin qui suivit son premier contact avec Amy. A 9 heures, il souhaita le bonjour à Mrs. Pentecost et dix minutes plus tard, il était à son bureau. Pendant les entretiens ou pendant qu'il feuilletait ses papiers, il se surprit à regarder la porte de temps en temps. Il avait fait cela bien des fois avant de se rendre compte qu'il attendait Amy. Il cessa alors de le faire et ne se permit plus de lever les yeux de dessus son travail. Il se dit qu'il se réjouissait de ne pas la voir ce soir-là. L'attente lui aurait fait trouver la journée encore plus longue et, bien qu'il aimât son travail, il n'aimait pas qu'une journée traînât en longueur. Par ailleurs, son rendez-vous avec Amanda n'augmentait ni ne diminuait cette longueur.

A 11 heures, il y eut une réunion de la garde nationale dans le bureau de Tilden. Drew et deux officiers de l'état-major y assistèrent. Le régiment avait été créé deux ans auparavant, et Tilden en était colonel. Il avait passé plus de temps à cette occupation qu'à la banque depuis que Drew avait si bien pris les choses en main. Vice-président adjoint signifiait en réalité président adjoint. Vice-président ne servait que pour les en-têtes des lettres. Drew était capitaine dans la garde (S-3 : plan et entraînement) avec une promotion à venir qui cependant mettait le temps. Au cours de la réunion, les hommes s'adressaient la parole en se désignant par leur grade. Tilden avait insisté sur ce point-là dès le début : « Pas de ces histoires de Joe ou de Harley, avait-il dit. Si nous sommes militaires, conduisons-nous *militairement.* » Au grand étonnement de tous — et au sien peut-être surtout —, il faisait un excellent chef et il célébrait son succès en laissant pousser sa moustache : ce qui n'était pas un petit exploit pour quelqu'un d'aussi peu barbu que Tilden.

La pendule sur son bureau marquait presque midi quand la réunion fut ajournée (on y avait traité de fournitures de souliers — « A défaut d'autre chose, je veux qu'ils soient bien chaussés », dit Tilden d'un air décidé ; il aurait aussi bien pu parler de bétail). Drew s'était remis à penser à Amy : « Un bien beau temps », dit le Noir en tenant la chaise de Drew (c'était un autre raffinement du code : l'insistance sur les premiers mots signifiait une blonde, sur les derniers une brune. Les rousses n'entrant pas dans ce code étaient réservées comme des surprises). Mais Drew était si absorbé en pensant à Amy qu'il ne regarda même pas la largeur du sourire du garçon — qui était, en l'occurrence, un sourire rayonnant.

De retour à la banque, Drew se surprit en train de regarder de nouveau la porte, mais cette fois, il ne se reprit pas et continua de regarder jusqu'à l'heure de la fermeture, s'attendant à la voir arriver à chaque minute. Il n'accomplit pas beaucoup de travail. Puis, quand il vit Rufus fermer la porte à clé, il fut bien obligé d'admettre qu'Amy ne viendrait pas. Sa réaction fut de la colère : elle l'avait fait exprès, sachant fort bien comment il réagirait. Il se réjouit autant qu'il put à la pensée que ce soir à Briartree, ce serait elle qui guetterait la porte et sentirait monter sa colère en ne le voyant pas venir.

Il mit son bureau en ordre, plaça dans un tiroir son travail inachevé et se rendit au club. Il n'y avait personne, sauf le moniteur de golf qui était assis au bar et prenait une bière en faisant une réussite. Après l'avoir un peu brocardé, Drew finit par l'entraîner sur le terrain qui était un champ aride, sec et désert, comme, d'après les photographies, un paysage lunaire. Ils étaient les seuls joueurs par un temps pareil et cependant ils durent partager un caddie. Jouant un dollar le trou, Drew manqua deux de ses drives et perdit trois points pour sortir d'un bunker. Ils arrivèrent au numéro neuf dans un crépuscule bleuâtre et froid. Une des balles de Drew était allée dans les fourrés. Après dix minutes de recherches — alors que la nuit était presque tombée et que le caddie grognait, irrité et transi — ils renoncèrent et retournèrent au bar. Drew paya les cinq dollars qu'il avait perdus d'un air fort mécontent que le pro interpréta comme de la colère pour avoir perdu de l'argent, ce qui était partiellement vrai.

Quelle journée, pensa Drew quand il fut revenu au salon en regardant le feu. Et tout ça pour une garce rusée. Elle me paiera ça. Il avait encore une demi-heure avant le dîner de 6 heures, juste le temps de prendre un bain et de s'habiller, mais il resta assis devant le feu. Il s'y trouvait encore quand le cuisinier frappa à la porte pour l'avertir que le dîner était prêt. A table, Mrs. Pentecost trouva son pensionnaire moins aimable que d'habitude. Mais nous avons tous nos mauvais jours, pensa-t-elle, en jetant de timides regards de côté vers le jeune homme tandis qu'il mangeait.

Il avait encore le temps de prendre un bain en se pressant, mais il chassa cette idée presque sauvagement, comme si cela aussi était une sorte d'affront, et il se contenta de changer de chemise et de cravate. Puis il partit pour Lamar Street, à l'autre bout de la ville. Au début, ces rendez-vous avaient été hebdomadaires, plus tard ils furent réduits à tous les quinze jours, et ils finirent par n'être plus que mensuels. « Il faut que nous soyons de plus en plus prudents », lui avait-il dit et Amanda avait acquiescé en soupirant. Laissant sa voiture au coin de la rue, il se posta comme d'habitude, à chaque premier jeudi, devant la maison de Barcroft. Là où il y avait eu quatre grands chênes, il n'en restait plus que deux. L'un avait été déraciné un jour férié par l'ouragan de 1932, l'autre pendant le grand gel de l'hiver suivant ; il s'était abattu comme un chandelier en verre taillé, faisant craquer la fragile armure de glace qui recouvrait chaque branche et chaque rameau, éparpillant tous les morceaux de haut en bas de la rue, où le lendemain matin ils avaient reflété le soleil levant comme autant de pointes de feu.

Les années de dépression avaient été aussi dures pour les arbres que pour les personnes.

L'attente rendait Drew de plus en plus nerveux ; debout, les mains dans les poches de son pardessus et portant son poids d'un pied sur l'autre. Son haleine qui sortait plus vite à mesure qu'augmentait son impatience faisait de petits nuages qui se dissipaient rapidement. Il avait l'impression de n'avoir jamais eu aussi froid même au Canada lors de la chasse au canard qui avait conclu les années dorées passées à "voir venir". Elle pourrait montrer au moins quelque considération, pensait-il avec déplaisir. Juste à ce moment-là, un grand rectangle de lumière apparut et disparut, et il put l'entendre qui traversait la véranda. Malgré le froid, il enleva son chapeau (un feutre léger, trop estival pour la saison) mais l'autre était resté à Briartree, et debout, il le tenait dans ses deux mains comme une cuvette. « Bonsoir Amanda », dit-il. Il n'y avait pas de lune ni même d'étoile : la nuit était très noire. Elle s'arrêta, puis s'approcha :

— Bonsoir, Harley.

6.

UN ABANDON

Ils marchèrent et ce fut comme à chaque fois. Il était
plein d'attention, lui tenant le coude dans le creux de
la main quand ils descendaient des trottoirs ou quand
ils y montaient, et il était beau. Il ne cessait vraiment
d'embellir. Si, ce soir-là, il paraissait un peu distrait,
ma foi, ça ne faisait rien. Elle comprenait que les
hommes avaient des soucis de métier. Elle s'était mise
à lire la petite correspondance dans le journal de
Florence et elle y trouvait toujours le même conseil.
Être compréhensive mais pas indiscrète ; un mari ou
un prétendant avaient le droit d'être parfois de mauvaise humeur après une dure journée au bureau :
c'était alors que vous pouviez montrer votre pleine
mesure comme fiancée ou comme épouse, et n'allez
pas croire que cela ne serait pas apprécié quand les
beaux jours seraient revenus. Et puis, également, Drew
devait sans doute penser qu'avec une autre personne
(et, naturellement il n'avait que l'embarras du choix) il
serait assis dans un joli salon, bien au chaud, ou pour
le moins dans une salle de cinéma, et pas dehors par

un temps pareil. En vérité, ils ne se faisaient la cour qu'en plein air. Elle ne l'avait jamais vu sans chapeau, soit sur la tête, soit dans la main. C'était à elle qu'il revenait de tout racheter par de la "compréhension". Elle le savait parfaitement. Mais c'était étrange.

— Vous allez toujours bien, Amanda ?

— Oh oui ; la pause qui suivit parut plus longue qu'elle ne l'était. Et vous ?

— Oh oui.

Ils marchaient et il se sentait gêné par son air de distraction. Quant à elle, ne sachant que dire, elle ne disait rien. Mais finalement, arrivé à la moitié du second pâté de maisons, Drew parut se décontracter, prendre courage, et il se mit à parler de tout ce qui lui était arrivé à la banque, au cours de ce dernier mois. C'était un monde étrange, plutôt comique d'après lui. Les gens disaient, faisaient de drôles de choses, dans leur désir de gagner de l'argent ; et d'autres étaient si incompétents, si peu à la hauteur dans le monde des finances — comme cette dame qui signait tous ses chèques au cas où elle les perdrait : il lui avait raconté cette histoire deux fois, et, chaque fois, il lui avait dit que c'était arrivé la veille. Mais c'était tout naturel ; elle comprenait. La vie qu'il menait était par ailleurs si ennuyeuse. Il fallait bien qu'il répète ses astuces. Elle avait son foyer, sa famille, sa sœur à qui elle était très attachée. Mais lui n'avait personne, rien, sauf son travail et ces quelques rendez-vous secrets, risquant toujours d'être découverts.

Pendant toutes leurs années d'attente, ces promenades étaient son soutien, et bien qu'elles fussent devenues de plus en plus espacées par mesure de prudence — au début une fois par semaine, puis tous les quinze jours, et, pour finir, une fois par mois —, Drew n'en restait pas moins aussi attentionné qu'affectueux, et lui disait toujours qu'il attendait. C'était suffisant.

C'était non seulement suffisant, mais Amanda avait l'impression que c'était lui qui avait le sort le plus ingrat, qui avait à porter le fardeau de son amour dans le monde extérieur, parmi des étrangers aux regards inquisiteurs. Elle avait appris ce genre tout particulier de torture pendant les premières années de leurs fiançailles secrètes. Partout où elle allait, les gens tournaient la tête, la suivaient du regard et chuchotaient derrière leurs mains. Ils avaient commencé à jaser avant même que Drew eût passé sa première semaine en ville. « Amanda Barcroft a déniché un galant. Elle se sauve pour aller le retrouver. Mais oui, ils se promènent ensemble toutes les nuits au clair de lune. » Parfois, elle les entendait l'appeler : « Cette pauvre Amanda », et elle savait qu'ils faisaient des suppositions et qu'ils disaient la plaindre beaucoup, car la plupart de ces potins venaient de leur antipathie pour le major Barcroft, pour ses méthodes de travail brutalement honnêtes, et ce qu'ils appelaient ses façons hautaines. Cependant, elle n'en entendait que fort peu. Ses courses au marché et son assistance hebdomadaire au service du temple étaient les seules occasions qu'elle avait de se mêler aux curieux : à 5 heures, pendant les promenades au retour de Cotton Row, son père et elle-même ne leur prêtaient aucune attention : elle, dans ses robes grises toujours identiques, ornées de dentelles aux poignets et au cou. Elle ne montrait guère de changement, sinon une certaine fixité dans l'expression que les curieux auraient eu bien du mal à qualifier d'espoir ou de désespoir. Elle marchait la tête haute, regardant droit devant elle, les épaules très droites et, en l'observant, ils se rappelaient qu'elle était la fille de son père. On aurait dit qu'elle cherchait à les défier, leur jetant au visage ce qu'ils appelaient sa scandaleuse conduite. A ces moments-là, son visage était sans expression comme une page blanche où elle les invitait à lire ce que bon leur semblait. Ils s'empressaient de le faire. Il y avait presque autant de versions de l'histoire qu'il y avait de conteurs. Quand on apprit en ville que le flirt avait été contrarié, on jasa beaucoup également. Mais on ne tarda pas à se fatiguer — c'était trop vague, et les choses traînaient en longueur ; on s'en lassait comme on se lasse d'une chanson populaire à force de trop l'entendre. Ce devint une simple attraction pour les étrangers auxquels on montrait le côté secret et quelque peu douteux de Bristol : « Regardez là-bas. C'est Amanda Barcroft. Un jeune homme a cherché à l'épouser, mais son père s'y est opposé : le vieux major Barcroft. Et maintenant, ils attendent. Mais vous l'avez peut-être rencontré — Harley Drew. Il travaille dans une banque. »

Elle avait eu à faire face à tout cela, à vivre avec tout cela. Et puis, il y avait aussi son père. Mais le major Barcroft restait toujours le même, aussi bien aux yeux inquisiteurs des gens de la ville, qu'envers Amanda elle-même. Bien entendu, il ne parlait jamais de Harley Drew, et pourtant tout le monde savait qu'à peine le nouveau venu avait-il commencé à travailler dans cette banque que le major avait clos son compte et rompu tout contact — ayant sans doute à l'esprit l'idée que quiconque viendrait voler la fille d'un homme sous ses yeux n'hésiterait pas à lui voler également son argent. Amanda ne savait rien de cette transaction, mais parfois, à table, elle levait les yeux de dessus son assiette et constatait que son père lui jetait un regard froidement inquisiteur, et elle savait qu'il se posait des questions, bien qu'il fût trop fier pour l'interroger ou mentionner le nom du prétendant.

Ce soir-là, en partant, Drew l'embrassa sur les marches, et cela fit deux baisers. D'habitude, il y en avait trois : une fois à mi-chemin à l'allée, une seconde fois à mi-chemin au retour, et une troisième pour lui souhaiter bonne nuit sur les marches. Mais, ce soir-là, il avait été si préoccupé par ce qu'il pouvait avoir à l'esprit, qu'il avait négligé le premier. Il se rattrapa cependant, car, quand il l'embrassa pour la seconde fois, il lui murmura, la joue pressée sur la sienne et la bouche tout contre l'oreille : « Ces années-ci sont les plus dures, je le sais. Mais ne vous en faites pas. Le jour viendra où nous pourrons nous rattraper. Attendez un peu. Vous verrez. » Là-dessus, il avait fait demi-tour et l'avait laissée, et Amanda avait traversé la véranda, toute heureuse à l'idée de passer un autre de ces mois qui, en s'accumulant ainsi, avaient fini par former des années : "les années les plus dures", disait-il, bien qu'en réalité, pour elle, elles eussent été tout le contraire de dures, car elle avait Drew — ne serait-ce qu'une fois par mois — et elle avait l'avenir ; par ailleurs, elle pouvait imaginer ce que serait sa vie autrement.

Elle avait Florence aussi — son Albatros, son Vieil homme de la mer — bien que naturellement elle ne pensât jamais à elle en ces termes. Et même bien qu'elle sût que la mort de Florence était le seul événement qui pourrait rendre présent le futur que Drew lui laissait entrevoir, elle ne se permettait jamais un tel espoir même au plus secret de son cœur. Ce soir-là, revenant de sa promenade avec Drew, elle ferma la porte extérieure et se tourna aussitôt vers la porte de droite, celle qui menait à la chambre où attendait Florence, impatiente et pressée, comme elle l'était toujours ces jeudis-là, les mains croisées sous le menton.

— Comment va-t-il, cria-t-elle avant même que sa sœur eût pu fermer la porte. Amanda se retourna, un doigt sur les lèvres, un autre pointé vers l'arrière de la maison où le major Barcroft lisait dans son bureau.

Florence mit les mains sur sa bouche et haussa les épaules : J'avais oublié ; j'avais vraiment oublié. Comment va-t-il ?

— Il va bien, dit Amanda, tout s'est passé comme d'habitude.

— Oh, Amanda, je suis si heureuse pour toi. Alors, il t'aime vraiment, dis. Ce n'était pas une question. C'était un murmure de félicitations ; et Amanda sourit, opina en enlevant son manteau. Florence attendait ces soirées de jeudi, aussi impatiemment qu'Amanda, car, pour avoir vu Drew cette seule et unique fois dans le vestibule, elle avait l'impression d'être elle-même engagée dans une histoire d'amour, ne fût-ce que par personne interposée.

Ses pieds chaussés de pantoufles vertes déformées étaient posés sur l'extrémité pliante du fauteuil et ses jambes — en contraste avec le reste de son corps qui s'était épaissi dans l'inactivité — étaient devenues si minces que les bas de fil qui les recouvraient faisaient de gros plis. Sauf pendant ces jeudis soir, elle vivait plus que jamais retirée sur elle-même. Elle continuait à coudre, à lire le journal, à prendre son remède mensuel de médecine et de religion. La dernière fois qu'elle avait regardé par sa porte remontait au jour où elle avait demandé au jeune homme d'emmener Amanda. Ce qui l'avait le plus agitée au cours de ces deux dernières années, c'était la carrière de Dillinger qu'elle suivait dans le journal. Cet homme était pour elle une étoile tout particulièrement brillante, tel qu'elle l'avait vu sur une photo, les menottes aux poings, entre deux policiers, alors qu'il ricanait devant l'appareil juste avant de s'échapper avec son pistolet en bois. Florence avait partagé tous ses exploits et l'encourageait. Mais hélas, cela aussi avait eu une fin (un jour en plein été, dans le foyer d'un théâtre, il avait été trahi par une femme en rouge et abattu par ce qui n'était pas loin de ressembler à toute une brigade de policiers. « Oh, les lâches ! », s'était-elle écriée en lisant cela) et tout ce qui restait, c'était une photo de lui, étendu, mort, sur une table à la morgue, avec une étiquette de la police attachée à son gros orteil. Elle avait découpé la photo et elle la gardait maintenant dans sa Bible avec les autres : Bonnie Parker, Kelly la Mitraillette, et Floyd, le Joli Petit Gars. Les Billy the Kid et les Johnny Ringo de notre temps. Cependant sa plus grande aventure l'attendait encore. Peut-être le savait-elle, car, de temps à autre, plus fréquemment depuis quelques jours, Amanda la voyait cesser de travailler, l'air soudain tout surpris. Elle posait la main sur sa poitrine en la pressant légèrement. Elle ne bougeait pas, la tête penchée pour une auscultation profonde, le souffle coupé. Puis cela passait et elle se remettait à sa couture ou à ses revues. Et quand Amanda l'interrogeait : « Qu'est-ce que tu as Florence ? » elle ne donnait aucune explication ; elle branlait la tête.

— Oh, Amanda, c'est *tellement étrange*.

C'est ainsi que passaient les années dans la grande maison grise de Lamar Street. Ces trois personnes enfermées dans un cercle étroit d'orgueil, de crainte, d'espoir timide, et respirant l'atmosphère étouffée de la mort — groupe de famille, le père et ses filles, dans un cadre oval qui se réflétait dans la grande et fuligineuse pupille de l'œil énorme de Bristol. Et puis vint une nuit, à la fin de septembre, huit mois après celle où elle avait fait attendre Drew dans le froid, coiffé d'un chapeau d'été. Florence était assise dans son fauteuil. Sous la lumière jaune projetée par sa lampe de chevet, les en-têtes du journal ressortaient durs et crus, hurlant l'imminence de la guerre, accompagnée des rassurantes déclarations des diplomates. « Ma parole », dit-elle, furieuse parce que Munich avait troublé sa lecture habituelle, « ma parole, cet Hitler chasse toutes les autres *informations* du journal ».

Sur la dernière page cependant, elle trouva une nouvelle intéressante. Après l'avoir lue, elle s'écria toute joyeuse : « Oh ! Amanda, Amanda, voilà la chose la plus terrible. C'est arrivé à Los Angeles — on dirait que c'est toujours à Los Angeles que les choses arrivent. Un vieillard a tué un petit garçon dans une chambre d'hôtel. Et puis il a essayé de le faire disparaître en le cachant dans un tapis enroulé. Hein, tu te rends compte ! Il marchait dans la rue avec ce paquet sur le dos — comme ça — et puis quelqu'un l'a bousculé, le tapis a glissé et le corps du petit garçon a roulé là, à l'endroit même, dans le quartier le plus fréquenté de la ville. »

Elle s'arrêta, les yeux fixés sur le journal qu'elle tenait sur ses genoux. « Il paraît qu'il va plaider la folie. »

Amanda la quitta vers 10 heures et monta se coucher. Il n'y eut pas de cris, cette nuit-là, pas de cris pour demander qu'on la protège contre les terribles créatures de rêve. Le lendemain matin, quand elle descendit, elle trouva sa sœur assise toute droite dans son fauteuil, les mains croisées sur le journal posé sur ses genoux et les pieds sur l'extrémité capitonnée du fauteuil. Dans cette lumière matinale, les pantoufles étaient d'un vert bronze comme la tête des mouches en été. Tout d'abord, Amanda marcha avec précaution pour éviter de la réveiller, mais, comme elle sortait à reculons, elle vit qu'un des yeux de Florence était ouvert dans la lumière fixe d'un rayon de soleil qui passait par une déchirure d'un store de la fenêtre. Et comme elle était là, debout, une main sur le bouton de la porte, à regarder le visage de sa sœur — la peau jaune, les orbites couleur de suie foncée, le nez busqué aux narines noirâtres comme bordées de fourrure —

elle pensa presque immédiatement à Harley Drew, se demandant si elle devrait lui téléphoner dès maintenant ou attendre jusque après les funérailles.

Cet après-midi-là, l'employé des pompes funèbres rapporta Florence dans un cercueil d'acier gris doublé de satin — comme celui de Malcolm, mais plus grand — et il l'installa dans le salon où son frère avait été exposé également quand sa sœur et elle-même étaient encore petites, cette pièce qu'elle appelait sa chambre à coucher, bien qu'il n'y eût pas de lit, et qui avait gardé l'odeur des fumigations, encore que les bourrelets de papier eussent été enlevés des portes et des fenêtres, et que la pièce elle-même eût été balayée, époussetée, aérée, dès le petit matin, quand Mrs. Barnes était venu la chercher. Il lui avait croisé les mains sur la poitrine ; il l'avait peignée, de sorte que le bout des mèches lui recouvrait la gorge, ce qui lui donnait une expression douce et un air plus jeune, fort éloigné de l'âge qu'elle avait vraiment. Revêtue de la robe du dimanche d'Amanda, avec un peu de rouge sur les pommettes et un sourire timide fort habilement confectionné, elle donnait tort, par son apparence, à tous les mensonges que Bristol avait répandus sur elle, en affirmant qu'elle était folle furieuse et qu'elle vivait derrière les barreaux d'un grenier.

Ils étaient venus s'assurer de leur erreur. Ils arrivaient, avides de curiosité, par deux ou par trois, en se poussant légèrement du coude pour jeter un regard dans le cercueil : « Comme elle a l'air naturel, disaient-ils. Mon Dieu, on dirait qu'elle dort, vous ne trouvez pas ? Vraiment vous ne trouvez pas ? » Il n'y avait rien que des femmes. Elles apportaient des plats chauds — usage qui remontait au temps où on ne faisait pas de cuisine dans la maison où un mort était exposé. Elles restaient là debout, dans le grand vestibule sombre, examinant les meubles, les chandeliers en verre taillé, avec les yeux fiévreux des archéologues fouillant dans quelque tombeau égyptien, jusqu'au moment où Amanda arrivait, recevait la nourriture et les invitait à venir voir le corps. Ce fut une vraie procession, au début quelques gouttes puis un flot continu qui commença un peu après 5 heures et dura jusqu'à la nuit. Comme les femmes qui arrivaient dépassaient toujours en nombre celles qui partaient (quelques-unes ne partaient pas du tout), la nuit venue, il y en avait encore tout un groupe dans le salon. Elles parlaient à voix basse, par respect pour la défunte, les têtes penchées les unes contre les autres, à la fois compatissantes et curieuses, empressées et perverses, tandis que les maris retournaient à leur domicile où ne les attendait aucun dîner. La cruauté humaine se montrait là sous son pire aspect, diriez-vous, à moins que vous ne considériez l'envers de la médaille et que vous ne voyiez la possibilité d'une cruauté encore pire, une absence totale d'intérêt ou même de curiosité.

Amanda avait fort à faire, allant du vestibule où elle recevait les visiteurs qu'elle débarrassait de leurs assiettes — comme des billets d'entrée — à la cuisine où elle déposait ces assiettes en nombre sans cesse grandissant sur les tables, le fourneau, et finalement sur l'égouttoir de l'évier. Dans le salon, les visiteurs attendaient que le major Barcroft apparût, mais il les déçut ; il resta dans son bureau. Un long temps s'écoula — il était plus de 8 heures et les femmes arrivaient toujours — avant qu'Amanda pût sortir sur la véranda et chercher Drew auprès des chênes. Il n'y était pas. Elle l'aurait vu s'il y avait été, car le clair de lune inondait tout alentour. Elle rentra dans la maison, se disant qu'il avait dû attendre et qu'il était parti, pensant qu'elle ne sortirait pas cette nuit-là.

Il n'était pas là non plus le lendemain soir : elle n'aurait pas pu le manquer ; elle rentra après les

190

funérailles et s'assit avec le major jusqu'à 6 h 45 quand elle alla prendre sa place habituelle sous les chênes. A 8 heures, comme il n'était pas arrivé, elle retourna s'asseoir près de son père. Il la regardait avec une expression froidement spéculative, si intense qu'elle pouvait presque l'entendre penser ses mots : « Qu'est-ce qu'elle va faire ? Qu'est-ce qu'elle va faire maintenant, sans Florence pour la retenir ? » Mais cela ne la préoccupait pas beaucoup ; elle pensait surtout à Florence, là-bas, sous le tertre rond et nu, et à Harley Drew — et elle ne cessait de se demander pourquoi il n'était pas venu la chercher, maintenant qu'elle était libre.

— Bonne nuit, papa, dit-elle enfin. Le major leva les yeux de son livre.

— Amanda, dit-il ; le pince-nez lança une étincelle comme un héliographe, et il se remit à lire.

Puis, comme elle se déshabillait pour se mettre au lit — après un dernier coup d'œil par la fenêtre aux chênes qui montaient leur garde solitaire devant la maison, elle crut qu'elle savait pourquoi Drew n'était pas venu, et c'était si simple, si évident qu'elle ne pouvait pas comprendre pourquoi cela ne lui était pas venu plus tôt à l'esprit. C'était juste une autre preuve de sa délicatesse, de la considération qu'il avait pour elle. Il lui laissait le temps de s'affliger. Elle finit par s'endormir sur cette pensée.

Mais la troisième nuit, comme il n'apparaissait toujours pas, c'en fut vraiment trop. C'était plus qu'elle n'en pouvait supporter. Étendue dans son lit, tandis que la lune enveloppait la chambre dans un drap d'or, bien qu'elle fût inquiète jusqu'à friser l'effondrement nerveux, elle n'arrivait pas à dormir. Chaque fois qu'elle était sur le point de le faire, elle était réveillée par le bruit de sa voix qui l'appelait devant la maison : « Amanda ! Amanda ! » Deux fois, elle sauta du lit pour aller voir, mais il n'y avait personne en dehors des chênes qui brillaient dans le clair de lune. Elle le voulait, maintenant. Aussi, le lendemain matin, lui écrivit-elle une lettre pour le lui dire. Elle la mit à la poste dans l'après-midi, quand elle sortit retrouver son père à Cotton Row.

Cher Harley,
Je sais pourquoi vous n'êtes pas venu et je suppose que vous avez raison. Vous savez cela mieux que moi. Mais ce que les gens disent m'importe peu. Je n'ai pas besoin d'une période de deuil. Venez maintenant, je vous attends — 7 heures — ce soir (effacé) *demain soir, mardi, devant la maison. J'irai n'importe où avec vous, soit ici, en ville, soit quelque part ailleurs.*

Amanda

La lettre était sur son bureau, le lendemain matin, à 9 h 10, quand il entra à la banque ; Rufus prenait toujours le courrier en se rendant à son travail et il le triait et le répartissait dès qu'il avait fini de balayer et d'épousseter la pièce. Drew était debout près du bureau, tenant encore son chapeau à la main, les yeux fixés sur la pile de courrier soigneusement placée sur le buvard. Bien que la lettre d'Amanda ne fût pas sur le dessus, il la reconnut presque tout de suite. C'était dû, en partie, à la vieille enveloppe carrée, semblable à celle qui lui avait été remise, neuf ans auparavant, dans le hall de l'hôtel, annulant leur fugue ; il s'attendait à sentir au bout de ses doigts l'épaisseur du papier de luxe et prévoyait la façon dont le rabat, décollé, se soulèverait brusquement au toucher. Cependant, il la reconnaissait surtout parce qu'il l'attendait depuis quatre jours — depuis ce vendredi, où il avait ouvert le journal de l'après-midi et y avait lu le rapport de Chamberlain sur la conférence de Munich « La Paix dans l'honneur... pour notre temps. » Puis il avait baissé les yeux sur le petit en-tête d'une colonne enfoui tout en bas à droite : Miss Barcroft meurt dans son sommeil : *Florence Barcroft, fille du major Malcolm Barcroft, 214 South Lamar Street, est morte dans son sommeil d'une crise cardiaque, au cours de la nuit. Miss Barcroft qui était âgée de quarante et un ans et qui a passé toute sa vie à Bristol avait été enfermée...* Mais il ne continua pas à lire les détails que le reporter avait pu glaner. Elle était morte : cela seul suffisait. Il posa le journal et tourna la tête, très troublé. Le major Barcroft avait gagné la monstrueuse course de chevaux.

Quatre jours plus tard, il ne se sentait pas spécialement pressé de lire la lettre car il en avait prévu et le contenu et l'arrivée : « Pourquoi n'êtes-vous pas venu me chercher ? Pourquoi attendez-vous, Harley ? » ou quelque chose comme ça. Il repoussa le tas de courrier qui s'écroula, se répandant en éventail sur le buvard. La grosse enveloppe carrée était restée sur le sommet, dans le coin gauche, étalant son nom comme un cri de détresse : *Mr. Harley Drew, Planters Bank, City.* Il poussa un soupir. Son plan initial si cela arrivait, avait été de partir, de prendre le premier train, si Florence mourait la première. Il s'était dit qu'il s'en irait sans explication ni scène d'adieu. Mais maintenant deux choses venaient de se produire qu'il n'avait pas prévues quand il avait fait ses premiers calculs. En premier lieu, il avait si bien réussi à la banque qu'il ne pouvait pas se permettre de partir, surtout vu le fait que Tilden n'avait pas d'enfant, pas d'héritier ni de successeur. En second lieu — chronologiquement, mais en premier, quant à son importance et son poids dans la situation présente, il lui était arrivé quelque chose de terrible. Il était tombé amoureux.

Tout avait commencé lors de cette première étreinte, huit mois plus tôt, et le retour chez lui nu-tête, et dans le froid, suivi de la longue attente du jour suivant à la banque. Le premier jeudi de février, et le lendemain matin, le vendredi — il était dans son bureau discutant avec un homme qui sollicitait un emprunt.

— Mr. Drew : téléphone, avait crié quelqu'un au bout de la file.

— Excusez-moi. Il prit le téléphone : Allô, dit-il sèchement ; très homme d'affaires, en redressant le pli de son pantalon quand il croisa les genoux. Il eut même le temps de décroiser les jambes et d'astiquer sur son mollet le bout déjà brillant d'un de ses souliers.

— Pourquoi n'êtes-vous pas venu, hier soir ?

— Madame ? Sur ce, il tressaillit et se sentit un peu idiot. C'était la première fois qu'il entendait la voix d'Amy au téléphone, désincarnée ; et il avait été si absorbé par l'affaire de son client qu'il ne l'avait pas reconnue et n'avait pas compris les mots. Mais maintenant, c'était différent.

— Vous m'avez entendue.

— Oui, eh bien ? L'homme assis de l'autre côté du bureau le regardait — il était grand, lourd, engoncé dans son imperméable. Il avait une barbe de deux jours, et Drew avait l'impression qu'il souriait en le voyant gêné.

— Je vous rappellerai. Où êtes-vous ?

— Où voulez-vous que je sois ? Chez moi. Mais inutile de rappeler ; venez dîner tout simplement. 7 h 30. Amy ne lui dit pas cela comme si elle l'invitait, mais plutôt comme si elle acquiesçait à une demande ou répondait à une annonce de journal dans la petite correspondance : *Monsieur libre pour dîner. Possibilité d'autres services en supplément. Téléphoner H. Drew, Planters Bank, en cette ville.*

— Avec plaisir, dit-il froidement, et, juste où au moment où il s'apprêtait à se radoucir et à la remercier, il y eut un déclic, puis ce fut le silence. Elle lui avait raccroché au nez. Drew replaça le récepteur et jeta sur l'homme à l'imperméable un regard vide. « Nom de Dieu ! » dit-il.

— Qu'est-ce qu'il y a ? dit l'homme. Drew reprit son aplomb.

— Pardonnez-moi, dit-il, redevenu très homme d'affaires. Alors, voyons, pour la question du nantissement...

Ceci s'avéra en fait être un prologue au premier acte d'une comédie des erreurs, d'une de ces farces à quiproquos et confusions d'identité qui parfois peuvent sembler drôles à un observateur, mais qui, en même temps, sont invariablement douloureuses pour les personnes concernées, les acteurs. Drew arriva à Briartree un peu après 7 heures, lavé, rasé, brossé, pomponné, mais toujours coiffé du chapeau d'été qu'il portait la nuit précédente à Lamar Street. Le petit domestique répondit au coup de sonnette, et Drew, passant devant lui, entra dans le vestibule :

— Qui est là ? dit Jeff dans son bureau. On ne voyait Amy nulle part.

— Harley, dit-il, et Jeff apparut à la porte. Il sembla agréablement surpris.

— Hello, hello. Vous arrivez juste à temps pour dîner. Entrez. Amy... pas de réponse : Amy.

— Oui, la voix venait de la salle de séjour, mais Drew regarda par la porte et ne la vit pas.

— Allez leur dire de mettre un autre couvert pour Harley.

— Vous êtes debout : dites-le-leur vous-même, dit-elle. Alors il la vit. Seuls ses jambes et ses bras étaient visibles derrière un fauteuil tout proche de la cheminée, à l'autre bout de la pièce. Elle était blottie dans les coussins et tournait les pages d'une revue. Il remarqua cependant qu'elle avait mis des chaussures de soirée à talons hauts, des bas de soie noire, et qu'elle portait un bracelet de diamants au poignet du bras qu'il pouvait voir. Jeff posa la main sur la manche de Drew et ils entrèrent dans le bureau. Le petit domestique vint bientôt annoncer le dîner et, comme ils entraient dans le vestibule et qu'Amy se levait et venait à leur rencontre, Drew vit qu'elle portait une robe du soir en taffetas noir. Il interpréta tout cela — les chaussures de soirée, le bracelet, la robe, comme un indice qu'il était attendu, bien qu'elle continuât à lui faire jouer le rôle du convive qu'on n'attendait pas.

A part un long regard occasionnel interrompu sitôt que Drew y répondait, cette soirée ne différait pas de celles qu'ils avaient passées ensemble tous les trois, ici même à Briartree. Il aurait même pu mettre en doute le coup de téléphone du matin ainsi que le baiser échangé dans le vestibule, deux soirs auparavant. La principale différence était qu'après avoir pris congé de Jeff, au moment de son départ juste après 11 heures — Amy avait regagné sa chambre une heure avant — il avait pris ses deux chapeaux. De retour à Bristol, alors qu'il s'apprêtait à se mettre au lit un peu avant minuit, il branla la tête et se murmura quelque chose à lui-même. Est-ce qu'elle ne jouait pas avec lui au jeu du chat et de la souris ? De toute façon, il n'aimait pas ça du tout.

Mais le lendemain matin — samedi — Amy l'appelait de nouveau, et cette fois Drew n'était pas occupé ; il pouvait parler. Elle dit :

— Ça n'a pas marché tellement bien, dites donc.

— Certainement pas.

Au bout d'un instant, ils recommencèrent à parler tous les deux à la fois...

— Si vous...

— Nous...

Il y eut une autre pause. Tout ça est complètement idiot, pensa Drew. Mais elle reprit la première :

— Venez lundi soir — même heure — on essaiera encore.

— *Minute*, s'il vous plaît.

— Vous voulez venir, oui ou non ?

— Oui, mais...

— Eh bien ! alors, venez. Entendu ?

— Entendu... Et, de nouveau, il tenait à la main un récepteur mort. Il raccrocha, branlant la tête, et il pensa aux filles d'hôtel, une bonne quarantaine, au cours de ces neuf dernières années, qui se bornaient à lui demander un peu d'argent et les quelques témoignages d'affection qu'il estimait pouvoir leur prodiguer.

Le lundi fut encore moins différent, jusqu'à un certain point. Elle ne s'était même pas habillée : elle portait des souliers à talons bas, sa jupe en tweed et le chandail en cachemire des autres soirs. Drew arriva de bonne heure avec sa serviette et Jeff insista pour qu'il restât dîner — ainsi, cette fois, du moins, il était là en tant qu'invité. Peu après 9 heures, ils étaient assis dans le salon, lorsque Jeff s'excusa et passa dans son bureau où se trouvait sa salle de bains du rez-de-chaussée. Dès qu'il eut fermé la porte derrière lui, Drew se tourna vers Amy. Mais elle avait déjà commencé à parler.

— Ça ne va pas tellement bien, non ?

— Non, dit-il rapidement, pas tellement.

Ce qui suivit n'était pas exactement une pause. On aurait pu le croire vu la surprise qu'il éprouva à ce qu'elle dit ensuite. Il mit quelque temps à comprendre tous les mots.

— Êtes-vous libre pendant les week-ends ?

— Je peux l'être, dit-il.

— Ce week-end-ci ?

— Oui.

— Je passerai à la banque. A quelle heure ?

— Quelle heure quoi ?

— A quelle heure sortez-vous ?

— A 4 heures environ. Il avait l'impression d'être conduit par la main, et cela ne lui plaisait guère. Il aurait préféré mener le jeu lui-même.

— Très bien, j'irai vous chercher.

— Vendredi ?

— Samedi.

— Vendredi, dit-il.

— Bon, vendredi alors, à 4 heures.

Puis brusquement, elle parut indécise, comme si elle venait juste de se rappeler quelque chose. Elle s'apprêtait à protester, et il était prêt à lui répondre (lui ayant repris l'initiative, il était bien décidé à ne céder sur aucun point, si minime fût-il). Mais Jeff revint, et tous les trois s'assirent devant le feu. Ce fut comme toujours ; il aurait pu croire qu'il s'était endormi et avait rêvé toute la conversation, car Amy ne lui jeta même pas un regard en coulisse. Bientôt elle se mit à bâiller et monta l'escalier : "Retournez-vous", lui dit-il mentalement, comptant sur la télépathie ; mais elle monta l'escalier, regardant droit devant elle, et disparut. Peu après, Drew se leva de nouveau, disant qu'il avait une rude journée le lendemain à la banque. Jeff l'aida à mettre son pardessus.

Il s'arrangea pour être libre ce week-end-là. « Une chasse au canard en Arkansas », dit-il à Tilden. Les jours passèrent lentement et le vendredi arriva enfin. Il revint tôt après déjeuner et, à 3 heures, son bureau était en ordre. A 3 h 45, il mit son chapeau et alla se poster en haut de l'escalier en ciment, devant la banque. A

4 heures, elle n'était pas encore là. Il faisait les cent pas sous le portique, pensant encore à ses filles d'hôtel qu'il voyait à *sa* convenance, et non à la leur, et qu'il n'avait pas vues d'ailleurs depuis plus d'une semaine, se réservant pour — pour quoi, pour faire les cent pas devant des colonnes cannelées comme un acteur qui feint la colère, arpentant la scène et marmonnant des imprécations. Le ciel était plus bas, livide, comme la surface mouvante du plomb fondu quand il refroidit. A 4 h un quart, Rufus passa la tête par l'embrasure de la porte :

— Mr. Drew, on vous demande au téléphone.

Une fois rentré, il dit :

— Allô ? saisissant le téléphone à deux mains. Il tremblait :

— C'est moi...

— Bon. Qu'est-ce qu'il y a ? Qu'est ce qu'il y a *maintenant* ?

— Je ne peux pas venir

— Pourquoi ? Pourquoi ça ?

— C'est vendredi, dit-elle.

Il attendait qu'elle s'expliquât, mais elle s'arrêta net comme si c'était là toute l'explication nécessaire. Il respira profondément :

— Je le sais bien que c'est vendredi. J'ai de bonnes raisons pour le savoir ; j'ai passé mon temps à compter les jours. Qu'est-ce que vendredi a à voir dans l'affaire ? — sauf, naturellement, qu'on avait convenu de se voir ce jour-là.

— Vendredi, c'était votre idée... Je pensais que cette fois je pourrais peut-être, mais je ne peux pas. Je ne vais jamais *nulle part* le vendredi. J'avais un ami qui s'est tué dans un accident d'auto un vendredi.

— Vraiment ? dit-il froidement, en regardant dans son téléphone comme s'il pensait l'apercevoir dans le récepteur en bakélite. Moi, un de mes amis s'est tué en auto un jeudi, mais ça ne m'empêche pas de sortir. Il se tut, et un lourd bourdonnement arriva par le fil.

— Hé !

— Oui ?

— Je pensais que vous aviez raccroché.

— Non, je suis toujours là. Il y eut une autre pause. Cette fois, il crut entendre un ricanement. Est-ce que par hasard elle se moquerait de lui ? Est-ce qu'elle reprenait son petit jeu du chat et de la souris ? Elle dit :

— De toute façon...

— Oui ?

— De toute façon, je ne peux pas venir. Elle ne riait pas.

— Alors... et demain ?

— Demain ?

— Oui... à 10 heures ?

— *Du matin* ?

— Oui.

— Oh, ça me semble bien immoral, dit-elle. Un silence : Du reste, je dors toujours jusqu'à 10 heures.

— Très bien... alors 11 heures ?

— Heu...

— Oui ?

— Bon. En face de la banque.

— Promis ?

— Quoi promis ?

— Que vous viendrez.

— Je viendrai.

— Promis ?

— Je promets, dit-elle.

Voilà une affaire réglée, se dit-il ce soir-là en se déshabillant pour se mettre au lit. Si elle n'est pas là demain, je n'insisterai pas davantage.

Il ne parlait pas sérieusement et il savait très bien qu'il ne parlait pas sérieusement — il cherchait simplement à se redonner un peu de dignité. Mais il n'eut

200

pas l'occasion de mettre ses résolutions à l'épreuve, car, à sa très grande surprise, elle l'attendait dans le break devant la banque quand il sortit, le lendemain matin, à 11 heures. « C'est vous qui allez conduire », dit-elle. Elle se glissa de côté. Elle portait un autre de ses chandails en cachemire et une de ses jupes en tweed ; il s'assit près d'elle. La portière se ferma avec un gros « clac » somptueux très différent de celui de sa Ford. Le volant donnait au toucher la sensation de quelque chose de bien graissé et de pesant, comme la roue de la porte de la chambre forte, à la banque.

— Où allons-nous ? dit-elle ; elle le regarda, mais il était très occupé à se faufiler dans la circulation. La voiture prenait l'allure d'un bateau.

— Où *avez-vous* dit que vous alliez ? finit-il par lui dire. Ils étaient sur l'autoroute, maintenant, là où la campagne commençait, où les dernières tiges de coton de l'année se dressaient, nues, dans la bruine d'hiver. Toutes les cabanes étaient fermées et de chaque cheminée montait un panache de fumée.

— Faire des courses à Memphis.

— Bon, allons-y.

— Très bien. Elle se renversa et ferma les yeux. Allons où vous voudrez. Moi ça m'est égal. On ne m'attend pas à la maison avant demain.

Ils n'allèrent pas jusqu'à Memphis. Juste avant la frontière du Tennessee, Amy s'écria : « Regardez là-bas. » Elle montrait le motel du doigt et il vit une annonce lumineuse toute rose dans la brume. *Chambres.* Il passa devant, fit demi-tour et revint. *Repos réparateur. 2 dollars. Tout compris* était imprimé en bas en lettres plus petites.

À l'intérieur, la chambre avait cette odeur humide et pénétrante, presque comme du froid liquide, qu'on sent généralement l'hiver dans les maisons inhabitées. Ils suivirent le gardien et leur haleine semblait de la

buée. Il tourna le commutateur, et une ampoule au-
dessus d'eux, vissée, sans abat-jour, au centre du
plafond, s'alluma brusquement en projetant un reflet
jaune qui le fit cligner des yeux et se les protéger.
Bientôt quand leurs pupilles ne furent plus que des
pointes d'épingle, ils virent que la chambre contenait
une commode en bouleau verni, une chaise pliante et
un lit déjà fait avec des draps humides, gris, à peine
secs, deux couvertures de coton et un édredon orné de
houppes de cette couleur qu'on appelle « rose nègre ».
Le gardien s'agenouilla et alluma un réchaud au
butane ; il en sortit une note unique qui, au bout d'un
certain temps, semblait devenir un cri perçant — et on
se trouvait obligé d'attendre qu'il cessât pour oser
respirer. Ils n'avaient pour tout bagage que le sac de
nuit d'Amy. Bien que le gardien ne parût rien trouver
d'extraordinaire à tout cela, il s'arrêta près de la porte :
« On paie d'avance », dit-il tristement. Il avait les
cheveux gris et portait des lunettes à monture d'acier.
Drew lui donna les deux dollars et l'homme les laissa
seuls dans la chambre. Ce n'était pas du tout ce que
Drew avait imaginé si souvent cette semaine-là.

Pour cacher son inquiétude, il se mit à faire les cent
pas dans la pièce, il alla d'abord à la commode puis au
lit ; il tâta le matelas — la pancarte n'avait pas menti ;
le matelas était un de ces modèles à ressorts intérieurs
que les Noirs appellent : "Un établi qui ne chaume
pas" — et finalement à la porte de la salle de bains, un
petit réduit niché dans un coin. « Vous voulez y
entrer ? » dit-il. C'étaient les premiers mots qu'il
prononçait depuis qu'ils étaient seuls. Amy regarda à
l'intérieur : le siège de toilette était fendu et la baignoire en forme de cercueil était en métal galvanisé. La
pomme de la douche gouttait sans arrêt comme le
tic-tac d'une énorme horloge.

— Grand Dieu, non, dit-elle violemment, avec une

espèce de révulsion bien déterminée. Elle était debout dans l'autre coin de la pièce et elle observait Drew. Cela le rendait nerveux. Il avait maintenant ce qu'il désirait : à lui de se débrouiller. Et pourtant, il se sentait tout embarrassé. Rien n'allait comme il l'aurait voulu. On eût dit la gaucherie de deux adolescents en escapade pour une lune de miel.

— Moi si, dit-il, allez, couchez-vous. Je reviens tout de suite. C'était dit assez bravement, mais comme il entrait, il buta sur le seuil surélevé, plus conscient que jamais d'être ridicule, et il ferma la porte derrière lui. Il se déshabilla dans l'obscurité, en laissant tout son temps à Amy — trop en fait. « Alors ! » cria-t-elle. Il ouvrit la porte, pieds nus, en caleçon bleu pâle, gilet de corps sans manches, les doigts de pieds tout recroquevillés au contact du linoléum glacé. La lumière était encore allumée et il lui fallait de nouveau attendre que ses pupilles se contractent. Tout d'abord, il crut que le lit était vide. Puis, il vit qu'Amy s'était ratatinée en boule, les genoux sous le menton. Seul le haut de sa tête sortait des couvertures. Ses vêtements qu'elle avait jetés sur la commode étaient pour la plupart tombés sur le plancher. « Dépêche-toi », cria-t-elle en claquant des dents, la voix étouffée sous les deux couvertures et l'édredon. « Dépêche-toi, viens vite. Mais viens donc. Je gèle ! »

Ils retournèrent à Bristol le lendemain après-midi et Amy le déposa devant la banque. Son auto était garée derrière. Il la regarda s'éloigner, puis il rentra chez lui par les rues paisibles du dimanche. Ainsi, après une longue semaine de comédie des erreurs, ses prières en définitive avaient toutes été exaucées. Il craignait que ce ne fût une fin autant qu'un commencement car, au moment où il la regardait partir, elle ne s'était pas retournée et ils n'avaient pris aucun engagement pour une autre rencontre. Il craignait d'avoir peut-être échoué à l'examen car, maintes fois, tandis que, roulant des yeux, elle gémissait : « Pas encore, pas encore » se tordant, haletante comme un nageur par gros temps — il avait été incapable de se retenir. Habitué à la docilité des filles d'hôtel, qui étaient aussi mesurées dans leurs plaisirs que dans leurs déplaisirs — le client avait toujours raison — il avait été contaminé par la frénésie d'Amy : avec cette différence que, dans le cas d'Amy, cela avait signifié une volonté de prolongation et que dans le sien, cela avait précipité les choses. Le poêle à butane avait fait monter la température de la chambre à un degré avoisinant celle du corps : Drew grondait comme un lutteur, couvert de sueur, étalé sur le matelas, bras et jambes écartés ; chaque fois qu'il s'était redressé, il s'était redressé pour être terrassé. Son travail avait été tout au plus digne d'un collégien et il craignait de n'avoir été admis que pour une seule séance d'intimité ; car, après tout, Amy avait voyagé dans le monde entier ; elle avait habité dans l'Est, elle était même allée en Europe où il avait entendu dire que les hommes travaillaient comme des brutes pour acquérir toute la technique qui lui faisait défaut. Comme les jours passaient et qu'elle ne lui donnait pas signe de vie, Drew devint de plus en plus convaincu qu'il avait échoué, qu'on ne l'admettrait plus jamais, qu'il avait raté sa chance.

Cependant, il aurait pu s'épargner ses craintes. Le quatrième jour, un jeudi, elle était de nouveau au téléphone : « Tu fais quelque chose, ce soir ? » Il poussa un soupir de soulagement. Ils passèrent la nuit ensemble et tout alla bien, ou presque. Il s'était remis de sa première excitation ou plus exactement, il savait maintenant comment la contrôler, du moins jusqu'à un certain point. Et, au cours des mois qui suivirent, comme l'hiver se muait en printemps vert et feuillu, lavé d'averses, avec quelques rares journées froides par-ci par-là pour se moquer de leur plaisir, puis, comme le printemps cédait la place à un été poussiéreux, et toujours plus torride jusqu'à ce que finalement, au début du mois d'août, les nuits fussent aussi chaudes que les jours — ils se réunissaient souvent ; il n'y avait guère de motels à cent kilomètres à la ronde qui ne pouvaient les compter parmi leur clientèle. Ils avaient fait trois voyages à Memphis et deux à La Nouvelle-Orléans. Drew cochait les jours sur un calendrier, un trait pour chaque rencontre, et il avait atteint le total d'un peu plus d'une rencontre par semaine, depuis la toute première, en février près de la frontière de l'État.

Entre-temps, sa position avait commencé à la froisser dans son orgueil, car c'était toujours Amy qui appelait pour organiser les rencontres. C'était elle qui savait quelles nuits ils avaient passées ensemble et quelles nuits il avait été seul dans son lit de célibataire : « Je te téléphonerai », lui disait-elle, chaque fois qu'il mentionnait la possibilité d'une nouvelle rencontre. Elle l'appelait même par son nom de famille, tel un domestique. C'était comme si cette première annonce qu'il avait imaginée dans le journal sous la rubrique petite correspondance : *Monsieur libre pour invitation à dîner*, etc., s'était simplifiée et raccourcie à l'extrême, en gros caractères : AU HARAS : H. DREW.

Telle était la situation, le point où il en était quand Florence Barcroft mourut à la fin de septembre, et c'est ce qu'il avait à l'esprit quand, quatre jours plus tard, au début d'octobre, il trouva la lettre d'Amanda sur son bureau. Il attendit d'être revenu de déjeuner pour l'ouvrir car, bien qu'il sût déjà ce que la lettre raconterait, il savait aussi qu'il avait le cœur si tendre que les mots de cet appel lui feraient perdre l'appétit.

Non qu'il eût des décisions à prendre : il l'avait fait depuis longtemps, tout au début, quand il s'était dit qu'il sauterait dans le premier train si Florence mourait avant le major, ce qui lui éviterait une douloureuse explication et des adieux. A dire vrai — comme chez beaucoup d'hommes qui ont des raisons de soupçonner (sans le croire) qu'ils sont des coquins — sa nature était essentiellement si bonne et si respectueuse qu'il n'aurait jamais supporté de heurter quelqu'un les yeux dans les yeux, même s'il avait pu en profiter. A distance, il pouvait être sans pitié, soit dans l'espace, soit dans le temps ; car sans l'avoir vue, il pouvait s'arranger d'une façon ou d'une autre pour ne pas croire à la souffrance qui aurait pu en résulter. Aussi était-il capable de concevoir toutes sortes de plans et même de les exécuter jusqu'à un certain point — il était allé très loin. Mais alors, en face de sa victime, au moment de l'action finale, il fermait les yeux ou détournait la tête, ou, telle une femme, il s'enfuyait tout simplement. Il est peu probable qu'un homme puisse jamais être un fieffé coquin, malgré les preuves qu'en donnent l'histoire ou la fiction.

Il rentra tôt après déjeuner ; la banque était tranquille pendant l'accalmie qui précède toujours la bousculade suivant l'arrêt de midi ; il prit l'enveloppe. N'eût été l'adresse sous son nom, ç'aurait pu être un fac-similé de celle d'il y avait neuf ans. Pendant un moment, il sentit le poids de toutes ces années empilées sur son dos, tel un millionnaire ruiné qui regarderait de vieilles actions et obligations émises par des sociétés mortes depuis longtemps ; ceci également avait été un placement qui n'avait rien rapporté. La mort de Florence n'avait en fait rien changé ; elle l'avait simplement obligé à abattre son jeu. Son intention originelle de rompre les fiançailles si cela se produisait, avait été confirmée, renforcée mais modifiée. Maintenant, pas question de partir : il ne le pouvait pas. Cette fois, il lui fallait rester et voir venir. En tant que conseiller financier ces Carruthers, il connaissait leur fortune à un sous près. C'était pour le moins, deux fois la somme des avoirs du major Barcroft dont le montant, du reste, était plutôt imprécis, surtout depuis que le major avait cessé de s'adresser à la banque ; et il y avait pis : on parlait de revers sur le marché du coton et d'une vieille histoire (entendue par hasard) concernant l'achat de reichsmarks allemands après la guerre ; et ce n'était que l'aspect financier de l'affaire. Il y avait aussi la comparaison, le choix entre Amy et Amanda qui demandait aussi peu de commentaires que Drew avait mis de temps pour se décider. Ainsi la nécessité d'une décision ne résidait-elle pas dans ce domaine-là : il l'avait déjà prise même avant que la mort de Florence ne supprimât la possibilité de choisir. Ce qu'il devait décider, c'était s'il devait revoir Amanda ou arranger une scène finale et lui donner une sorte d'explication.

Comme il l'avait prévu, le rabat de l'enveloppe se souleva rien qu'au toucher. Il lut la lettre rapidement : *Je n'ai pas besoin d'une période de deuil. Venez maintenant.* Puis il remit la lettre dans l'enveloppe. C'était exactement ce à quoi il s'était attendu et son visage ne changea nullement d'expression. Assis dans la pénombre caverneuse de la salle voûtée, il regardait le rectangle de la lettre que le temps avait un peu jauni, pâle sur le fond vert sombre du buvard : « Un rendez-vous », dit-il caressant le dessous de sa moustache et les coins de sa bouche, d'abord à gauche, puis à droite, avec la jointure d'un index. Depuis quelque temps, c'était un de ses gestes familiers, presque un tic, bien qu'il eût été difficile de l'identifier, d'y voir un geste de trouble ou d'exaltation, de décision ou d'indécision.

Laocoön sans les serpents, disait Browning, pourrait avoir l'air de bâiller.

Puis, la bousculade de début d'après-midi commença. Drew se plongea dans son travail. Il mit la lettre de côté, tout comme s'il l'avait oubliée, ce qui du reste était dans une certaine mesure le cas. Car sa résolution était prise ; il savait ce qu'il allait faire, il pouvait donc n'y plus penser pendant quelque temps. Il retrouverait Amanda à 7 heures, comme elle le lui avait demandé. Cela lui parut être la moindre des deux cruautés et il se sentait fier d'avoir opté pour ce choix. Il se dit qu'il en avait toujours été ainsi : les sentiments qu'elle éprouvait, ses réactions probables, avaient toujours fait l'objet de sa considération dès le début, et ce qui les concernait tous les deux (cela excluait ce qui le concernait lui et les autres — Amy par exemple) avait été conçu pour le plus grand intérêt d'Amanda. Le fait que le plus grand intérêt d'Amanda et le sien fussent identiques n'était qu'un simple détail qui ne remettait rien en cause. Il se dit cela et, dans un sens, c'était vrai. Il se dit aussi autre chose : "Si je n'étais pas venu, personne sans doute ne serait venu." Et cela aussi était vrai, ou probablement vrai. En tout cas, il en tirait un grand réconfort.

Environ à 4 heures, se rappelant qu'il avait un rendez-vous au golf, il téléphona pour s'excuser : « Je regrette, George, mais j'ai beaucoup à faire. Ça irait demain ? Très bien. Parfait. Dites à Peet et à Smoky que je regrette, voulez-vous ? Parfait. » Il resta à la banque jusqu'après l'heure de fermeture, expédiant quelques affaires en retard. Il gardait toujours sous la main un peu de travail de ce genre pour les jours de tension ou d'excès d'énergie. Il était plus de 5 heures quand il partit et le soleil baissait derrière la digue. Il gara sa voiture et s'arrêta pour regarder la flamme rose et pourpre, comme du sang sur de l'eau avec, derrière, l'Arkansas, tout noir comme une forêt brûlée. Il avait encore le temps de prendre un bain ; ce qu'il fit. En s'habillant, il éprouva une joie étrange — due sans doute à une sensation de propreté, de bien-être et d'appétit. C'était l'heure du jour qu'il préférait et, tout en nouant sa cravate devant le miroir, il sifflait, faux, la version de *M'Appari*, de Larry Clinton. Puis, se faisant à lui-même des grimaces de grand Opéra, il improvisa des paroles d'après quelques bribes qu'il se rappelait :

> *Martha, Martha, je vous adore*
> *Et vous implore d'être à moi*
> *Je vous adore et vous implore*
> *Martha, Martha, soyez à moi.*

Il se pencha davantage, fit une grimace à son reflet, tout en donnant la touche finale à son nœud de cravate. « Houh, beau petit diable », dit-il, regardant ensuite instinctivement derrière son épaule de peur d'avoir été entendu. Il s'exerçait aux swings de golf avec les pincettes du foyer quand la cuisinière vint frapper à la porte pour lui annoncer le dîner.

Mrs. Pentecost ne l'avait jamais vu plus cordial ni plus charmant. Pendant tout le repas, il entretint un feu nourri d'anecdotes et de commentaires, s'y attardant quand il en avait fini, et elle souriait, clignait des yeux, branlait la tête, riant derrière sa serviette. Enfin, cependant, la vieille horloge du salon fit un bruit comme si elle se raclait la gorge et elle se mit à sonner. Drew s'interrompit au beau milieu d'une histoire et écouta, la tête penchée, pendant que l'horloge sonnait 6 h 45. Alors, il plia sa serviette en hâte et la posa près de son assiette. Il se leva sans sourire et fit brusquement un petit salut :

— Excusez-moi, dit-il, et il disparut.

— Je crains fort que Mr. Drew ne devienne un peu lunatique, dit Mrs. Pentecost quand la cuisinière vint desservir.

— Oui dame, c'est bien vrai, dit la cuisinière. Elle enleva les assiettes. Mais ça n'a pas l'air de lui couper l'appétit en tout cas. Sûr qu'il peut manger c't'homme-là ! Et sûr qu'il va poser un problème un de ces jours à cette gentille demoiselle blanche.

Cependant Drew, dont l'entrain était si subitement tombé quand la pendule avait sonné le troisième quart de cette dernière heure, roulait déjà dans les rues de la ville. Il n'avait jamais voulu cela. Même maintenant, sur le point d'arriver, son expression devenait de plus en plus morose à mesure qu'il approchait de Lamar Street, et il était tenté de faire demi-tour. Il lui semblait qu'aujourd'hui, plus que les autres soirs, il serait tout particulièrement allé jouer aux vingt et un aux Elks. Sa bonne humeur de l'après-midi et jusqu'à cinq minutes plus tôt, était censée lui occuper l'esprit et l'empêcher de réfléchir à l'entrevue qui l'attendait. Néanmoins, il poursuivait sa route, maudissant la vulnérabilité, le manque de courage moral qui ne voulaient pas lui permettre de laisser attendre Amanda. Il avait à peine commencé à se convaincre que les choses au fond seraient peut-être mieux ainsi pour l'avenir, qu'il arriva. C'était trop tard ; il lui fallait faire face à sa propre cruauté, parler franchement.

Il gara sa voiture au coin de la rue, et il se mit à marcher comme si c'était un de ces jeudis habituels, ce qui eût été le cas en fait si elle avait attendu deux jours de plus. L'été était fini. Il y avait un souffle frais dans l'air. Au bout de l'avenue, quelque part derrière le *Country Club*, la grosse boule rose doré de la lune se levait sans s'être encore entièrement dégagée de la rampe du chemin de fer C & B. Un tout petit peu plus et elle aurait eu l'air de rouler sur les rails. Il dépassa un groupe d'enfants, dehors, après la nuit tombée, des petites filles pour la plupart, qui tiraient sur des ficelles attachées à des boîtes à souliers percées de fenêtres sur les côtés. Du papier de soie bleu, orange et rose était collé sur ces fenêtres et des bougies brûlaient à l'intérieur : ils appelaient ça des *bateaux-théâtres* et leurs voix aiguës perçaient les ténèbres. Puis il arriva près d'un des chênes devant la maison Barcroft — le seul qui n'était pas endommagé maintenant, car l'autre avait été frappé par la foudre, tout au début du printemps. Le sommet était mort et la maladie descendait peu à peu ; les feuilles se recroquevillaient comme de pâles petits poings momifiés, bruns, fragiles comme de la cendre de papier brûlé.

Amanda sortit exactement à 7 heures et Drew pensa qu'elle avait dû avoir la main sur la poignée de la porte, attendant que l'horloge sonnât. La porte s'ouvrit plus largement que d'habitude — pendant un moment, il vit sa silhouette se détacher sur la lumière du vestibule. Elle luttait contre quelque chose de grand et de carré, en apparence assez lourd. Il se rendit compte avec angoisse que c'était une valise. La porte se referma ; la véranda était sombre. Amanda était déjà arrivée jusqu'aux marches avec son fardeau au moment où il commençait à se remettre du choc (auquel après tout, il aurait dû s'attendre) et il s'approcha d'elle pour l'aider. Leurs mains se touchèrent, mais elle ne retira pas la sienne comme elle l'avait fait la première fois avec le panier de marché. « Oh, Harley ! » dit-elle ainsi qu'elle l'avait dit tant de fois, mais cette fois-ci elle haletait de fatigue.

— Venez, lui dit-il, plus rudement qu'il n'aurait voulu. Il tenait déjà la valise et elle était plus lourde qu'il ne l'avait imaginé. Ce poids inattendu le fit grogner. Il n'aurait jamais cru qu'elle possédait tant de choses. Trébuchant un peu en descendant les marches, il se dit en lui-même que la valise devait contenir tout ce qu'elle avait porté depuis le jour de sa naissance : ou encore, pensa-t-il, un monceau de ces robes grises, toutes identiques avec des boutons à pression pour agrafer le col et les manchettes, plus une douzaine de robes du dimanche afin de faire bonne mesure. Puis ils sortirent de l'ombre. La lune était juste au-dessus de l'horizon, ronde et pleine maintenant, comme un disque d'or battu et Drew vit que ce qu'il avait pris pour une valise était en fait une des ces petites malles qu'on appelle des *portemanteaux* presque entièrement en bois avec des coins en métal et des courroies. Amanda avait dû aller la chercher au grenier. Il la posa par terre près du chêne mourant. « Venez », dit-il, plus aimable qu'auparavant.

Ils firent quelques pas et il se demanda si elle avait des soupçons. Mais non ; elle pensait probablement qu'ils iraient chercher l'auto tout à l'heure et qu'ils reviendraient prendre la malle devant la maison :

— Amanda...

— Oui, Harley ?

Il la regarda éclairée par la lune. Elle avait les sourcils très droits et assez fournis à une époque où la plupart des femmes se les faisaient épiler et arquer comme des segments qu'on aurait légèrement modifiés par une torsion de compas. Ses yeux, dont il avait oublié la couleur, au moment critique, paraissaient noirs à l'ombre du chapeau. Sa bouche était pâle, à peine dessinée dans cette brillante lumière, mais prête à s'adonner à toutes les voluptés qu'un bâton de rouge à lèvres peut offrir. Une vierge : Il n'avait jamais eu de vierge, et si, parfois, il en tirait quelque orgueil, il y avait aussi des moments où il le regrettait, surtout maintenant où il semblait probable qu'il n'en aurait jamais. Il pensa à Amy, puis chassa cette idée et revint à son affaire.

212

— Amanda, savez-vous combien je gagne à la banque ? Il attendit, mais elle ne répondait pas. Cent soixante-dix dollars par mois. Il attendit sa réaction mais quand elle réagit — si l'on peut dire qu'elle réagit — ce ne fut ni ce qu'il attendait ni ce qu'il désirait. Il n'y avait pas de doute qu'elle avait réfléchi longuement. Il continua :

— Toute ma vie, je me suis dit que ma femme serait exempte de tout souci. Elle aurait de l'argenterie, des domestiques, une belle et grande maison, toutes ces choses que les femmes convoitent tellement...

Ils passaient à l'endroit où les enfants avaient joué, mais les petites filles étaient parties prendre leur bain avant de se coucher. Il ne restait plus que les débris d'un des *bateaux-théâtres* qui avait brûlé.

— Cent soixante-dix dollars doivent vous paraître beaucoup, Amanda, mais ce n'est pas exact. C'est très peu. Ils étaient arrivés à l'endroit où ils faisaient toujours demi-tour, le jeudi soir et il s'arrêta comme par habitude. Elle s'arrêta aussi, un peu plus loin, puis elle se retourna et le regarda, en observant le tremblement de ses lèvres quand il parla :

— Je ne pourrais pas vous demander de vivre avec ça, Amanda.

Maintenant qu'il l'avait dit, il se sentait soulagé — cette sorte de soulagement que peut ressentir un homme qui, ayant décidé de se suicider, se passe finalement un rasoir sous la gorge et s'aperçoit à sa grande surprise qu'il ne ressent aucune douleur, mais plutôt une brusque détente. Il avait détourné les yeux au milieu de sa phrase, évitant son regard, mais, quand il la regarda de nouveau, il vit avec horreur qu'elle n'avait pas compris. Elle pensait que c'était simplement un de ces "conseils-pour-le-budget domestique" qu'elle avait lus dans la petite correspondance. Elle sourit.

— Je suis en réalité une très bonne ménagère, Harley, dit-elle. J'ai tenu la maison de papa avec bien moins que ça, y compris les six dollars par semaine pour la cuisinière. Ça ferait déjà vingt-quatre dollars que nous économiserions, rien que sur ça. Attendez un peu, vous verrez.

Ainsi, ces tout derniers mots revinrent-ils le persécuter. Il les avait dits lui-même si souvent pour la rassurer. Tout allait mal. Drew la regarda et secoua la tête. Elle s'était fiée à lui si complètement et pendant tant d'années que sa confiance semblait emportée par une sorte d'inertie, irrésistible et aveugle. Rien de ce qu'il avait dit ne pouvait ébranler la confiance qu'elle avait en lui. Elle ne s'étonna même pas, encore moins lui posa-t-elle des questions quand il lui prit le bras et la ramena par le même chemin qu'ils avaient suivi, ainsi qu'ils en avaient pris l'habitude tous les premiers jeudis de chaque mois — il y en avait plus de deux cents — à cette différence que, ce soir-là, il ne s'arrêta pas pour l'embrasser. Au retour, ils marchèrent plus vite. Il parla de taxes, de vêtements, d'essence, de la hausse des prix, de tout ce qui n'était pas inclus dans ses présentes dépenses d'entretien de maison, mais rien de tout cela ne fit la moindre impression :

— Je suis une très bonne femme d'intérieur, Harley, répétait-elle sans cesse, vous verrez. D'autres semblent s'en tirer — des jeunes couples. Je suppose que pour nous ce serait pareil. J'ai même pris des leçons de cuisine avec Nora. Elle dit que je fais tout le temps des progrès.

Il n'aboutissait à rien, et il le savait. Face à la nécessité d'une cruauté supérieure à tout ce qu'il avait imaginé, il fut pris de panique et il envoya promener toute prudence et même toute considération. Ils étaient presque de retour maintenant. Drew se précipita, s'accroupit près du chêne, et se levant avec la petite malle dans les bras, il franchit le trottoir en titubant, monta les marches et la déposa près de la porte sans se préoccuper du bruit qui aurait pu déranger le major.

— Qu'est-ce qu'il y a, Harley ? Que se passe-t-il ? Amanda montait les marches. La lune était plus haute, argentée maintenant à travers les branches mortes du chêne. Il passa devant elle, et, arrivé à mi-hauteur des marches, il se retourna. Elle se tenait debout derrière lui, et il lui lança ces derniers mots juste avant de faire demi-tour et de se sauver en courant.

— Je ne vous épouserai pas, cria-t-il.

3

7.

MORT D'UN SOLDAT

Elle se débrouilla pour rentrer la malle, tout au moins jusqu'au bas des marches bien que, maintenant, elle lui parût deux fois plus lourde — comme si son poids s'était accru de toute la douleur qui naissait de ces cinq mots : « Je ne vous épouserai pas » qu'il lui avait lancés à un mètre à peine de distance, mais d'une voix faible, lointaine, comme s'il était déjà dans le bas de la rue, ce qui ne tarda guère du reste, car il marchait vite, en claquant des talons ; puis il disparut, peut-être pour toujours ; et elle se retrouva seule sur la véranda. Le trottoir était pâle, désert dans le clair de lune, et droit comme une flèche : *Il est parti par là*. Mais elle n'alla pas plus loin que le bas des marches. Elle s'assit sur la première et regarda la malle comme Sisyphe et son rocher. Jusqu'alors ses yeux avaient été secs, ses mouvements curieusement léthargiques, comme un boxeur mis knock-out ou un soldat touché d'une balle en plein cœur qui trébuche avant de s'être rendu compte du mal. « Je ne vous épouserai pas », dit-elle assise sur la première marche, les yeux fixés sur la malle. Les mots semblaient aussi faibles et lointains que lorsque Drew les avait prononcés. Alors, pour la première fois, elle se mit à pleurer, le front penché sur ses genoux.

— Amanda...

Elle n'entendit pas. Elle tenait son visage dans ses mains, et ses sanglots, quoique silencieux, lui déchiraient la gorge. Puis on répéta plus fort :

— Amanda !...

Cette fois, elle entendit. Pendant un instant, elle resta pétrifiée. Peut-être était-ce Drew qui revenait pour s'excuser. Mais, quand elle leva les yeux, elle vit son père, debout à la porte du couloir qui menait à son bureau, et elle se rendit compte qu'il devait avoir entendu le bruit de la malle quand Drew l'avait abandonnée devant la porte. Il était sorti pour voir ce qui se passait et il était resté tout ce temps-là debout, à l'observer, il l'avait même entendue répéter les mots de Drew : « Je ne vous épouserai pas », ce qui expliquait sa malle qui était faite et ses larmes.

Son visage semblait plus compatissant, plus doux. Elle se sentit poussée vers lui, avec l'envie de se jeter dans ses bras pour se consoler. Mais il se remit à parler et elle vit que ce qu'elle avait pris pour de la bonté dans son expression était dû au fait qu'elle l'avait vu à travers un voile de larmes. Elle cligna des yeux et le visage du major apparut aussi sévère que d'habitude, sinon plus : "Je t'avais bien prévenue", semblait-il dire, alors qu'il avait dit en fait : « Ne t'inquiète pas de ça » sans prendre la peine de lui indiquer la malle : « Nora s'en occupera demain matin. Va dans ta chambre. Ne reste pas là à pleurer ainsi. »

Elle s'éloigna sans se retourner. L'escalier lui semblait aussi raide qu'une échelle et chaque marche lui coûtait un effort sans commune mesure avec le résultat obtenu. Car, bien qu'elle eût laissé sa malle comme le lui avait dit son père, elle n'avait pas laissé le fardeau plus lourd de ces cinq mots : « Je ne vous épouserai pas » qui contenaient tout son chagrin comme le bouton d'une fleur enserre les pétales. Drew était le seul qui pût la soulager et il était parti. Elle se trouvait alors tout en haut de l'escalier. Elle abaissa les yeux et vit que le major était rentré dans le vestibule. Il était là, debout, en raccourci, et l'observait, furieux parce qu'un Barcroft avait été humilié. Elle courut à sa chambre et ferma la porte à clé.

Le désespoir fut immédiat, sans remède. Son esprit recevant le message : "Je ne peux supporter cela" se mit à inventer des raisons ; des circonstances atténuantes. Elle se dit que ce n'était qu'une querelle, provoquée par une phrase qu'elle avait prononcée : peut-être n'avait-il pas pu supporter l'idée de manger sa cuisine (elle était coupable ; elle lui avait dit en effet que Nora l'avait complimentée sur ses progrès et, bien que ce fût vrai, ce ne l'était que partiellement, car elle était fort mauvaise cuisinière, et elle le serait toujours). Alors, elle pensa écrire une autre lettre : *C'est vrai Harley, je ne sais pas faire la cuisine. Revenez. J'engagerai une cuisinière. Nous ferons des économies d'une autre façon. Revenez.*

Elle ne l'écrivit pas cependant. Le lendemain matin, sortie d'un assoupissement qui n'avait que l'apparence d'un sommeil troublé, elle se rappela que le jour suivant était un jeudi, le 1er octobre, et elle se cramponna à cette idée. La présente difficulté n'était qu'une querelle, une querelle d'amoureux. Il viendrait l'attendre à 7 heures, comme il l'avait fait tant de fois, les premiers jeudis de chaque mois. Non qu'elle en fût vraiment persuadée. Elle savait fort bien que Drew était parti pour de bon. C'était son esprit qui travaillait. Ayant reçu le message : "Je ne peux supporter cela ", il s'efforçait d'atténuer la cruelle proximité du désespoir.

Ce jour passa, puis le suivant ; c'était un jeudi. 7 heures. Mais elle n'attendait pas devant la maison, elle resta debout à la fenêtre de sa chambre, écartant le rideau, elle guetta, attendit. La lune à travers les chênes, plus brillante derrière celui qui était en train de mourir, décroissait à peine, noyant la pelouse et les trottoirs dans une lumière presque aussi chaude, aussi vive que deux nuits auparavant. Elle n'essaya pas de chasser les doutes de son esprit. Elle les entretint plutôt : « Il ne viendra pas » disait-elle tout haut, de temps en temps — si bien qu'à 8 heures quand elle laissa le rideau retomber sur la vitre, sa déception fut mitigée par le fait qu'elle l'avait prévue. C'est aussi la raison pour laquelle elle avait attendu ici plutôt que là-bas. Ici la déception était moins pénible. Amanda s'habituait peu à peu à vivre dans le désespoir.

Puis, le premier jeudi de novembre arriva, rapprochant ainsi l'anniversaire de leur rencontre. Elle ne passa pas toute l'heure à la fenêtre : elle se levait de temps à autre, soulevait le rideau, et regardait dans les ténèbres comme dans un puits, ne se permettant pas de croire un seul instant qu'elle le verrait. L'automne devint l'hiver, Noël passa, puis le Nouvel An, la terre gela à pierre fendre. Amanda s'habituait peu à peu. Puis ce fut le printemps, et l'été aussitôt après ; l'année approchait de la canicule. Le coton commençait à laisser éclater ses boules ; les cueilleurs, tout dépenaillés, avançaient à travers champs, traînant des sacs de deux mètres de long, comme des drapeaux les jours sans vent, et les égreneuses se plaignaient du matin au soir. C'était septembre : la guerre sévissait en Europe. Les vendeurs de journaux criaient Hitler, criaient Pologne, et cela n'avait aucun sens pour Amanda, veuve avant d'avoir été même fiancée.

222

Au début de cette semaine-là, comme elle se rendait au marché, elle s'arrêta au bord du trottoir, attendant que le feu change. Juste à ce moment une longue auto s'approcha. Presque toute en bois verni, avec des garde-boue bleus beaucoup plus larges que hauts ; elle ralentit, ronronnante, et s'arrêta. Amanda vit que le chauffeur était Harley Drew. Il ne la vit pas. Il était occupé à causer avec une jeune femme aux lèvres de corail et aux cheveux châtains très soyeux. « Ce que je n'aime pas, c'est attendre comme ça. Sacré nom, Amy. » La jeune femme feignit de ne pas entendre. Elle regardait droit devant elle ; puis elle se tourna sans que ses yeux se posent sur Amanda. « Sacré nom, Amy ! » Il avait un beau chapeau tout neuf, couleur perle. Le feu changea ; ils repartirent, le moteur ronflant comme une dynamo, et Amanda dut encore attendre le feu suivant. Mais quand il passa au vert, elle ne bougea pas. Elle resta là un moment, le visage vide de toute expression, même de désespoir. Puis, brusquement, elle se retourna et se hâta d'aller chez elle, tenant son panier vide à deux mains, et retenant ses larmes, jusqu'à ce qu'elle fût entrée dans sa chambre.

Mais ce n'était là qu'une rechute temporaire. Moins d'une heure plus tard, elle était redescendue et ressortait avec son panier de marché. Maintenant que le jeudi était un jour similaire à ceux de la première semaine du mois, sa vie était organisée plus que jamais en fonction de l'emploi du temps de son père, dont la journée commençait par le petit déjeuner à 8 heures ; après quoi il s'en allait jusqu'à midi et demi. Il revenait alors déjeuner et faire un somme avant de retourner à son bureau. Il ne variait jamais ses horaires. Les gens, sur sa route, pouvaient régler leurs montres en le voyant passer devant leur porte. A 5 heures, comme toujours, Amanda le retrouvait à Cotton Row et ren-

trait à la maison avec lui dans la pénombre de l'hiver
ou sous la terrible lumière du soleil, à la fin du
printemps et en été. La grande maison grise, dont les
coupoles se dressaient, sévères et archaïques, parmi les
postes d'essence et les épiceries du quartier, plus
lointaine que jamais, était, comme le major lui-même,
un vestige d'une ère disparue. Il y avait tout à côté des
maisons d'ouvriers, et une nouvelle raffinerie d'huile
de graine de coton occupait presque toute la moitié du
bloc suivant ; il en sortait un bruit constant de choses
qu'on écrase, pendant les longues nuits d'automne,
comme une bête qui grincerait des dents de douleur.
Une odeur de jambon frit régnait dans l'air. Des radios
et des phonographes appartenant aux femmes des
ouvriers troublaient le silence des autres saisons par de
la musique de danse, des blues, des pièces de théâtre
qui consistaient surtout en coups de fusils et en
hurlements. Il y avait aussi les ternes voix publicitaires
des jeunes gens qui vendaient du savon ou de la
nourriture pour le petit déjeuner, et le rire aigu,
désespéré de comédiens engagés pour l'occasion. C'est
sur cette toile de fond qu'Amanda faisait sa tournée
journalière, menant une sorte de vie posthume dans un
monde réduit à une population de deux personnes.

On ne parlait plus guère d'elle, sauf en de rares
occasions quand les étrangers, en la voyant passer,
demandaient qui elle était : « Qui est-ce ? Qu'est-ce
qu'elle a ? », car son visage était non seulement sans
expression, mais il était ahuri, distrait, comme le
visage d'une personne à peine remise d'un coup inattendu. Les nouvelles versions étaient plus prosaïques
que les anciennes, sans les suppositions toutes prêtes
et les conjectures improbables. « Qui ? Ça ? C'est
Amanda Barcroft. Elle a été plaquée. Faites-moi
penser à vous parler d'elle, un de ces jours. » On aurait
dit qu'une ombre passait sur le portrait de famille

224

reflété dans l'œil énorme de Bristol. Une des figures avait déjà été voilée, et l'ombre continuait à se mouvoir, atteignant maintenant l'épaule de la figure centrale. Le cœur du major Barcroft qui avait murmuré pendant des années, après lui avoir refusé une dernière chance de gloire, l'avertissait maintenant qu'il était sur le point de réclamer son dû pour la dernière fois.

Vers la fin septembre — anniversaire de la mort de Florence (et, par suite, une semaine avant la dernière rencontre avec Drew) le père et la fille rentraient chez eux par une chaleur tardive. Le soleil dépassait à peine la digue, et la lune était déjà levée dans le ciel encore clair. Le major Barcroft marchait vite car il voulait être de retour dans son bureau où il conservait une grande carte de l'Europe occidentale sur le mur près de sa table. Il y marquait la position des armées avec des épingles. Varsovie avec sa multitude d'épingles à tête noire et rouge, était tombée cet après-midi-là, et il avait hâte de revenir opérer le changement.

A mi-chemin de leur domicile, Amanda fut surprise de le voir s'arrêter brusquement et s'appuyer à un arbre sur le bord de la chaussée. Il ridait le front, le visage tordu. C'était la première fois qu'elle le voyait ainsi. Elle se retourna la main tendue :

— Qu'est-ce qu'il y a papa ? mais, d'un geste irrité, le major lui fit signe de s'éloigner.

— Laisse-moi tranquille, dit-il, parlant à travers ses dents serrées et remuant à peine les lèvres. Il était là debout, pâle et à bout de souffle. Une indigestion, pensa Amanda. Ça en avait tout l'air, car il s'écarta bientôt de l'arbre et se remit à marcher, impatient d'arriver chez lui où il pourrait s'asseoir, regarder sa carte en paix et attendre que la douleur d'un instant ait disparu.

Il ne put pas atteindre la maison. A cinquante mètres environ du perron, il comprit qu'il ne pourrait pas y arriver, et il s'arrêta pour la deuxième fois, cherchant quelque chose où il pût s'appuyer, se cramponner. Il n'y avait pas d'arbre en vue ; la panique dans les yeux, il traversa en trébuchant la bordure d'herbes jusqu'au poteau téléphonique au bord du trottoir. Il était plus pâle maintenant, car la douleur était comme un cercle de fer qui lui enserrait la poitrine. Ses narines se dilataient par suite de l'effort qu'il faisait pour se tenir droit. Il s'agrippa aux anneaux de fer du poteau ; de grosses gouttes de sueurs perlaient sur son visage, sur son cou et sur le dos de ses mains, où les taches de bile ressortaient en noir sur la pâleur. Amanda s'approcha pour l'aider mais une pression inexorable lui encerclait les genoux. Il se laissa glisser le long du poteau, cassant son pince-nez et s'écorchant le visage aux entailles faites par les crampons des télégraphistes ; il resta étendu dans la poussière du caniveau, la respiration haletante et les yeux exorbités de terreur.

Amanda s'agenouilla sur le trottoir, penchée sur lui, criant : « Papa, papa, papa » indéfiniment jusqu'à ce qu'un marchand de fruits grec qui avait vu toute la scène, sans avoir l'air d'y croire, à la manière des gens sophistiqués au théâtre quand ils veulent montrer qu'ils désapprouvent la pièce ou la représentation, s'approchât en s'essuyant les mains à son tablier, prît le major dans ses bras et suivît Amanda jusqu'aux marches, puis, dans le vestibule, jusqu'au bureau où il l'étendit sur le divan en cuir de cheval. Le major n'avait pas perdu connaissance. Ses vêtements souillés par la terre du caniveau, il gisait là, cette terrible terreur dans les yeux, regardant sa fille ; et le grondement de sa respiration emplissait la chambre. Amanda ne pouvait pas quitter des yeux ce visage contracté dont la joue gauche et la tempe avaient été mises à nu par les entailles sur le poteau. Elle resta à genoux près du divan et elle lui tint la main, observant son visage, jusqu'à l'arrivée du docteur.

On pensait qu'il ne passerait pas la nuit et, apparemment, le major était de cet avis ; cela se voyait dans ses yeux. Mais, le lendemain matin, il vivait encore, étendu sur le divan capitonné et respirant avec les mêmes grondements stertoreux qui avaient duré toute la nuit. Amanda et le marchand de fruits lui avaient enlevé sa veste et sa cravate avant l'arrivée du Dr Clinton, mais il portait encore son pantalon sale et sa chemise, car le docteur n'avait pas voulu l'exposer à la grande fatigue qu'il aurait éprouvée si on les lui avait enlevés. Un ballon d'oxygène était près du lit. On aurait dit un projectile d'artillerie destiné à quelque guerre futuriste, ultra-mortelle : il émettait un sifflement doux et clair qui atteignait parfois un diapason inconcevable. Un petit tube rouge en sortait. Le bout était inséré dans une des narines du major. Un morceau de papier gommé le maintenait en place, en travers de la lèvre supérieure, comme une moustache de théâtre qu'on eût placée là en hâte et tout de travers. De temps en temps, il regardait sa fille, clignant des yeux et tordant un coin de la bouche. C'était une espèce de signal qui avait un sens qu'elle ne pouvait saisir. Du reste, elle ne le reconnaissait presque plus, couché ainsi dans ses vêtements poussiéreux et fripés. Sans son pince-nez, ses yeux semblaient perdus dans le vague, troubles et égarés — pas du tout comme ceux du major Barcroft, et les deux petites marques rouges laissées par les pinces, une de chaque côté du nez — commençaient à pâlir. Amanda était debout près du lit. Elle lui tenait la main et brusquement il se mit à parler. Sa voix était rauque, basse, mais étonnamment claire : « Penche-toi », lui dit-il.

Elle s'agenouilla, et son visage vu de près était encore plus méconnaissable. L'infirmière lui avait humecté les lèvres pour éviter que l'oxygène ne les gerce, et cela semblait en quelque sorte terriblement pathétique, cette pensée d'un mourant, d'un homme engagé dans un combat mortel avec un thrombus et qu'on protégeait de la légère incommodité et de la défiguration causées par les gerçures. « Papa ? » dit-elle. Leurs yeux n'étaient pas à plus de quarante centimètres de distance. Jamais elle n'avait été aussi près de lui depuis son enfance.

— Amanda, je voudrais te demander quelque chose. Je n'ai pas parlé de cette personne, de ce malheur. Je ne voudrais pas en parler maintenant, sinon pour... Il se tut, la regarda, les coins de la bouche tombants, et elle vit que cela lui causait une fatigue intense qui n'avait rien à voir avec sa condition physique.

— Je comprends, papa, dit-elle doucement.

— Je voudrais que tu me dises que... tu te rends compte... que tu te rends compte que j'avais raison. Est-ce exact, Amanda ? Tu t'en rends bien compte ?

Amanda restait la tête basse, sentant qu'il la regardait. Elle ne fit ni oui ni non de la tête ; elle était là à genoux, immobile. Le major Barcroft la fixa l'espace de trente secondes, comme s'il minutait son silence. Puis, quand il fut bien certain qu'elle ne lui répondrait pas, il détourna la tête. Elle resta un instant près du divan, lui tenant toujours la main. Et finalement, elle se leva et sortit dans le vestibule.

C'était la première fois qu'elle quittait la chambre depuis que, la veille, on y avait transporté son père. Elle revint bientôt et passa tout son temps près de lui. Elle serait bien restée penchée sur son lit, mais cela le mettait en colère de la voir toujours là. Aussi, la nuit suivante, dormit-elle dans l'ancien fauteuil de Florence qu'on avait toujours laissé dans le salon du rez-de-chaussée. Le troisième jour, le thrombus avait commencé à se résorber ; le major n'était plus en danger immédiat. « On ne sait jamais avec ces choses-là », dit le docteur. Il fronçait les sourcils comme font les médecins quand une évolution — bonne ou mauvaise — les surprend. « Parfois, il n'y a qu'un seul caillot. L'attaque améliore l'état du malade. Il pourrait très bien vivre centenaire. »

A la fin de la semaine suivante, le major Barcroft pouvait s'asseoir, lire les nouvelles de la guerre et montrer à Amanda où il convenait de placer les épingles sur la carte pendue au mur en face. Il était furieux quand elle ne pouvait pas trouver les hameaux de la frontière franco-belge dont il prononçait mal les noms. A la mi-octobre, trois mois après son attaque, il était de retour dans son bureau, et ils avaient repris leur emploi du temps ordinaire. En apparence, il se sentait aussi bien qu'avant, mais il y avait une sorte de lenteur consciente dans ses mouvements, comme chez un homme obligé de porter une bombe à retardement sans savoir à quelle heure elle est censée exploser.

Parfois Amanda le regardait, se rappelant l'expression de son visage quand il lui avait demandé de reconnaître qu'il ne s'était pas trompé au sujet de Harley Drew. Elle avait baissé la tête et avait refusé de répondre (ce qui, de ce fait, était une réponse), et maintenant ils étaient comme deux étrangers dans cette maison. Auparavant, il lui parlait, mais rarement ; à présent, il ne lui parlait plus du tout, il n'exprimait de temps à autre que certains désirs par des grognements et des gestes. Au lieu de lui dire : « Passe-moi le sucre » par exemple, il le montrait du doigt et grognait. Il restait de plus en plus enfermé dans son bureau, suivant dans le journal les nouvelles de la guerre et changeant ses épingles de place sur la carte. Quand ils revenaient à pied ensemble de Cotton

Row, ils ne communiquaient pas plus que les soldats les jours de revue.

Cela continua ainsi. Puis un matin, vers la fin de décembre, alors qu'ils prenaient leur petit déjeuner, le major plia, roula sa serviette et la glissa dans son anneau. Il se leva et se dirigea vers la porte, comme chaque jour. Mais là, il s'arrêta, debout, lui tournant le dos, et il fit un petit gloussement pour s'éclaircir la gorge : « Amanda », dit-il. Il se retourna sur le seuil et il la regarda après tous ces mois d'indifférence voulue. Elle eut le temps de se demander ce qui allait suivre : « Est-ce que Nora et toi avez fait des projets pour le repas de Noël ? » Il disait cela comme s'il récitait quelque chose d'appris, et elle savait qu'il avait dû préparer sa phrase pendant tout le petit déjeuner.

— Le repas ? Surprise, elle dit cela pour gagner du temps, mais il restait là sans la perdre des yeux. Pas encore, papa, mais ce sera comme d'habitude : une dinde farcie et... tout. Il fit le même petit bruit de gorge :

— Très bien. Mais, quand tu feras tes préparatifs, compte sur trois personnes. Nous aurons un invité.

Cette fois-ci, il partit. Elle l'entendit s'arrêter dans le vestibule pour y prendre son chapeau et sa canne. (Il se servait d'une canne maintenant, se souvenant de sa crise cardiaque, quand il s'était retrouvé chercher désespérément à gauche et à droite quelque chose pour s'agripper, se tenir debout, puis elle entendit la porte de la rue se fermer derrière lui.)

Henry Stubblefield était l'invité, et c'est ainsi qu'elle fit sa connaissance, ou plus exactement, c'est ainsi qu'elle apprit son nom, car elle l'avait vu tous les jours de la semaine, depuis deux mois. Quand elle se rendait au bureau de son père, à 5 heures, il était toujours là et, tout au début, il commença par lui faire un signe de tête en murmurant : « Comment allez... » et elle répondait aussi par un signe de tête et rien de plus. Il travaillait au bureau depuis octobre, s'initiant aux affaires de coton, et tous les gens du voisinage disaient que c'était le protégé du major Barcroft. Bref, le major et sa fille étaient assis dans le salon le matin de Noël : Amanda s'excusait de temps en temps pour aller surveiller la cuisson de la dinde : il était presque midi quand on frappa à la porte. Elle regarda son père, mais il resta assis, sans donner le moindre signe qu'il eût entendu. On frappa de nouveau. Alors elle se leva pour se rendre à la porte et c'était l'employé.

— Comment allez-vous ? dit-il.

Amanda s'effaça pour le laisser entrer, puis elle ferma la porte et se retourna. Il était là qui attendait. Il tenait son chapeau à deux mains, très légèrement, de crainte d'en rebrousser le poil. Elle passa devant lui et le conduisit au salon. Le major Barcroft était déjà debout pour les accueillir. Ils auraient pu aussi bien revenir de promenade ou même d'un voyage. C'était la première fois qu'elle pressentait vraiment ce qui allait arriver car il souriait. « Amanda, prends le chapeau de Mr. Stubblefield. Non, attends. » Il avança un bras ; sa main faisait un geste qui semblait vraiment donner une bénédiction, le pouce et les doigts joints : « Henry, c'est ma fille. C'est Amanda. Et toi, Amanda, je te présente Henry Stubblefield » ; il était très cavalier, très vieux sud — c'était la première fois qu'elle le voyait comme ça : *galant*. Le sourire semblait forcé néanmoins, comme c'est toujours le cas chez les personnes qui ne sourient que rarement. Elle se sentit embarrassée. C'était un peu comme lorsqu'on est forcé de s'asseoir pour entendre quelqu'un mentir en conservant une expression de crédulité et de connivence. Le jeune homme, également, semblait embarrassé.

— Comment allez-vous ? dit-il.

Elle prit son chapeau et le porta dans le vestibule avant même que le nom eût pour elle la moindre signification. Puis elle se rappela : Henry Stubblefield : il avait perdu sa femme dix ans auparavant, dans un étrange accident d'automobile, un de ces événements qu'on est tenté de qualifier de révoltant dans les romans et de marquant, dans la vie réelle. Un de ces rares événements locaux auxquels Florence par exemple avait pris quelque intérêt. Il avait alors vingt-cinq ans et avait été marié six mois ; un beau jour, au début du printemps, il avait placé la tondeuse mécanique sur le siège arrière de sa voiture, une Chevrolet convertible dont la capote était baissée. Or, juste au moment où il s'apprêtait à partir, sa femme était sortie de la maison en courant, vêtue d'une robe légère en toile imprimée : « Ohé ! Ohé ! cria-t-elle, attends-moi. Je vais avec toi. » Elle contourna l'auto et monta. De l'avis unanime, c'était une gentille petite personne qui venait juste d'avoir dix-neuf ans. Ils étaient partis, et c'est alors que le drame avait eu lieu. Elle saluait de la main quelqu'un qui se trouvait de l'autre côté de la rue et ils approchaient d'un croisement quand une auto fonça sur eux, sortant d'une rue latérale ; il dut freiner à fond et c'est alors que ça arriva. Le manche de la tondeuse fut projeté en avant, puis retomba crac ! et lui fendit le crâne : elle survécut deux heures : le médecin lui dit en matière de consolation qu'à son avis, elle ne s'était jamais rendu compte de ce qui l'avait frappée. C'était certes une maigre consolation. Cependant, d'après l'opinion générale, le deuil du jeune homme prit un aspect exagéré, peut-être même anormal — surtout quand on commença à raconter en ville que sa femme était enceinte de trois mois (ce qui, entre parenthèses, n'était pas vrai, mais l'histoire n'en était peut-être que meilleure) car il vécut totalement retiré ; on ne le voyait qu'une fois par jour, quand il faisait sa promenade au cimetière au milieu de l'après-midi portant un bouquet de fleurs dans un cornet de journal. Il habitait avec sa mère. Son père était mort douze ans auparavant en lui laissant vingt-cinq pour cent des parts dans un bâtiment de bureaux au bas de la ville. On jasa considérablement quand quelqu'un raconta qu'on l'avait vu jeter la tondeuse dans la rivière par une nuit sans lune, "l'arme du crime", disait-on et on ajoutait derrière les mains, « c'était peut-être le crime parfait dont on parle tout le temps », mais bientôt on n'en parla plus ; ceux mêmes qui avaient raconté l'histoire ne la croyaient sans doute plus. Et pourtant quand on le voyait aller au cimetière portant son bouquet de fleurs et en revenir les mains vides, on branlait la tête : « C'est un numéro, celui-là. » Dix ans après la mort de sa femme, sa mère mourut aussi (d'un cancer du foie ; il lui fallut encore voir ça, le supporter pendant trois mois) et finalement, il resta seul. Le major Barcroft qui possédait l'autre moitié du bâtiment fut nommé exécuteur testamentaire et, quand la succession fut réglée, Henry eut juste de quoi vivre, mais rien de plus. Le major dit alors : « Henry, est-ce que ça vous dirait quelque chose de rentrer dans les affaires de coton ? — Dans les affaires ? — Oui, vous pourriez vous joindre à moi. Ça vous irait ? — Bon, très bien. Oui, monsieur. » C'est ainsi qu'il mit fin à dix ans de réclusion, et c'est ainsi qu'Amanda eut l'occasion de le voir dans le bureau de son père au cours de ces deux derniers mois.

Il se leva quand elle revint, après avoir accroché son chapeau dans le vestibule ; puis, quand elle s'assit, il s'assit également, les poings serrés sur les genoux. Le major le regarda d'un air approbateur. Et pourtant, tout cela avait été fait avec une certaine hésitation, comme s'il avait été un étranger désireux d'être poli, mais rendu gauche par sa peur de commettre une gaffe, ignorant comme il l'était des coutumes du pays. Les dix ans de réclusion avaient laissé leur empreinte dans ses manières aussi bien que sur son visage qui, pensait Amanda, était le plus triste qu'elle eût jamais vu. Il parlait avec le major et elle le regardait. Assis, il semblait grand, bien que, lorsqu'elle l'avait vu debout sur la véranda et dans le vestibule, il lui eût semblé de taille moyenne. Elle voyait maintenant que cela tenait à ce que ses jambes étaient très courtes et son buste très long. Ses cheveux étaient blonds, sa peau plutôt pâle — par manque de lumière, pensa-t-elle. Puis elle se figea, interloquée. Elle n'arrivait pas à comprendre comment elle ne l'avait pas déjà remarqué. La ressemblance était frappante. Ajoutez une moustache, allongez et lissez les cheveux, donnez plus de vie aux traits — tirez un peu les jambes et raccourcissez le buste (toutes choses qu'elle se représenta) et c'était le portrait tout craché de Harley Drew.

Elle ne le regarda plus. Elle s'assit, les yeux fixés droit devant elle — comme Florence l'avait fait quand le major avait dessiné sa coupe de cheveux pour Sam Marino — jusqu'au moment où Nora vint annoncer que le déjeuner était servi. Les hommes se levèrent. Pendant un moment, ils l'observèrent. « Amanda », dit le major. Elle leva les yeux, étonnée : « Après toi », dit-il. Il fit un petit geste de la main en lui montrant la porte, toujours avec la même fausse galanterie. Elle se leva et passa dans la salle à manger. Henry la suivit pour lui tenir sa chaise, mais avant même qu'il l'eût touchée, elle était déjà assise. Le major Barcroft branla rapidement et légèrement la tête pour montrer sa désapprobation, et cela fit étinceler son pince-nez. Derrière les verres, ses yeux étaient durs comme des agates. Cela toutefois dura peu, car il devint vite absorbé par le découpage de la dinde. Dix ans encore et l'art de découper une dinde serait un art mort. Il regardait les tranches de viande blanche à mesure qu'elles se retournaient sur le couteau. Il était très fier de sa façon de découper.

Pendant tout le repas, il se livra à un feu roulant de commentaires sur la guerre, le marché du coton et la température. De temps à autre, il mêlait sa fille à la discussion en lui posant de but en blanc des questions brèves et directes : « N'était-ce pas ainsi, Amanda ? » ou « Tu ne trouves pas, Amanda ? » Elle répondait plus ou moins selon la question : « Oui, papa » ou « Non, papa », le regardant du coin de l'œil, puis fixant de nouveau le fond de son assiette. Mal à l'aise, le jeune homme, de temps en temps, lui jetait des coups d'œil, puis reportait vivement son attention vers son hôte. Il était évident d'après son expression — semblable à celle d'un sauvage qui se demande encore s'il mangera ou s'il sera mangé — que le major ne parlait jamais ainsi à Cotton Row.

Henry, de temps en temps, plaçait un mot, tout comme Amanda, mais chaque fois que le major s'arrêtait de parler pour mâcher, un lourd silence retombait, et tous les trois restaient là immobiles, excepté le mouvement de haut en bas et légèrement latéral de la mâchoire du major — comme si, en mâchant, il parlait encore, incurablement loquace, bien qu'aucun son ne sortît de sa bouche. Après le dessert, le major posa sa serviette sur la table sans la plier (concession faite à l'invité) et dit en souriant :

— Je te félicite, Amanda, excellent repas.

— Oui, certes, dit Henry, moi de même, moi de même.

Consciente (tout comme son père) que sa contribution à la préparation du repas s'était bornée à un coup d'œil occasionnel dans la cuisine pour voir "la tournure que prenaient les choses", Amanda ne dit rien. Ils retournèrent dans le salon où le jeune homme et elle-même s'assirent en silence, tandis que le major, abattu et triste, en contraste avec sa précédente volubilité, semblait doublement silencieux, comme un phonographe tout près de s'arrêter. Et pourtant, elle voyait qu'il était sur le point de recommencer — il releva le menton, s'éclaircit la gorge, et elle sentit qu'elle ne pourrait pas en supporter davantage. Elle se leva, s'excusa et sortit de la pièce, sans attendre d'en avoir la permission et sans noter l'étonnement de Henry et la désapprobation du major.

En haut, elle entendit le ronronnement de la voix de son père, ponctué de temps en temps par le bref murmure du jeune homme qui acquiesçait et approuvait. Pas pour longtemps cependant. Elle entendit bientôt leurs pas dans le vestibule, et le bruit de la porte d'entrée qui se refermait. Le silence qui suivit faisait songer à l'intervalle entre l'inspiration et le cri. Elle l'entendit bientôt : « Amanda ! » et, du haut de l'escalier, elle vit son père debout dans le vestibule, en raccourci, levant les yeux vers elle, comme la nuit où Drew l'avait abandonnée.

— Oui, papa.

— Tu n'as pas été très aimable envers ton invité.

— Non, papa. *Ton* invité, avait-il dit, pas « mon » ou « notre » mais *ton*. Dans l'attente de ce qui allait suivre, elle s'agrippa à la rampe et contempla ses mains. Mais le major se détourna, exaspéré par son mélange de docilité et de résistance, et Amanda retourna dans sa chambre.

Henry cependant était là le dimanche suivant, et celui d'après. Il était devenu un habitué des repas du dimanche. Sa ressemblance avec Drew était moins frappante qu'Amanda continuait à le supposer. Elle était la seule à le remarquer — ce n'était pas le cas du major qui (contrairement à tout ce qu'elle avait imaginé au début, quand elle pensait qu'il avait amené le jeune homme pour se gausser d'elle, en lui présentant une affreuse reproduction d'un original perdu) aurait préféré se débarrasser de lui pour la simple raison qu'il ressemblait à un coquin ; car, en réalité, il ressemblait à Drew, mais en plus grossier, comme un buste inachevé, ou, vaguement, comme une aquarelle oubliée sous la pluie. Et cependant pour elle, non seulement ils se ressemblaient, mais elle en était arrivée à penser que s'ils s'étaient placés côte a côte devant elle, il lui été difficile de les distinguer. Cela venait du fait qu'elle voyait Henry tous les jours, alors (mais elle ne le soupçonna jamais et aurait certainement rejeté l'idée, si on la lui avait suggérée) qu'elle commençait à oublier la forme du visage de Drew, le jeu de ses expressions, et même les inflexions de sa voix. La seule fois qu'elle l'avait vu, depuis leur séparation, dans le break, avec la femme aux cheveux lisses, elle avait été surprise du changement qu'elle constatait en lui, bien qu'à vrai dire, il n'eût pas changé du tout. Simplement l'image réelle n'était pas parvenue à correspondre à l'image qu'elle gardait en mémoire. Cependant, il lui semblait, l'un suivant l'autre de peu — et en plus au même rythme : une fois par semaine, alors qu'auparavant c'était une fois par mois — qu'elle se trouvait doublement en danger.

Pendant toute cette période, le major Barcroft, en encourageant le jeune homme, présentait l'obséquieuse et fausse jovialité d'un entrepreneur, d'un intermédiaire et même d'un valet de chambre. Il ne lui manquait que la bassine et les serviettes, un pot de vaseline et une boîte de tablettes de bichloride en forme de cercueil. Amanda, bien qu'elle ne poussât pas l'analogie aussi loin (elle en aurait été bien incapable), voyait assez clairement dans quelle direction il les poussait, elle et le jeune homme. Cela ne tarda pas. A la fin d'avril, par un jour pluvieux, ils étaient assis dans le salon après déjeuner. Le major les regardait de temps en temps sans en avoir l'air, la mine pensive derrière ses lunettes. Il se leva brusquement : « Excusez-moi », dit-il d'un ton décidé, et il se rendit au fond de la maison. Amanda et Henry restaient là, assis sans savoir que dire. La pluie fine venait murmurer contre les vitres. Le major revint en boutonnant son imperméable : « Je viens juste de m'en souvenir », dit-il. Il montra un livre enveloppé dans le journal de la veille et protégé ainsi contre la pluie : « Je dois le rendre aujourd'hui. » Comme il se retournait pour sortir, Amanda le vit lancer une œillade significative à Henry, et elle sut ce qui allait suivre.

La porte de la rue se ferma. Ils étaient seuls et, de nouveau, la pluie murmurait contre les vitres. Elle ne le regardait pas. Après un temps qui lui parut très long, elle l'entendit s'éclaircir la gorge. Au bout d'un instant, d'une voix étranglée, désespérée, il dit :

— Miss Barcroft... Amanda...

— Non, dit-elle. Elle baissait toujours les yeux. Non.

— Très bien. Il dit ces mots calmement. Elle ne s'attendait pas du tout à ce qu'elle vit quand elle leva les yeux. Il avait presque traversé la pièce et pénétrait dans le vestibule : elle comprit qu'il avait non seulement paru calme, mais qu'il se sentait soulagé. Puis il disparut, et la porte d'entrée se ferma derrière lui. Elle put à peine croire que tout cela s'était passé si vite — une proposition, un refus, le tout en moins de vingt secondes.

La pluie tombait toujours, continue, sifflante, et bientôt la porte se rouvrit. Elle entendit son père s'arrêter dans le vestibule près du portemanteau, et peu après, le bruissement de son imperméable quand il l'enleva. Il entra en disant : « Alors ?... » Puis il s'arrêta en voyant qu'Amanda était seule. Le dessus de ses souliers bien cirés était couvert de petites gouttes d'eau. « Où est Henry ? » demanda-t-il, éberlué. Il la regarda et elle le regarda ; maintenant qu'il avait compris, il parut s'enfler, la figure rouge de colère. Il se redressa, la domina, prêt à la submerger sous un flot de reproches brûlants. Elle mit une main devant ses yeux, la paume ouverte en un geste de défense. Mais, à ce moment-là, il se reprit. Il branla la tête, comme si c'était un moyen de se dégonfler, car il sembla alors se ratatiner. Il dit : « Je renonce, Amanda. J'ai essayé. Dieu sait si j'ai essayé ! J'ai fait de mon mieux et maintenant je renonce à rien faire pour toi. »

Il partit et elle fut seule de nouveau. La pluie sifflait sans discontinuer. Pourtant, elle avait une expression étonnée qui n'avait rien à voir avec la proposition de Henry (à laquelle elle s'attendait) ni même avec ce que son père lui avait annoncé en l'occurrence qu'il cesserait totalement de s'occuper d'elle (ce qui du reste aurait été beaucoup plus susceptible de la soulager, mis à part le fait qu'elle l'avait à peine entendu, ou que si elle l'avait entendu, elle l'avait déjà chassé de son esprit) ; non, ce qui la troublait était tout intérieur. Elle avait hérité de la maladie de Florence : de mauvais rêves la hantaient. Dans le cas de Florence, ces rêves s'étaient limités au sommeil, tandis que, dans celui d'Amanda, ils la hantaient dans le monde diurne comme des hallucinations. Tel était son rêve fondamental — les autres n'en étaient que des variations :

Elle marche dans une herbe moelleuse, sans doute dans une espèce de parc car, tout autour, il y a une clôture en fonte où chaque piquet se termine par une pointe de lance, comme celle du tribunal (celle dont discutait le conseil municipal, ne sachant pas s'il conviendrait de la céder à titre de ferraille pour le programme de réarmement ; ce qu'il fit deux ans plus tard) — et pourtant, le tribunal n'est pas là, pas plus que le Soldat Confédéré en marbre sur son piédestal ; ce n'est pas la pelouse du tribunal. C'est un asile. Mais où sont les gens, les malades ? Elle-même est une visiteuse, pas une malade ; mais qu'elle soit là par permission des autorités ou non, elle ne le sait pas ; et c'est une cause de malaise. "Après tout, se dit-elle, je ne me suis pas faufilée en fraude. Je m'y suis trouvée, tout bonnement, comme cela arrive presque toujours dans les rêves. Certainement on ne voudrait pas me poursuivre, me faire passer en justice pour une histoire de rêve." Quelque peu rassurée, elle regarde autour d'elle, en s'abritant les yeux avec le plat de sa main — geste inutile, comme certains mouvements stylisés par les ballets, car la lumière est nacrée et semble venir de nulle part — jusqu'au moment ou elle aperçoit dans un coin, éloigné du terrain, un bouquet de cèdres rabougris près duquel on distingue le bout d'un banc de pierre. "Ah", pense-t-elle, soulagée (car jusqu'à présent, tout — bien que marqué d'une lenteur irritante, telles les premières pages d'un roman de Balzac, n'était simplement qu'un début). Quand, plus tard, le rêve se répétait, quand elle savait ce qui allait venir, ce prélude semblait interminable. Cependant, même la première fois, à la vue du banc, elle se sentit soulagée, car elle savait que cela serait un tournant dans le rêve comme le petit coup sec qui transforme les motifs des flocons de neige dans un kaléidoscope et elle s'approche du bouquet de cèdres. Elle s'y arrête, car exactement devant elle, un homme et une femme sont assis aux deux extrémités du banc, l'air absent, comme des pensionnaires de maison de fous sortis un moment prendre l'air. L'homme ne fait aucun cas d'un journal déplié sur ses genoux. Mais Amanda ne s'arrête pas pour le regarder. La femme est la plus étonnante, peinte comme une prostituée, avec du rouge à lèvres, du fard et du rimmel badigeonnés en couche si épaisse que, semble-t-il, le moindre changement d'expression la ferait craquer comme un masque. Elle sourit pourtant, tourne un peu la tête vers l'homme, mais hélas, le masque est flexible. Amanda aussi regarde l'homme, et c'est Harley Drew. Il lance des regards de côté et tripote quelque chose caché dans un papier sur ses genoux ; évidemment, il complote quelque attaque... Son visage est cruel et sournois. Mais la femme fardée — Florence (même lors du premier rêve, Amanda accepta cela sans surprise, et, au cours des suivants, elle attendait toujours ce moment avec impatience : "Maintenant, je vais la reconnaître", se disait-elle en elle-même) — ne semble pas le craindre, mais plutôt espérer l'attaque, car elle l'aguiche avec son sourire peint. Amanda regarde l'homme de nouveau, et maintenant elle voit l'arme à demi cachée : l'ouvre-lettres en ivoire de son père, croit-elle. Puis il attaque ; le journal tombe, et elle voit que l'arme n'est pas un ouvre-lettres, mais une espèce de croc qu'on a attaché là. Il a un visage d'assassin ; une grimace lui découvre les dents alors qu'il se précipite sur Florence, et brusquement ils s'enchevêtrent, bras et jambes. Comme Amanda s'avance pour aider sa sœur, dont le visage est caché par l'épaule de Drew, elle ne peut entendre qu'un grognement de lion qui dévore sa proie. Puis la voilà près d'eux, et Florence la regarde entre les membres entrelacés, haletante, poitrine contre poitrine avec son assaillant. "Est-ce qu'il te fait mal, Florence ?" crie Amanda. Elle est là debout, se tordant les mains. Mais Florence ne fait qu'élargir son sourire fardé. "J'aime ça, j'aime ça", dit-elle. Lorsque Amanda recule, elle sent une main lui agripper le bras au-dessus du coude. "Voyons, voyons, dit une voix, qui vous a laissée entrer ?" Et, se retournant, elle voit un garde en uniforme bleu avec une double rangée de boutons sur sa veste. Il l'emmène sans attendre d'explication. Sa culpabilité n'est que trop flagrante. Derrière elle, bien qu'elle n'ose pas se retourner, elle entend Florence pousser de petits cris gutturaux à intervalles réguliers. Puis, les voilà hors de portée de voix. Le gardien et elle sont arrivés à une grille de fer où il s'arrête sans lui lâcher le bras, choisit la plus grosse clé à un anneau pendu à sa ceinture et l'introduit dans la serrure. Il a le visage du major Barcroft, mais le corps, sous l'uniforme, est beaucoup plus trapu. Ce n'est pas son père. Le visage n'est qu'un masque en caoutchouc flexible, adroitement conçu pour épouser tous les traits qui s'y dissimulent : "Et n'y revenez pas", dit-il en la poussant dehors. Ce n'est pas la voix de son père. En outre, l'effort causé par l'ouverture de la grille a fait glisser le masque exposant une partie du visage. C'est bien ce qu'elle avait pensé. Ce n'est pas son père. C'est un Nègre — un homme noir.

Tel était son rêve. Il lui fallait maintenant vivre avec, de même que Florence avait dû vivre avec les siens, mais lorsque Amanda s'éveillait, il n'y avait personne pour lui dire comme elle le faisait avec sa sœur : « Ce n'est rien. Chut. Je suis là, je suis avec toi. Chut », parce qu'elle, elle était seule. Florence avait partagé son histoire d'amour par personne interposée, verbalement. Maintenant elle partageait celle de Florence — et avec le même homme — mais visuellement. Le fait que sa sœur était morte n'avait rien d'incongru. Drew, pour elle, était tout aussi mort. Bien pis, lorsqu'elle repensait à son rêve (surtout quand elle repensait à ses répétitions) elle découvrait que, malgré son malaise et sa peur, ce qu'elle éprouvait en réalité, c'était du plaisir — l'attente au début, l'excitation lors

de la scène sur le banc du parc et une exquise sensation de frayeur quand l'homme noir, avec le visage de
son père, la prenait par le bras. La véritable horreur
consistait en cela : en l'absence d'horreur justement :
« Je suis une espèce de monstre », disait-elle. Et elle
enfouissait son visage dans ses mains en fondant en
larmes.

Cette agitation augmenta, ce mélange de culpabilité
et de désir, non seulement dans ses rêves mais dans ses
hallucinations diurnes. Cela entrait pour une grande
part dans ce qui allait suivre.

Ce qui allait suivre, c'était Henry Stubblefield,
quand il vint travailler un mardi, de la mi-mai,
constata que le major Barcroft (dont les allées et
venues avaient la régularité d'une horloge, qui ne
manquait un jour que pour des raisons très graves :
lorsqu'il tentait de s'engager dans une guerre, enterrait
une de ses filles, ou souffrait d'une crise cardiaque)
n'était pas là. C'était étrange et doublement étrange,
car cela faisait la seconde fois. Le lundi, il n'était pas
non plus venu au bureau. Le lundi — le jour précédent
donc — Henry avait été surpris de trouver le bureau du
major toujours fermé à clé quand il était arrivé. Au
porte-manteau, il n'y avait que le chapeau du comptable. Cependant, le comptable lui-même était courbé
sur son registre et y écrivait comme si rien d'extraordinaire n'était arrivé. Alors (mais seulement quand le
comptable s'arrêta au bas d'une colonne de chiffres,
car il n'aimait pas les interruptions) Henry demanda :

— Est-ce qu'il vous a dit quelque chose ?

— Pas à moi, non, dit le comptable qui se replongea
dans ses livres où grinça sa plume d'ancien modèle.

La matinée passa. Henry espérait presque trouver le
major à sa place habituelle quand il rentrerait, après

déjeuner. Mais il n'en fut pas ainsi. Il resta là debout, regardant le bureau à cylindre fermé, sur lequel une couche de poussière s'était déjà posée. Le comptable était au travail, et, cette fois, Henry l'interrompit :

— Je suis... je suis un peu inquiet. Est-ce qu'il ne faudrait pas envoyer quelqu'un à la maison pour voir s'il est arrivé quelque chose ?

Pendant un instant, l'homme plus âgé ne dit rien, puis il se tourna sur son grand tabouret et regarda l'autre employé par-dessous sa visière verte :

— Et vous ? Pourquoi n'iriez-vous pas vous-même ? Se tenir loin de cette maison, c'est encore ce qu'il y a de mieux, si vous voulez éviter qu'on vous fiche le nez de traviole.

— Oui, mais s'il...

— Pas moi, dit le comptable. Il se retourna, tenant sa plume au-dessus des lignes roses et bleu pâle de la feuille du registre, tel un personnage d'une peinture allégorique qui montrerait un nom sur le livre du Jugement Dernier. Il parlait, le dos tourné à Henry :

— En octobre prochain, il y aura trente ans que je serai ici, et je n'ai jamais eu d'autres rapports avec les Barcroft qu'ici même, à Cotton Row.

Henry ne dit rien, et la plume reprit son grincement. Mais à 5 heures, il tenta de nouveau :

— Ne pensez-vous pas...

— Écoutez, dit l'autre d'un ton sec, comme s'il avait attendu qu'il ouvrît la bouche. Il interrompit la fermeture de son bureau et se retourna : Je vous l'ai déjà dit une fois et je vous le redis, le major Barcroft est d'âge à savoir ce qu'il a à faire. Même s'il ne le pouvait pas, s'il était par exemple retombé en enfance ou quelque chose comme ça, ce ne serait pas à vous qu'il appartiendrait de corriger ses erreurs. Pourquoi pensez-vous qu'il a une fille ? Cessez de vous agiter. C'est cette guerre qui l'a mis sens dessus dessous. A cette minute même, il doit être en train de changer ses épingles sur la carte. J'ai vu dans les journaux que les nazis ont traversé la Meuse.

Cela semblait raisonnable à Henry — il n'y avait pas encore pensé. Le comptable prit son chapeau au portemanteau :

— Venez, on va fermer.

Ils se séparèrent sur le trottoir en face du bureau. Henry, bien qu'en partie rassuré par ce que l'autre lui avait dit pour expliquer l'absence du major, sentait ses doutes revenir. Après tout, il arrive qu'on trouve des gens assassinés dans leur lit. Décidé à se rendre compte par lui-même, il partit pour Lamar Street et la maison Barcroft. Il y avait près d'un mois qu'il n'y était allé, depuis sa brève demande et le refus qu'il avait essuyé ; comme il approchait, se rappelant ce que le comptable avait dit au sujet du nez de traviole, il leva la main inconsciemment et le tâta. Et je ne l'aurais pas volé, pensa-t-il. Puis il arriva.

Les stores étaient baissés et toutes les fenêtres fermées malgré la température d'été ; il n'y avait pas signe de vie. Il tourna dans l'allée, les coupoles et les grands avant-toits se dressaient au-dessus de lui. Ses pas sonnaient creux quand il traversa la véranda et, lorsqu'il eut frappé à la porte, le silence resta grave et lourd comme avant. Il se frotta le nez. Comme il s'apprêtait à frapper encore, penché en avant, à l'écoute, le poing fermé, il eut le sentiment étrange qu'il y avait quelqu'un, juste de l'autre côté, dans la même posture que lui, penché en avant, à l'écoute. Debout ainsi, dans la chaleur de ce début d'été, il sentait ses cheveux lui chatouiller la nuque. Un brusque filet de sueur froide coulait sous ses aisselles. Il frappa doucement puis, sans attendre une réponse, il fit demi-tour et traversa rapidement la véranda ; il descendit les marches, n'ayant jamais eu aussi peur depuis les cauchemars de son enfance, il sentait un goût de cuivre à la base de sa langue et une douleur dans la poitrine, comme si une main invisible était venue lui saisir le cœur.

C'était un lundi. Le lendemain matin, quand il arriva au bureau, une femme noire l'attendait sur le trottoir. Il eut l'impression de la connaître ou, du moins, de l'avoir déjà vue. Elle était mince, de taille moyenne, couleur chocolat au lait, et ses cheveux étaient cachés sous un madras très propre et soigneusement noué : « J'fais la cuisine pour le major Barcroft », dit-elle. Il sut alors qui elle était, se rappelant tous ses pénibles dimanches. Elle s'appelait Nora. C'était la mère du cornettiste de jazz qui était revenu du Nord pour se remettre d'une tuberculose (c'était ce qu'on pensait, mais, quinze jours plus tard, il avait tué un joueur de cartes dans un beuglant à propos d'une femme et, cinq mois plus tard, il était mort sur la chaise électrique : le seul artiste de Bristol, son unique homme célèbre, comme on s'en aperçut quand les musicologues vinrent collecter des informations. Mais à ce moment-ci, c'était encore à venir, le destin comme la célébrité).

— Du moins j'faisais la cuisine, dit-elle. Elle se tut : Cap'taine, y a quelque chose qu'vous devriez savoir.

— Très bien, fit-il. Il dit cela calmement, de telle sorte que, par la suite, en songeant au passé, il pût se targuer de ce calme et se dire qu'il avait su ce qui allait suivre. Alors, elle le lui dit :

— Hier, quand je suis venue travailler, Miss Manda m'attendait à la porte. Elle m'a dit de prendre des vacances. C'était pas naturel. Ces gens-là, ils n'donnent jamais de vacances à personne. Le seul congé que j'ai jamais eu, à part l'inondation, ç'a été trois heures, il y a longtemps en 1929, quand le mari de ma sœur a trépassé. J'suis allé faire un tour par là depuis. Pas jusqu'à la maison, j'suis juste passée devant pour regarder. Cap'taine y a quelque chose qui ne va pas là dedans. Rien qu'à la figure qu'elle a. Y a quelque chose qui n'va pas du tout.

Cela lui revint maintenant, le sentiment d'horreur qui l'avait envahi la veille, quand, debout sur la véranda, il avait senti une présence de l'autre côté de la porte. A l'abri, chez lui, il s'était remis bien vite de sa panique ; il avait pensé qu'il avait été très sot, et il avait évité d'y songer, comme quelqu'un qui écarte toute idée d'une incarnation antérieure ou le sentiment d'avoir déjà vécu un événement particulier. Mais plus tard, alors qu'il était au lit, tout lui était revenu, et maintenant qu'il se trouvait là devant le bureau, et qu'il écoutait Nora, c'était aussi fort qu'auparavant. « Très bien », dit-il avec un calme qu'il devait par la suite qualifier de prescience. Il se retourna. Penché dans l'embrasure de la porte, il dit au comptable qui était courbé sur le grand livre : « Je vais revenir », et il s'éloigna dans la rue.

Cette fois-ci, il n'hésita pas. Il gravit les marches, traversa la véranda et frappa à la porte sans s'arrêter. Et, tout comme la veille, il eut le même sentiment, quoique plus général, plus diffus maintenant ; la présence n'était pas en face de lui, derrière la porte, mais quelque part dans la maison. Il frappa de nouveau. Après avoir attendu, comme il n'entendait aucun bruit, il se retourna pour partir. Ce faisant, il perçut du coin de l'œil, en haut de l'escalier, ce qu'il prit pour un très léger mouvement. Quelque chose de rapide, de trop rapide, comme une illusion d'optique, mais il crut avoir vu le coin d'un rideau de dentelle à l'une des fenêtres retomber à sa place. Il était de nouveau debout, devant la maison, les yeux fixés sur le rideau qui pendait immobile.

Il ne retourna pas à son bureau. Il alla directement

au poste de police, marchant très vite sur ses petites jambes, son long buste penché comme s'il affrontait un grand vent. Le chef de la police et le sergent de bureau le regardaient solennellement alors qu'il leur contait l'affaire.

— Il y a quelqu'un là-bas, dit-il, quelqu'un qui m'observait.

— Vous les avez vus ?

— Non, mais je l'ai bien senti.

— *Moi*, je ne sens rien du tout, dit le chef. Il avait le visage sanguin, un gros cou. Il était vêtu de serge bleue. J'peux pas entrer ainsi chez les gens sous prétexte que vous avez senti quelque chose. Ils sont peut-être partis faire un voyage ou quelque chose comme ça.

— Un voyage ? dit Henry, le major Barcroft ? Comme cela ne faisait aucune impression, il parla de la cuisinière. Elle sait. Voilà plus de vingt ans qu'elle travaille dans cette maison, et *elle*, elle sait bien qu'il y a quelque chose qui ne va pas. Mais le policier avait toujours l'air sceptique.

Puis le téléphone sonna et le sergent répondit.

— Pour vous, dit-il. Il le passa au chef.

— Ici Hobart, dit le chef. C'était sa voix officielle et il fermait à demi les yeux en parlant. Cependant, lors du silence qui suivit, ses yeux redevinrent normaux, puis s'écarquillèrent : Grand Dieu, dit-il, et Henry put entendre la voix à l'autre bout de la ligne. Elle était grinçante et incompréhensible, comme une voix de polichinelle furieux. Les yeux du chef lui sortaient de la tête : Grand Dieu, s'écria-t-il. Puis : Entendu, Mr. Barnes, dit-il, reprenant sa voix officielle, j'arrive.

Il mit son chapeau et se précipita vers la porte. Mais là, il s'arrêta et se tourna vers Henry.

— Vous feriez mieux de venir avec moi, dit-il. Je

crois que vous avez raison. Y semblerait que vous avez senti juste.

— Quoi ? dit Henry. Qu'est-ce qu'il y a ?

— Venez. Ils étaient déjà dehors. Le chef monta dans la voiture de police : Mettez-vous derrière, dit-il. Et Henry obéit.

— Qu'est-ce qu'il y a ?

— Nous allons voir, dit le chef Hobart, et il donna au chauffeur l'adresse de South Lamar. Henry observait sa nuque, le bourrelet de muscles en passe de devenir de la graisse, et la ligne blanche en bordure des cheveux coupés la veille. « Plus vite », dit le chef, pressant le bouton de la sirène jusqu'à lui faire pousser un hurlement, puis une plainte et de nouveau un hurlement. Entre-temps, ils étaient arrivés jusqu'à la maison des Barcroft où ils s'arrêtèrent.

Harry Barnes guettait sur la véranda (comme d'habitude, il était toujours prompt à arriver sur les lieux quand il s'agissait d'une tragédie. C'est pourquoi on l'avait surnommé Harry-Le-Corbillard-Volant). Il revenait juste de la maison voisine où il était allé téléphoner. Derrière lui, la porte était ouverte — la porte où Henry avait frappé moins d'une heure auparavant sans plus de succès que la veille. Le chef Hobart descendit de l'auto, marchant vite, avec Henry qui lui emboîtait le pas. Ils montèrent l'escalier l'un derrière l'autre :

— Bon, dit-il, où sont-ils ?

— Lui, il est derrière, dit le croque-mort, elle, elle est devant, dans le salon, tout comme quand je suis arrivé. Mais vous ne pourrez pas lui parler, elle est dans les pommes, ou quelque chose comme ça et ce qu'il y a de sûr, c'est qu'à lui, vous ne pourrez pas lui parler non plus, vous pouvez m'en croire.

— Alors, qui vous a appelé ?

— Miss Sadie Eggleston ; elle passait là, il y a

environ vingt minutes et elle a entendu qu'on appelait. C'était un peu comme quelqu'un qui étouffe, qu'elle m'a dit. Alors elle a regardé et c'était Amanda Barcroft, ici même sur la véranda et qui avait l'air d'une somnambule. C'est ce qu'a dit Miss Saddie. Amanda a dit « Ayez la bonté d'appeler Mr. Barnes. Dites-lui que mon père vient de mourir. » Et puis, elle est rentrée dans la maison.

— Très bien, dit le chef. Allons voir.

Comme ils traversaient la véranda pour entrer dans la maison, Henry regarda par-dessus son épaule et vit un groupe de quatre ou cinq femmes sur le trottoir qui regardaient, têtes jointes, les mains devant la bouche. Miss Saddie a dû répandre la nouvelle, pensa-t-il, et il se retourna juste à temps pour éviter de se heurter au chef et à Mr. Barnes qui s'étaient arrêtés dans le vestibule devant une porte ouverte, à droite ; « ...dans les pommes », disait le croque-mort. Henry se joignit à eux et regarda dans le salon par-dessus leurs épaules. La pièce était si sombre derrière les rideaux que, tout d'abord, sortant juste de la brillante lumière du soleil de la matinée, il ne pouvait rien distinguer. Mais bientôt, ses paupières se dilatant, les détails apparurent comme sur une photographie plongée dans un révélateur, et il vit Amanda assise dans le fauteuil de sa sœur. Les garnitures de dentelle à ses poignets et à son cou faisaient de délicats petits points de lumière dans la pénombre ; elle avait les mains sur les genoux, la tête légèrement penchée au-dessus. Bien qu'elle eût le visage pâle et les traits tirés, il n'y avait pas de larmes dans ses yeux. « ...depuis dimanche soir », disait le croque-mort.

Ainsi il savait maintenant ce qui s'était passé derrière cette porte fermée quand il avait frappé, le jour précédent, puis juste une heure auparavant — il savait quelle était la source de ce sentiment de terreur qui l'avait parcouru. C'était la présence de la mort elle-même. Je l'ai senti, se disait-il avec une sorte de triomphe, de vengeance presque, après les dénégations du comptable et du chef de la police. Debout, il regardait Amanda, mais elle ne le voyait pas. Elle ne voyait rien. Puis, il se rendit compte qu'il devait être debout depuis un certain temps, car il entendit une voix qui disait : « Grand Dieu », comme de très loin et quand il regarda autour de lui, pas plus le chef Hobart que Mr. Barnes n'étaient présents.

— Qu'est-ce qui le rend noir comme ça ? dit le chef à l'autre extrémité du vestibule.

— L'asphyxie, dit Mr. Barnes. En réalité, c'est ça la crise cardiaque, une asphyxie. J'en ai vu d'encore plus noirs que ça. De plus, deux jours avec un temps pareil...

Mais il était maintenant à la porte du bureau. Il pouvait voir par lui-même le corps sur le divan capitonné, avec son visage enflé, bleu-noir et ses yeux fixes. Puis il commença à le sentir, et il se rendit compte qu'il l'avait senti tout le temps, une odeur de décomposition exagérément douce. Il se retourna sans s'être jamais vraiment arrêté, se hâta de traverser le vestibule aussi vite que ses petites jambes le lui permettaient, franchit la porte, arriva sur la véranda où le soleil le frappa comme une gifle entre les deux yeux. Il resta un instant aveuglé. Il se tenait debout une main contre une colonne, attendant que ses pupilles se contractent. Il vit alors que le groupe de quatre ou cinq femmes en comptait maintenant plus de douze. Elles étaient là, comme avant, debout, têtes jointes, les mains devant la bouche.

A midi, dans tout Bristol, on ne parlait que de cela, les hommes au coin des rues, les femmes penchées sur les barrières de leurs cours. On racontait que le policier avait dû la tenir quand l'aide de Mr. Barnes était venu avec son grand panier d'osier. La plupart disaient que le chagrin lui avait fait perdre la tête et qu'elle était restée là, assise près du cadavre de son père parce que c'était la seule chose qu'elle se sentît capable de faire. D'autres, y compris ceux qui l'appelaient pauvre Amanda et qui étaient au courant de ce qu'ils appelaient sa scandaleuse conduite disaient qu'elle s'était cramponnée à tout ce qui lui restait au monde. Il y avait un troisième groupe, formé par ceux qui croyaient aller plus profondément au fond des choses et qui disaient qu'elle était restée là, assise, à s'en repaître les yeux.

8.

COUPS DE FEU DANS LA NUIT

Malgré toute leur intensité, cependant, les commérages sur ce qui s'était passé à Lamar Street auraient été bien plus passionnés s'ils n'avaient pas eu à partager les feux de la rampe avec un autre scandale dont les détails qui concernaient Harley, Amy et Jeff Carruthers avaient atteint Bristol le matin même, deux ou trois heures auparavant, de Briartree jusqu'au lac Jordan. Dans ce cas-là, il y avait moins de conjectures possible, mais c'était parce que les gens pensaient que l'événement s'y prêtait moins ou plutôt qu'il y avait moins d'occasions de conjecturer. L'événement, bien que plus rare que dans l'ancien temps — époque où, comme on disait, les hommes étaient des hommes — n'avait rien de spécialement exceptionnel ; en fait, il était plutôt banal, non sans la pointe d'humour qui en général accompagne les effusions de sang. « Mais oui, naturellement », se disaient-ils, les uns aux autres, parlant avec cette irréfutable assurance qui, parfois, semble être en proportion directe avec l'étendue de l'erreur. Car ils se trompaient. Ils se trompaient totalement et ironiquement.

En cette année qui suivit ce premier rendez-vous galant dans un motel, le charme d'Amy n'avait fait qu'impressionner Drew davantage. Il était non seulement fasciné par sa personne — mais par ses vêtements, sa façon de se coiffer, même par ses fards. Il lui arrivait de se réveiller la nuit, d'allumer sa lampe de chevet et de la regarder dormir près de lui, dans la chambre qu'il avait louée à une cinquantaine de kilomètres de Bristol, selon l'endroit que le point du compas lui avait indiqué cette fois-là. Il admirait son grain de peau, il la comparait à ces autres femmes, les filles d'hôtel, comme cette première Alma, il y avait dix ans de cela, qui avait gardé ses chevilles de paysannes et les lourdes cuisses que ses ancêtres avaient rapportées du Vieux Monde, tandis que, chez Amy, bien qu'elle eût également du sang de campagnarde, il s'était épuré jusqu'à devenir une sorte d'ichor réellement bleu, là où les veines étaient apparentes. Coupe-la ici, elle saignerait bleu, se disait Drew. Ou bien il allait jusqu'à la commode où se trouvait sa petite valise pour la nuit, encore ouverte, un modèle breveté avec des compartiments pour chaque chose. Il en sortait de petits pots en forme d'urne, des flacons élancés, il dévissait les capsules, enlevait les bouchons de verre et les respirait : graisses parfumées, distillations de sperme de baleine. Ah ! pensait-il. Ensuite, il sortait les sous-vêtements cousus main, les pantalons, les combinaisons et les jupons avec leurs monogrammes compliqués et illisibles. Il les dépliait, les repliait, jouissant du murmure de la soie dans ses mains, et tout cela pour lui dégageait une odeur d'argent. Finalement, il revenait se mettre au lit où il restait assis à la regarder. Même son bronzage représentait de l'argent. Cette couleur de peau légèrement brune lui rappelait les loisirs qui lui avaient permis de l'obtenir. Il aimait son odeur qui évoquait celle qui sortait des pots et des flacons de toutes sortes, et le fait que des parfums pouvaient être achetés (même au prix de cinquante dollars l'once) ne les rendait pas moins agréables, pas moins entêtants — certes, c'était un plaisir ; cinquante dollars la bouffée, pensait-il, et il respirait plus vite, rien qu'en y pensant. A dire la vérité, il la respectait énormément. Ce qui équivalait à de l'amour ou du moins en était très proche (un émoi relatif en tout cas et qui variait de personne à personne : Roméo et Mercutio, par exemple) ou, tout au moins aussi proche de l'amour que Drew ne le serait jamais.

Voilà. Il avait ce qu'il avait demandé dans ses prières, et les coches faites sur le calendrier pour établir la liste de leurs rencontres étaient pour lui ce qu'une colonne de chiffres montant sans cesse serait pour un avare. Néanmoins, ce succès — comme la plupart des succès, si longue qu'en ait été l'attente — ne faisait que donner naissance à des désirs futurs, à des buts encore plus lointains. A Memphis et à La Nouvelle-Orléans, ils n'étaient pas descendus au *Peabody*, au *Saint-Charles*, ou au *Roosevelt* ; ils n'avaient pas dîné chez *Galatoire* ni chez *Antoine*. Il leur avait fallu rester dans les petites rues écartées pour éviter d'être reconnus. Apparemment cela ne dérangeait pas Amy, car dans son temps, elle avait eu sa part de grande vie. Mais ce n'était pas du goût de Drew. Le souvenir de sa période de trois ans passée à "voir venir" commençait à pâlir. Si au début, son désir avait été d'avoir Amy pour lui tout seul, maintenant il la voulait à ses côtés en public. Il voulait la porter comme un insigne, un panache, elle et ses vêtements coûteux, la désinvolture avec laquelle elle maniait l'argent : « Regardez un peu ce qu'il a déniché, regardez-moi un peu ça ! » Voilà ce qu'il voulait les entendre murmurer quand il entrerait dans le hall des hôtels ou dans les restaurants avec Amy à son bras. Hôtels et restaurants qui, maintenant, leur étaient interdits pour des raisons de prudence. Non qu'il fût opposé à la prudence ; en fait, c'était lui qui insistait pour qu'on l'observât. Ce à quoi Drew s'opposait, c'était à la nécessité d'être prudent.

Il avait décidé quel serait son but, son but final, se disait-il incurablement optimiste, et pourtant sans avoir appris (ce qu'il n'apprendrait *jamais*) que ses désirs n'étaient que les marches d'un escalier sans fin et qui ne menait nulle part. Le divorce n'était pas une réponse, l'argent était à Jeff. La réponse dépendait d'une vision des choses qu'il proposerait à Amy quand il en aurait le courage ou du moins l'occasion. Il se voyait maître de Briartree avec tout ce qui venait avec, y compris Amy comme châtelaine. Quant au maître actuel, qui serait surpris de ce qui pourrait arriver à un aveugle ? Qui serait surpris d'apprendre que le petit domestique venant travailler un matin, avait trouvé son maître tout ratatiné au bas d'une volée d'escaliers, mort, le cou brisé, depuis les dernières heures de la nuit précédente.

Une fois cette pensée en tête, il aurait été bien en peine de dire quand elle lui était venue pour la première fois ; il semblait si inévitablement que c'était la seule solution qu'il fut amené à penser qu'il avait dû y songer dès le début — ce qui était peut-être vrai, inconsciemment. Néanmoins, même maintenant qu'il avait si fermement décidé que c'était la seule solution à ses problèmes, le seul moyen de satisfaire ses désirs, il retardait le moment de proposer la chose à Amy : non qu'il eût la moindre crainte de la voir en proie à une indignation morale (il la connaissait beaucoup trop bien maintenant pour s'attendre à une réaction de

256

ce genre), il avait simplement peur d'ajouter un élément douteux à leur union. Il était très heureux et un des aspects de sa supériorité sur les autres hommes — si l'on peut dire — était qu'il était assez habile pour ne pas temporiser avec le bonheur, réflexe que la plupart des hommes semblent incapables d'éviter. Serait-elle de cet avis ? C'était une autre question, car parfois elle semblait exagérément attachée à Jeff, non par amour, naturellement, ni même par amitié, mais plutôt par amusement. C'était étrange.

Quoi qu'il en soit, deux événements l'obligèrent à prendre une décision. Tout d'abord, on lui offrit une situation dans une banque de Memphis, une situation vraiment exceptionnelle et, bien qu'il ne la refusât pas tout à fait — il ne refusait jamais tout à fait aucune offre, comme je l'ai dit —, il ne l'accepta pas non plus. A sa grande surprise, il s'aperçut qu'il n'était même pas tenté de l'accepter. Il n'aurait pas pu se séparer d'Amy, même s'il l'avait voulu. Il découvrit alors qu'il avait perdu sa liberté, la seule chose qu'il mettait — et il le savait fort bien — au-dessus de tout. L'affaire Barcroft, comme maintenant, il désignait ses longues fiançailles avec Amanda, avait été une chose toute différente. Il avait toujours eu le sentiment qu'il pouvait les rompre quand il le voudrait, ce qu'en définitive il avait fait. Mais maintenant, il se voyait tel un homme ligoté, et c'était amer.

L'autre événement était plutôt une suite d'incidents, plus ou moins semblables, le premier en juillet de l'année précédente quand le nouveau pont sur la rivière avait été ouvert à la circulation, et qu'ils étaient allés passer une nuit en Arkansas. Ils avaient pris une chambre dans un motel et suivaient la grand-route à la recherche d'un restaurant, quand ils avaient vu HANNAS écrit en lettres lumineuses. « Hé ! une boîte de nuit ! » cria Amy. Drew entra dans la cour non sans méfiance.

L'entrée était sur le côté — deux marches qui menaient à une porte fermée, derrière laquelle ils entendaient de la musique et des piétinements. Quand Drew ouvrit la porte, il crut voir une cage de lions et de singes à l'heure où on vient les nourrir. Les bras et les jambes étaient flous à cause du mouvement, les corps pivotaient furieusement, les jupes voletaient, les bas de pantalons claquaient. C'était le *jitterburg*, danse dont ils avaient entendu parler, mais qu'ils n'avaient encore jamais vue. Pour eux, cela leur rappelait les années vingt, un *charleston* devenu fou.

Des stalles bordaient les deux côtés de la pièce. Tout à fait au fond, une boîte à musique bleue et or, avec des lumières clignotantes, marchait à plein volume et près d'eux, une longue fenêtre s'ouvrait à hauteur de la taille, de sorte qu'on pouvait regarder, par-dessus le comptoir, dans une pièce où se trouvaient la bière, la glace, et les boissons douces. Il y avait même un fourneau pour faire griller des sandwiches. Une serveuse habillée comme les danseuses, à cette différence près qu'elle avait autour de la taille une serviette sur laquelle était cousue une poche pour y mettre les pourboires, évoluait entre les stalles et le comptoir et criait les commandes d'une voix aiguë, afin qu'on pût l'entendre au milieu de tout ce vacarme. Drew et Amy purent s'installer dans le fond, pas loin de la musique qui leur crevait le tympan :

— Ouh ! quel bouge ! cria Amy tout heureuse, d'une voix aussi aiguë que celle de la serveuse ; casse la bouteille, mon agneau ; étourdis-moi avant que je devienne sourde. Ses yeux brillaient d'excitation comme si elle avait un accès de fièvre. Et elle tournait la tête de droite à gauche, regardant les danseurs et les buveurs. Regarde-moi celui-là, disait-elle ; non, mais regarde-moi ça ! Elle allait même jusqu'à les montrer du doigt et parfois ceux qu'elle désignait ainsi la regardaient également, en grognant. Les inquiétudes de Drew augmentaient. Il pouvait déjà voir l'en-tête : BANQUIER DE BRISTOL MÊLÉ A UNE RIXE DE CABARET.

Dans la salle derrière eux, plus près encore du tapage de la musique, un homme et une femme se disputaient. On entendait leurs voix quand le disque changeait dans la machine.

— J'ai jamais dit que je l'étais pas.

— Oh, *toi*...

— Comme amusement, je le retiens...

— Et moi, tu te figures que j'aime ça ?

— Toi.

— Oh ! *toi*...

Puis le nouveau disque étouffait leurs voix, mais on les entendait chaque fois que la musique cessait.

— Toi.

— Oh ! *toi*...

Les délices du mariage, pensait Drew, en remplissant le verre d'Amy qu'elle avait fait glisser vers lui sur la table. C'est alors que le premier se présenta — un homme à tête de rat avec un menton fuyant et des bretelles couleur bordeaux :

— Dites, M'sieu, ça vous ennuierait si j'dansais un coup avec vot'dame, en cas qu'elle voudrait ?

— Merci bien, dit Drew, pas pour le moment, mais merci quand même.

Amy regarda l'homme s'éloigner.

— Ça me plaît vraiment cet endroit, dit-elle, par-dessus le bord de son verre. Ça me plaît vraiment.

— Un peu trop sans gêne à mon goût, dit Drew.

Un autre homme arriva, plus tranchant :

— J'danse un coup avec vot' petite si elle veut bien ?

— Je regrette, dit Drew en observant Amy. L'homme resta un moment debout à le regarder. Visage dur, chemise bleue détrempée, les manches roulées bien serrées sur les biceps. Drew ne le regardait toujours pas et finalement l'homme haussa les épaules et s'éloigna.

— C'est pas mon genre, dit Amy, en faisant glisser son verre sur la table. Elle avait même sucé la glace.

— Viens, dit Drew. Partons.

— Remplis-le, dit-elle. Et il le remplit. C'était le troisième qu'elle buvait et lui en était encore à son premier. C'est déjà mieux, dit-elle.

Il pensa qu'elle voulait parler de la boisson, mais quand il leva les yeux, il vit qu'elle échangeait des regards avec trois hommes dans une stalle à l'autre bout de la pièce. Ils portaient des chemises en gabardine avec des boutons genre perles et des foulards aux couleurs violemment différentes, des pantalons collants bleu ciel, et des bottes de cow-boys.

— Ça me fait regretter de n'avoir pas ma culotte de cheval, dit Amy.

Comme il regardait à travers la salle, Drew vit qu'un des hommes s'était levé et venait vers eux. C'était le plus grand des trois, il avait les pommettes saillantes et une ligne blanche sur le front, là où il portait son chapeau :

— On danse la prochaine ? dit-il debout près de la table. Il s'adressait directement à Amy.

— J'vais revenir, chéri, dit-elle à Drew, sans lui laisser le temps de refuser. Elle s'était déjà levée : il se rendit compte qu'elle était debout depuis le moment où l'homme, qui s'était également levé, s'apprêtait à traverser la salle.

— J'm'appelle Tex, l'entendit dire Drew quand l'homme enlaça Amy par la taille. Il le dit solennellement, comme il aurait dit qu'il possédait un million de dollars ou que, ce soir, c'était la fin du monde. Ils s'éloignèrent en dansant et Drew resta en tête à tête avec son verre.

Pendant les trois disques suivants, il les regarda à travers un nuage de fumée et des tourbillons de couples. L'homme lui enseignait le *jitterbug*. Il la rejetait loin de lui, puis l'attirait à nouveau, lui enseignant comment serrer les genoux l'un contre l'autre, et danser en rentrant les pieds. Les talons hauts de ses bottes faisaient autant de bruit que des sabots de cheval. Elle semblait y trouver du plaisir mais, dans l'intervalle entre le troisième et le quatrième disque — lors d'un de ces brusques silences qui semblent encore plus sonores que le son des trompettes —, elle revint, en s'éventant : « Ouf, dit-elle, donne-moi à boire. Bon Dieu ! » Sa lèvre supérieure était toute perlée de sueur, elle avait les yeux vitreux. Elle but :

— Tu le vois ? dit-elle. Tex ? Bon Dieu, il avait les mains encore plus occupées que les pieds.

— Alors, ne t'approche pas de lui.

— Bah...

Le cinquième disque venait de commencer.

— On danse ? entendirent-ils.

Ils levèrent les yeux. C'était Tex.

— Elle ne danse pas, dit Drew calmement.

— Non ? dit Tex, est-ce que que c'est pas la dame qui doit décider de ça ?

— C'est moi qui décide, dit Drew en observant Amy. Ça ne regarde que moi et moi, je dis qu'elle ne dansera pas.

Les deux amis avaient déjà traversé la salle. Ils se tenaient de chaque côté de Tex, minces tous les trois et très à l'aise dans leurs costumes de cow-boys, un peu plus grands que nature à cause de leurs bottes à talons hauts. Amy les regarda puis regarda Drew. La musique cessa ; les yeux vitreux, elle se pencha soudain, lui tapota le bras et lui dit d'une voix qui semblait résonner dans le silence :

— Vas-y, mon petit Drew, fous-lui une dégelée.

Ces mots lui traversaient l'esprit comme un serpentin, comme un projet de gros titre sur le bureau d'un directeur de journal : aussi fit-il une chose, qu'au moment même où il la faisait, il était sûr de ne jamais oublier, de se la rappeler toujours avec un sentiment de honte. Il regarda les trois hommes qui étaient là, debout, les bras légèrement écartés du corps, un air d'attente presque joyeuse sur le visage — et il sourit d'un large sourire : « Asseyez-vous les gars, venez boire un coup, dit-il, pousse-toi Amy, fais de la place à nos amis. » Cependant, derrière la faconde et le sourire, il y avait la douleur de la honte ; jamais auparavant il n'avait refusé de se battre. Il songea au D.S.C. dans son étui de cuir, chez lui au fond du tiroir de son bureau et, pendant un instant, il regretta de ne pas l'avoir pour le leur montrer.

Ils étaient tout un groupe. La bouteille disparut en moins d'une demi-heure : du whisky vieux ; les trois hommes, pour bien montrer qu'ils l'appréciaient s'en rinçaient la bouche avant de l'avaler. Pendant tout ce temps-là, intrigué et un peu gris, Tex, toujours assis, regardait le devant de la robe d'Amy, comme un plongeur, du haut de sa plate-forme, qui hésite entre un saut de carpe et un saut de l'ange. Drew restait aussi sérieux qu'avant la perte de son whisky. Amy qui avait pris plus que sa part de la bouteille, avait les yeux de plus en plus vitreux jusqu'au moment où elle tomba endormie : « Bon », dit Drew, en se levant, « il est temps de partir ». Les autres l'aidèrent à la traîner jusqu'à la porte et à l'installer dans l'auto. Quand un de ses seins glissa hors du corsage, Tex s'inclina et avec une surprenante délicatesse, dont Drew ne l'aurait jamais cru capable, il le remit en place. Même alors, Drew n'eut pas le courage de refuser une poignée de main. Du reste, il leur serra la main à tous car il ne cessait de voir le gros titre avec, en sous-titre, FEMME DE MILLIONNAIRE, CAUSE D'UNE BAGARRE DEVANT TÉMOINS. Quand il démarra, il vit dans le rétroviseur le visage des trois hommes en profil sur un placard électrique : Les salauds !, pensa-t-il, et il s'essuya la main contre la cuisse.

Ce n'était que le premier d'une série d'incidents du même ordre, car Amy manifestait de plus en plus de goût pour ce genre d'endroits. Tout en maudissant sa tendance à fréquenter les camionneurs, les faux cow-boys et les rabatteurs de dancings, il se prenait à penser que cela comprenait également les employés de banques de petites villes et il se sentait obligé de se résigner à ses goûts. Néanmoins, comme ces incidents devenaient de plus en plus fréquents, il vit clairement que le mariage était la seule solution. Alors, s'ils se rendaient dans ce genre d'endroits et si elle lui disait : « Vas-y mon petit Drew, fous-lui une dégelée », il lui en foutrait une avec plaisir : BANQUIER DE BRISTOL DÉFEND SA FEMME était un gros titre qu'il pouvait accepter et dont il pourrait être fier.

Puis en septembre, peu de temps après l'extension de la guerre à travers toute l'Europe, il reçut une offre de la banque de Memphis, et l'ayant refusée, il trouva sa situation intolérable ; c'était lui demander de jouer le rôle d'un peureux (rôle pour lequel il n'avait aucun don), mais c'était aussi l'amener à refuser tous les avantages extérieurs, quel qu'en soit le caractère exceptionnel. Il lui semblait qu'il attachait bien plus d'importance à tout cela qu'elle ne le faisait elle-même — bien qu'elle fourrât d'assez gros billets dans ses poches quand ils quittaient la ville. Ce n'était, après tout, pas autre chose que de l'argent, tandis que lui, il lui sacrifiait la paix de son âme, son amour-propre et son avenir. Un sens cuisant de l'injustice de cette situation finit par lui faire envisager le meurtre. La semaine qu'il reçut l'offre de Memphis, Amy et lui quittèrent la ville le samedi matin. C'était un an et sept mois après la nuit qu'ils avaient passée dans le motel à la frontière de l'État : « Ce que je n'aime pas, dit-il, c'est attendre, comme ça », parce qu'il ne savait pas très bien comment commencer, bien qu'il y pensât depuis si longtemps. Il était surtout exaspéré, mais il avait aussi légèrement peur, car les femmes, on ne savait jamais. Ils s'étaient arrêtés à un feu de circulation et il tripotait son volant en attendant que le feu change : « Sacré nom, Amy. »

Il se tut puis il répéta : « Sacré nom, Amy. » Mais elle écoutait à peine. Elle avait ce don de savoir faire la bête quand les conversations devenaient sérieuses, exactement à la manière de certaines personnes quand un programme de radio est interrompu par de la publicité. La lumière du soleil tombait en longs traits de crayon dorés à travers les branches des chênes et des sycomores qui poussaient entre le trottoir et la chaussée ; c'était maintenant le point culminant de l'été, et les nuits étaient sensiblement plus longues, bien que nullement plus fraîches. Peut-être les canons d'Europe amèneraient-ils la pluie — c'est ainsi, se rappelait-elle, qu'on avait expliqué la pluie constante au cours des premières années de son enfance, pendant les longs après-midi en Caroline, quand elle ruisselait sur les vitres, et les nuits quand elle tambourinait constamment sur le toit : « Ce sont les canons en Europe », lui disait-on, et maintenant les canons recommençaient à aboyer et à gronder. Une femme vêtue de gris était debout au bord du trottoir, un panier de marché à la main. Le feu de circulation était pour elle, mais elle ne bougeait pas. Puis le feu changea, devint vert, et Drew embraya ; la voiture repartit.

Il resta quelque temps sans dire un mot, ayant sans doute décidé que « sacré nom, Amy » n'était pas la bonne façon de l'aborder. Ils étaient déjà loin de la ville avant qu'il ne se remît à parler, lui racontant — à sa grande surprise, car il ne parlait de la guerre que très rarement — l'histoire assez ennuyeuse d'un homme, un de ses amis, qui avait reçu des gaz dans les yeux. Fusil mitrailleur, dit-il. Ce n'était pas très intéressant : elle regardait les champs, alternativement verts ou verts et blancs selon que les cueilleurs les avaient parcourus ou pas ; elle n'avait entendu que des bribes de l'histoire. La scène devint alors un hôpital derrière les lignes ; l'ami était couché, un bandeau sur les yeux, et Drew était assis à ses côtés. Ils causaient. L'homme lui demandait quelque chose. Il était aveugle et il allait être renvoyé chez lui : un revolver.

— Et tu le lui as donné ? dit Amy, l'interrompant.

— Parfaitement.

— Ce n'était pas un peu risqué ?

— Risqué ? Comment ça, risqué ?

— Le revolver, on pouvait le retrouver.

— Non, non, il m'appartenait. Je l'avais ramassé au cours d'une retraite. Il ne quittait pas la route des yeux et, brusquement, sans la moindre raison, Amy sentit que tout cela n'était que mensonge. Il inventait tout.

— Il s'en est servi ?

— Il s'en est servi la nuit même ; Drew regardait toujours la route. Il conduisit pendant quelque temps en silence. Puis il dit :

— Est-ce que tu trouves que j'ai bien fait ?

— Sans doute, si c'était ce qu'il voulait.

— Non. Je veux dire, à part ça. Du reste, il était presque délirant — complètement braque. A cause de sa cécité. Est-ce que ça ne valait pas mieux pour lui ?

— Je ne sais pas. Ça dépend de ce qu'il en pensait lui-même. Regarde Jeff.

Drew ne répondit rien, mais il se mit à jeter un coup d'œil de temps à autre sans presque tourner la tête. Elle se demanda pourquoi il s'était donné tant de mal pour inventer tout cela ; cette histoire d'un aveugle et d'un revolver, et brusquement, elle se rappela quelque chose que Jeff lui avait dit cinq ans auparavant : *Tu es foncièrement mauvaise, Amy.* Elle sourit : « Je vais faire un petit somme », s'apprêtait-elle à dire. Mais elle dormait déjà avant d'avoir pu prononcer un mot.

Puis il la réveilla. Ils étaient arrivés. Le soleil était au zénith. Il était midi.

— Je dormais si bien, dit-elle. Je rêvais... Mais elle ne pouvait pas se rappeler. Elle y renonça. Où sommes-nous ?

— C'est Clarksdale là-bas, un peu plus loin sur la route.

Il avait déjà retenu une chambre du bureau. Ils y entrèrent. Elle était plus fraîche et plus propre que la plupart. Il y avait des rideaux suisses pointillés aux fenêtres et une lampe pour lire à chaque lit. Ils en étaient maintenant à la période des lits jumeaux. Amy regarda autour d'elle.

— Tiens, c'est vraiment joli. Comment nous appelons-nous ?

— Amos Tooth, dit-il solennellement. Tous les deux éclatèrent de rire, car c'était un jeu auquel ils s'adonnaient.

A chaque voyage, Drew signait un nom différent sur le registre. Il était vraiment très habile à ce jeu. Une fois, il avait signé "Major Malcom Barcroft", ce qui n'était pas très drôle — une sorte de plaisanterie personnelle — mais la fois suivante, il s'était rattrapé en signant : "David Copperfield" ; Amy était toujours : "et Madame". Peu après, il l'appela ainsi : « Alors, on va déjeuner et Madame ? »

Il y avait un restaurant un peu plus loin sur la route.

Ils déjeunèrent et rentrèrent tout droit se coucher. Plus tard dans la journée, le soleil étincelait en rayons dorés sur les stores qui se gonflaient et soupiraient de temps à autre dès qu'il y avait une petite brise. Tout alanguie, Amy, étendue, écoutait. La baguette au bas du store tapotait le bord de la fenêtre et le rythme la fit s'endormir. Quand elle s'éveilla, il faisait presque nuit. Drew était couché dans le lit voisin, pâle ombre nue qui soufflait des ronds de fumée gris acier dans cette semi-obscurité. Elle l'observa à travers la frange de ses cils. Au bout d'un instant, elle dit :

— Pourquoi as-tu inventé toute cette histoire d'aveugle ?

— Inventé ?

— Oui.

Il ne dit rien. Quand il était pris au dépourvu, il n'était jamais bon menteur.

— J'attendais de voir ta réaction, dit-il, puis il ajouta aussitôt : Du reste, c'est vraiment arrivé à un de mes amis.

— A l'aveugle ?

— Non, à celui qui lui a donné le revolver.

— Oh, il le lui a vraiment donné ?

— Enfin, oui — il a failli. Et après, il s'est demandé s'il n'aurait pas dû le faire.

— Je vois. Elle réfléchit un instant : et qu'est-ce qu'il est devenu ?

— L'aveugle ? Je ne sais pas. Quelqu'un m'a dit qu'il s'était vraiment tué sur le bateau, en revenant. Je ne sais pas. Il y en avait des tas comme lui.

Elle le regarda allumer une autre cigarette, le visage blafard dans la lueur. Quand il eut soufflé l'allumette, l'obscurité redevint complète. On aurait dit que la nuit était tombée pendant la courte vie de la flamme. Il était couché sur le dos ; le bout de cigarette brillait et pâlissait comme un signal lumineux :

— Est-ce que tu avais très peur à la guerre ?
demanda-t-elle.

— Pas très, non. j'avais ce que tu pourrais appeler
modérément peur — toutes proportions gardées. Il
parlait lentement. Quand j'y repense — toute l'excitation et le reste — je crois que ça a peut-être été la
meilleure partie de ma vie. Je connais un vieux type
qui habite Lamar Street et qui vendrait son âme pour
dix minutes de ce que j'ai vécu pendant près de deux
ans.

Amy n'insista pas. La cigarette brillait, et pâlissait,
brillait et pâlissait. Il réfléchissait, puis il dit :

— Nous avons tous à peu près la même dose de
courage. La seule différence, c'est lorsqu'il s'agit de
savoir si nous désirons l'utiliser quand l'occasion s'en
présente. Prends notre cas, nous voulons quelque
chose au-delà de tout ceci — il fit un geste, traçant un
arc rouge du bout de sa cigarette : Que nous la
saisissions ou pas, ça nous regarde. La question, c'est
de savoir si on utilisera son courage.

— Qu'est-ce que tu veux dire ?

— Ceci, dit-il. Et le sommier grinça sous lui. Il
s'assit et lança la cigarette par la porte de la salle de
bains. Elle tomba sur le carrelage comme une comète
en miniature au milieu de petites étincelles. Tandis
qu'il parlait, la lueur faiblit puis s'éteignit. C'était le
but qu'il poursuivait. Il prit son temps et expliqua
clairement les choses. Qui serait surpris d'apprendre
que le jeune domestique, en venant travailler un matin,
avait trouvé l'aveugle gisant au bas de l'escalier, après
s'être cassé le cou la nuit précédente. On dirait qu'il
s'était levé vers minuit pour boire un verre ou manger
quelque chose et qu'il avait manqué la marche. C'était
aussi simple que cela. Drew parlait à mi-voix comme
un conspirateur — moins par peur d'être entendu
cependant, que poussé par le désir de voir la réaction

d'Amy en entendant ces mots. Quand il eut terminé, il attendit qu'elle parle. Elle attendit également. Une bonne minute s'écoula avant qu'elle ne réponde :

— Tu veux que je lui tienne les jambes ou quelque chose comme ça quand tu lui feras un croche-pied ?

Dans l'obscurité, il ne pouvait pas voir qu'elle souriait de son sourire habituel, les lèvres tombantes ; il ne perçut pas la moquerie dans sa voix. Il était trop content des mots eux-mêmes pour prêter la moindre attention au ton sur lequel ils avaient été prononcés :

— Non, non, dit-il en se penchant et parlant rapidement ; tout ce que je veux, c'est... et il fut interrompu par un éclat de rire.

Tandis qu'elle riait, il était là assis dans les ténèbres et il la haïssait. Elle dut attendre un peu avant de pouvoir parler, mais moins longtemps qu'il ne semblait. Puis elle dit :

— Ma parole, mon petit Drew, à toi le pompon.

Cela arriva juste à temps, car, à la vérité, elle commençait à se fatiguer de lui, et non seulement de lui, mais du Delta également. Non qu'il l'ait déçue. Les jours où, dans son jargon d'artilleur, il tirait des "décharges prématurées" étaient passés depuis longtemps et elle avait eu maintes occasions de se féliciter de sa patience au cours des premières semaines qui avaient été pénibles : maintenant, dans leurs combats de gladiateurs, c'était très fréquemment Amy qui, trempée de sueur et épuisée, s'étalait sur le matelas, bras et jambes écartés, et Drew qui se penchait sur elle avec son visage de faucon triomphant et la contemplait — "Hein ! Hein ! Bon Dieu !" — victorieux après les amères défaites de leurs premières rencontres. Elle n'avait pas à se plaindre à ce point de vue. paradoxalement, elle se fatiguait de lui, pour la même raison qui au début l'avait attirée vers lui, son essentielle promiscuité. Ce n'était pas plus compliqué que ça. Elle voulait du changement.

Un an et six mois, c'était trop long pour elle, plus long que ses liaisons avec quiconque auparavant — plus long même que sa liaison avec Jeff — en ce sens particulier. Ce qui faisait durer l'affaire, c'était le charme de la clandestinité, l'air de conspiration et les subterfuges variés que Drew employait. Elle avait eu raison quant à son air de conspirateur du début, et maintenant il s'avérait que lui avait eu raison de l'adopter. Car c'est cela qui la retenait, cela et son habileté dans les subterfuges. Il ne prenait aucun risque, même avec l'aveugle. Observer son air grave à la table de Briartree quand il discutait de finances ou de politique avec Jeff, tout en se tournant vers elle de temps à autre avec la déférence qu'un invité doit avoir envers son hôtesse : « N'est-ce pas vrai, Mrs. Carruthers ? » (ou plus tard : « N'est-ce pas vrai Amy ? », car il avait décidé que trop de formalités aurait semblé suspect) valait beaucoup mieux qu'une séance de cinéma. Il aurait dû être acteur, pensait-elle. Parfois, il lui arrivait de rire au point que des larmes de joie lui montaient aux yeux ; elle se cachait alors le visage dans sa serviette, prétendant qu'elle avait avalé de travers. « Buvez un peu d'eau », disait Drew, très attentionné. Il n'aurait même pas souri à ce moment-là. Il se permettait tout au plus une lueur au fond de la pupille de chaque œil, ce qui la faisait rire de plus belle, à tel point que, finalement, elle se trouvait forcée de sortir de table. Tout cela avec la série de noms sur les registres d'hôtels et de motels, depuis David Copperfield jusqu'à Amos Tooth — et Madame — flattait énormément son simple et quelque peu cruel sens de l'humour.

Parfois, la nuit, quand ils s'arrêtaient à vingt ou trente kilomètres de distance, Drew la quittait aussitôt la nuit tombée et revenait environ trois heures plus tard. Il la réveillait, s'asseyait près d'elle sur le lit et lui disait qu'il était resté à causer avec Jeff à Briartree, pour faire disparaître toute cause de soupçon. Sans cela, il aurait pu commencer à s'étonner de ne jamais voir Drew quand Amy n'était pas là et il n'aurait eu qu'un pas à faire pour les supposer ensemble. « Je lui ai demandé : "Où est Amy ?" et il m'a dit — tu sais comme il parle : "Oh ! elle est allée faire des courses à Memphis. J'ai l'impression que depuis quelque temps elle achète des quantités de robes..." Drew imitait la voix de Jeff à la perfection, querelleuse et tremblante dans le registre supérieur ; il était même parvenu à lui ressembler beaucoup quand il le citait, gonflant un peu les joues, rentrant les coins de la bouche, les yeux dans le vague. Amy ne pouvait s'empêcher de rire. Il aurait dû être acteur, pensait-elle.

Néanmoins, tout n'avait qu'un temps et il cesserait sans doute un jour de l'amuser. Les plaisanteries n'étaient plus aussi drôles la troisième ou la quatrième fois ; elle désirait une nouvelle paire de mains pour la caresser fiévreusement, une nouvelle voix pour haleter des mots différents à son oreille. Elle commençait à envisager une rupture. Cette excursion dans le Delta — la semence aveugle touchant au port — avait depuis longtemps donné le résultat qu'elle avait en tête. (Comment s'appelait-il déjà, Perkins ? Était-ce bien son nom ?) Elle s'ennuyait presque au point de tenter d'y remédier. C'est alors que dans le calme crépuscule de septembre, Drew suggéra le meurtre, et elle sentit renaître son intérêt : « Tu veux que je lui tienne les jambes ? » dit-elle. Elle l'avait sous-estimé et elle avait beau rire, il y avait derrière ce rire une certaine admiration. Et puis elle ne tarda pas à cesser de rire.

Dès le début, elle savait ce qu'il cherchait vraiment,

au-delà de la chair, et il lui semblait maintenant qu'elle aurait dû s'y attendre. Depuis la nuit de leur première relation intime, Drew l'avait écoutée avec un profond intérêt quand elle lui racontait ses aventures dans le grand monde, tout spécialement pendant les cinq ans où elle était allée en Europe jouir de son héritage. Il écoutait, absorbé, quand elle lui parla de Jeff tirant des coups de revolver en entendant le bruit précipité des souliers du petit copain espagnol de la veuve, puis il éclata de rire en se frappant la cuisse. Mais c'était exceptionnel. Le plus souvent, il écoutait avec un plaisir tranquille et quelque impatience comme un enfant à qui on commence à enseigner l'histoire en lui contant des vies de rois et de héros, car il lui tardait de faire lui-même des choses semblables — avec l'argent de Jeff et la femme de Jeff. Elle aurait donc pu s'attendre à la demande en mariage ; elle s'en rendit compte, quand il l'eut faite et qu'elle eut cessé de rire, car c'était là une sensation qu'elle n'avait encore jamais ressentie. C'était aussi l'occasion de divertissements au-delà de tout ce qu'elle pouvait imaginer.

Non qu'elle eût l'intention de pousser l'affaire jusqu'au bout. Jeff lui convenait trop bien à tous points de vue, et elle ne se faisait aucune illusion sur Drew dans son rôle de mari. Bien plus, elle savait que l'ennui reviendrait, suivi d'une rupture. Mais elle voyait des possibilités pour un intérim amusant et elle le prit pour ce que ça valait, croyant qu'elle était maîtresse de la situation. Ce fut le début d'une relation plus intime entre eux trois, une espèce de répétition — comme Drew le croyait — en vue de ce qui allait se passer. Peu après le premier de l'an, Amy et lui n'allaient plus à la campagne pour leurs plaisirs. Ils les prenaient sur place, dans la maison, presque sous le nez de l'aveugle. Drew ne négligeait pas entièrement de prendre quelques précautions, car il se rappelait les coups de revolver tirés sur l'Espagnol, mais il en était arrivé à croire qu'il se serait presque réjoui d'une scène semblable. Pour un petit risque, encore que nulle excuse ne serait nécessaire aux yeux du monde — sans parler du verdict du jury qui, s'il y en avait un, serait mort accidentelle — cela lui donnerait l'occasion de plaider la légitime défense devant sa conscience.

Les choses allèrent bon train. Amy pouvait sentir l'approche du dénouement — Drew sans doute pouvait la sentir aussi, car, maintenant, leurs rendez-vous galants avaient la nervosité frénétique des scènes du même genre dans les vieux films d'autrefois, pendant que la salle, tassée sous le rayon du projecteur lumineux, attendait que Valentino ou John Gilbert, reproduits à l'écran en éclairs blancs et noirs, s'interrompent dans leur rôle et s'écrient, brûlants d'impatience — cela faisait partie de l'illusion : "Enlevez-moi ces caméras de là" ; et pourtant il n'arrivait rien. Et puis, une nuit d'avril, ils essayèrent quelque chose de nouveau. Drew alla dîner à Briartree, après quoi, tous les trois s'assirent dans le salon. La pendule électrique bourdonnait sur la cheminée. Pendant longtemps personne ne parla. Les domestiques étaient partis. Drew dit alors : « Bien », et il se leva. Il était à peine plus de 9 heures :

— Merci beaucoup de ce repas. Je crois qu'il est temps que je rentre.

— Il est encore tôt, dit Jeff.

— J'ai une rude journée demain, dit Drew. Bonne nuit, et Amy l'accompagna jusqu'à la porte ; chose qu'elle n'avait jamais faite auparavant :

— Bonne nuit, dit-il en ouvrant la porte.

— Bonne nuit, dit-elle, et allongeant le bras devant lui, elle la ferma d'un coup. Ils restèrent debout dans le vestibule face à la porte fermée. Il ne comprit qu'au moment où elle lui montra l'escalier. Alors, docilement, il monta sur la pointe des pieds et attendit sur le palier pendant qu'elle rentrait dans le salon. Il l'entendit dire à Jeff : « Bonne nuit. » Elle le rejoignit dans l'escalier et tous les deux se rendirent tranquillement dans sa chambre. Au bout d'un instant, ils entendirent Jeff qui faisait marcher le phonographe. Cela dura jusqu'à minuit, puis ils l'entendirent monter l'escalier et longer le couloir jusqu'à sa chambre. Drew partit juste avant l'aube et arriva chez Mrs. Pentecost avec assez de temps devant lui pour prendre un bain et se raser avant le petit déjeuner.

« J'ai une rude journée demain » avait-il dit, sans en croire un mot ; mais c'était vrai. Il avait les yeux rouges et était engourdi par le manque de sommeil. Tu n'es plus aussi jeune qu'autrefois, pensa-t-il. Cependant, il se rappelait que le jour de la délivrance approchait. Il était à l'étage maintenant, familier de la disposition des parquets. Tout cela était une espèce de répétition, un tour pour rien, et il continua à travailler l'idée. Deux fois encore pendant la quinzaine suivante, il dit « bonne nuit » et resta ; le lendemain, il arrivait au bureau les yeux tout rouges. La quatrième fois, c'était le second lundi de mai, et les journaux ne parlaient que de la percée des Allemands. Von Rundstedt avait traversé la Meuse. Après dîner, Drew, Jeff et Amy étaient assis dans le salon ; exactement comme par le passé. La pendule bourdonnait, les domestiques étaient partis, personne ne parlait. Puis Drew se leva :

— Bien, merci encore. Je crois qu'il est temps que je parte.

— Si tôt ? dit Jeff.

— J'ai une rude journée demain, lui répondit Drew, sachant que c'était vrai. A part le fait qu'il savait cela, tout était comme par le passé. Amy et lui se levèrent. Mais cette fois, Jeff se leva aussi, et tous les trois traversèrent le vestibule d'entrée où Drew prit son chapeau qui était sur la grande table. Amy l'accompagna jusqu'à la porte, mais Jeff s'arrêta devant son bureau. Il voulait écouter quelques disques avant d'aller se coucher. Drew ouvrit la porte. « Bonne nuit », dit-il. Jeff leva une main comme s'il l'agitait de loin, bien qu'il ne fût qu'à quatre mètres de lui.

— Bonne nuit, dit Amy, se demandant ce que Drew allait faire. Elle n'eut qu'un instant pour se le demander, car il ferma bruyamment la porte et tous les deux se retrouvèrent ensemble, les yeux fixés sur Jeff. Amy eut le sentiment qu'il devait entendre battre leurs cœurs. Il restait là debout sur le seuil de son bureau, les yeux rivés sur Drew ; il donnait l'impression que la vue lui était rendue. Puis, pour renforcer cette impression, il dit d'une voix soudaine, mais calme, comme s'il regardait encore Drew :

— Qui croyez-vous tromper ?

Drew fut si stupéfié qu'il faillit répondre. Mais Amy passa devant lui et se dirigea vers son mari :

— Pourquoi est-ce que j'essaierais de vous tromper. Je ne vous ai encore jamais trompé.

— Pas que je sache, vous voulez dire ?

— Oui, c'est peut-être cela que je veux dire. Oui. Bonne nuit.

Jeff haussa les épaules et rentra dans son bureau et Amy s'arrêta au bas de l'escalier. Là, elle se retourna et fit un signe à Drew qui, sur la pointe des pieds, passa devant la porte du bureau, sans faire le moindre bruit sur le tapis. En passant, il vit l'aveugle assis dans son fauteuil, le visage tourné vers le vestibule. Drew tressaillit. Amy et lui montèrent ensemble au premier.

Arrivé dans la chambre, il dit nerveusement :

— Tu crois qu'il m'a vu ?

— Qu'il t'a vu ?

— Qu'il savait que j'étais là ?

— Oh ! Il fait toujours un tas de suppositions et sonde au hasard. Tiens : dégrafe-moi.

Elle avait sans doute raison car ils ne tardèrent pas à entendre le phonographe qui jouait *Two Nineteen* de Jelly Roll Morton. Au début, c'était lui qui parlait ; « Les premiers *blues* que j'aie sans doute jamais entendus », disait-il. Il parla encore ; ses doigts couraient sur les touches. Puis, il se mit à chanter et on avait l'impression qu'on pouvait le voir rejeter la tête en arrière, le visage tiré, ascétique d'un moine au teint cuivré, la peau bien plaquée sur le crâne :

Deux heures dix-neuf m'a emporté ma môme
Deux heures dix-sept me la rapportera un jour

Mais Drew avait raison. Jeff l'avait vu — c'est-à-dire, il savait qu'il était là. Depuis quelque temps déjà, juste après le Nouvel An, il s'était peu à peu rendu compte de ce qui se passait entre sa femme et Drew. Bien plus, il savait exactement où, car il les avait entendus monter l'escalier ensemble, la semaine précédente. Drew était revenu d'une période d'entraînement dans la garde et il portait son uniforme, et Jeff avait entendu le craquement de ses bottes et le léger cliquetis de ses éperons et des chaînes de son sabre. C'était au début de mai. Jeff n'était pas allé jusqu'à la porte avec eux et, assis, dans le salon, il avait pensé tout d'abord qu'Amy traversait seule le vestibule. Puis il se rappela qu'elle ne portait pas de bracelet, et il put identifier ainsi le tintement que seul un aveugle pouvait entendre. « Je monte », cria-t-elle du vestibule. Le tintement cessa.

— Bonne nuit, dit-il, et le léger bruit recommença, combiné maintenant avec un craquement de bottes qui montaient l'escalier.

Sa première réaction fut de l'incrédulité, puis de la

colère, puis à nouveau de l'incrédulité. Il ne parvenait pas à croire à tant de chance. Depuis plus de trois mois et avec une ardeur croissante à mesure que sa conviction augmentait, il avait comploté, espérant de leur part une conduite qui les mettrait à sa merci. Et maintenant, ça y était. Néanmoins, il ne fit rien cette nuit-là, se rappelant comment les incidents auxquels étaient mêlés le moniteur de ski autrichien et l'Espagnol de *Maman* avaient sombré dans le ridicule ; cette fois-ci, il agirait selon un plan.

De plus, c'était une nouvelle sorte de jalousie — une jalousie à deux coups, pourrait-on dire, un coup pour l'homme et l'autre pour Amy ; aussi fallait-il être deux fois plus prudent. Elle était la séductrice et Drew le bien-aimé, d'une part ; de l'autre, elle était la propriété et Drew, le voleur : deux raisons d'agir.

Cependant, il ne fit rien cette nuit-là. Il se rendit dans son bureau et dressa ses plans de campagne. Plus tard, il monta dans sa chambre, mit son pyjama et se coucha, parachevant les détails de son action. Puis il se leva et se livra à une répétition de ce qu'il comptait faire : il marcha doucement dans le couloir jusqu'à la porte d'Amy. Il les entendait chuchoter et pendant presque dix minutes, il resta l'oreille collée à la porte. Puis il retourna dans sa chambre. Il s'étendit en souriant dans le clair de lune et il finit par s'endormir. Il se réveilla quand le soleil vint lui réchauffer le visage. Il n'avait pas entendu Drew partir. Mais cela importait peu — le départ de Drew n'avait rien à voir dans son plan de campagne.

Ainsi, dix jours plus tard, le deuxième lundi de mai, il était prêt : si prêt en fait et dans une position si avantageuse qu'il pouvait se permettre de prendre les choses à la légère comme un chasseur qui laisse un canard s'envoler au-dessus de l'étang. Il les suivit dans le vestibule et attendit devant la porte de son bureau.

« Qui croyez-vous tromper ? », dit-il quand la porte claqua en s'adressant directement à Drew, les yeux sur l'endroit où il savait qu'il devait être. Il l'entendit étouffer un soupir d'étonnement et il ressentit toute la jouissance qui récompense l'esprit sportif, la considération du chasseur pour ce qu'il chasse. C'était la plus profonde des intimités, comme une espèce d'étreinte, chair contre chair ; pendant un instant, il ressentit toute la nervosité du chasseur débutant. Puis Amy s'approcha et gâcha tout. Jeff répliqua aigrement, rentra dans son bureau d'où il ne tarda pas à entendre passer Drew sur la pointe des pieds, marchant à pas comptés comme autant de petites houppettes qu'on aurait laissées tomber de haut.

Il les écouta monter l'escalier et compléta ainsi la phase 1. Il avait conçu son plan en trois phases. Maintenant commençait la phase 2 qui devait se terminer quand il arriverait à la porte d'Amy. Il mit sur son phonographe le disque de Jelly Roll Morton et quand il fut terminé, il en joua un autre — un homme et une femme dans une chambre crasseuse de n'importe quel hôtel, l'homme au lit, la femme, la main sur le bouton de la porte :

> *Ne m'laisse pas là.*
> *Ne m'laisse pas là,*
> *Mais s'il faut que tu t'en ailles,*
> *Laisse-moi dix sous pour la bière.*

C'était un de ses disques favoris, et pourtant il l'écouta à peine. Quand le disque fut terminé, il l'essuya avec la petite brosse et le remit à sa place. Puis il choisit un Bessie Smith et cette fois, il l'écouta malgré lui.

> *Je m'suis réveillée ce matin*

avec un affreux mal de tête
Je m'suis réveillée ce matin
avec un affreux mal de tête
Mon nouvel homme m'avait laissée,
juste une chambre et un lit tout vide.

Sa voix chaude et fière s'élevait, bien que Bessie elle-même fût morte depuis deux ans. Elle était morte après un accident d'automobile à cinquante kilomètres de Briartree ; on l'avait conduite à temps à l'hôpital, mais les autorités n'avaient pas pu l'admettre — sa couleur n'étant pas la bonne — et l'hémorragie l'avait emportée.

Il écoutait, la tête penchée. Il avait des souliers à semelles de caoutchouc, des chaussettes de laine blanche, un pantalon de flanelle grise et une chemise de polo, entrouverte à la gorge. C'était un Jeff tout différent de celui qui était arrivé douze ans auparavant de Caroline ou de celui qui était revenu d'Europe, il y avait moins de cinq ans. Son bronzage avait pâli, il commençait à s'empâter. Ses muscles pectoraux qui avaient été autrefois ceux solides et carrés d'un athlète, s'étaient réduits à des proportions presque féminines ; le dessin des côtes avait disparu sous une couche de graisse qui lui épaississait le torse depuis les aisselles jusqu'aux fesses. Plus qu'à tout autre chose, il ressemblait à un eunuque, ou plus exactement à la conception classique de l'eunuque — comme si l'éclat de verre du pare-brise l'avait castré physiquement aussi bien que psychologiquement. Cependant, derrière cet extérieur endommagé guettait encore, comme un fantôme dans une maison en ruine, le joueur qui avait entendu acclamer son nom du haut de la tribune principale, qui avait accepté avec joie les chocs, les fractures, meurtrissures et contusions possibles, pour l'amour (ou la haine) d'une seule femme perdue dans la multitude des fanions, comme dans les tournois anciens, et qui l'avait gagnée — mais nullement grâce à ses prouesses au football — si bien que maintenant, presque vingt ans après, elle l'attendait au haut de l'escalier, l'invitant à une autre rencontre ; la chaîne de chair s'était reconstituée. Et maintenant, comme alors, il acceptait avec plaisir les chocs, les fractures et les contusions. Il sortit son pistolet.

Il se trouvait à l'endroit où il l'avait toujours gardé depuis la Suisse, dans un nid de fils de fer sous le plateau aux aiguilles usées, mais à côté d'une boîte qui contenait trente-huit des cinquante cartouches du début. Six étaient dans le pistolet, les six autres avaient été utilisées à l'hôtel de Cannes. Il n'avait plus tiré depuis ; mais, de temps en temps, il le démontait, le nettoyait et le huilait. Une fois, il s'était mis le canon dans la bouche pour voir ce qu'était le suicide, mais il avait tellement été tenté d'appuyer sur la détente qu'il s'était empressé de l'enlever, pris de peur, et, depuis ce jour-là, sa gorge se contractait quand il se rappelait le goût du métal huilé. Mais maintenant, il ne pensait plus à tout cela ; il restait simplement là, assis, le pistolet sur les genoux attendant la fin de son disque.

> *Seigneur, il a ce quelque chose si doux,*
> *et je l'ai dit à ma copine Lou,*
> *Il a ce quelque chose si doux*
> *et je l'ai dit à ma copine Lou,*
> *Qu'à voir comme elle est folle de lui,*
> *elle a dû y goûter aussi.*

C'était la fin de la première face. Jeff s'y attendait, la main toute prête au-dessus du bras acoustique et, après la plainte de la note finale, il souleva l'aiguille du sillon, changea la face du disque et reposa l'aiguille. Pendant trois tours, on n'entendit qu'un sifflement

mécanique, puis la musique reprit *Empty Bed Blues*,
deuxième partie.

> *Quand mon lit est vide,*
> *ça me rend toute méchante et triste.*
> *Quand mon lit est vide,*
> *ça me rend toute méchante et triste ;*
> *Et mes ressorts commencent à se rouiller*
> *A force de dormir toute seule.*

Bessie disait *blue* avec l'u français que les étudiants
ont tant de mal à apprendre. La première fois qu'elle
le dit, Jeff était en bas de l'escalier, à la deuxième fois,
il était en haut, marchant sur ses semelles de caoutchouc, le pistolet à la main. Il se déplaçait avec la
confiance de l'aveugle chez lui, sans avoir à s'arrêter
pour pouvoir se retrouver, sans même avoir à compter
ses pas, mais prêt à n'importe quel moment à avancer
le bras et à toucher les tables, les chaises, les boutons
de porte qui se trouvaient à sa portée, comme si une
espèce d'aura émanait des objets, un effluve, ou tout
au moins un reflet, qui électrisait les invisibles anten-
nes de l'aveugle. Il s'arrêta à la porte de la chambre
d'Amy. Phase 3.
Malgré ses plans soigneusement établis, la stricte
observance de son emploi du temps, il était en avance.
Il se pencha, appuya son oreille contre le panneau et
entendit les murmures préliminaires qui continuaient
encore, ponctués par le bruit des baisers. En bas,
Bessie chantait ses blues, indifférente à toute souffrance qui n'était pas la sienne, et, entre les paroles, un
trombone sanglotait et gémissait.

> *Il m'a donné une leçon*
> *que j'avais jamais eue avant,*

Il m'a donné une leçon
que j'avais jamais eue avant

Quand il a eu fini de m'enseigner
J'avais mal des coudes aux pieds.

Il se rappela que c'était Charles Green qui était le trombone. Puis il resta immobile, la tête contre le panneau. Derrière la porte, les murmures avaient cessé. Il entendit les premiers grincements timides des ressorts. Mais il attendait toujours, le revolver dans la main droite et la main gauche posée sur le bouton. En bas, la chanson en était à sa dernière strophe, cependant que le grincement timide qui sortait de la chambre se transformait en un grondement régulier, étouffé et en cadence ; il tourna le bouton de la porte.

Après avoir bien fait l'amour
n'va pas conter ça à tout le monde ;
Les filles te trahiraient
et te laisseraient avec ces
Empty Bed Blues.

A la dernière note, juste avant que commence le sifflement mécanique, Jeff ouvrit la porte, entra, la referma doucement d'un revers du bras. Les ressorts du sommier grinçaient maintenant davantage et le guidèrent vers le lit. Bien qu'il ne le sût pas, une lampe de chevet brûlait. Comme il approchait, son ombre apparut sur le mur derrière lui, ses épaules voûtées, gigantesques. Il s'arrêta contre le lit, posa le plat de la main gauche sur le bas du dos de Drew, appuya dessus la base de son autre poing qui tenait le revolver et fit glisser la main gauche en remontant la colonne vertébrale de Drew comme une tarentule. Tout cela avait été médité : la colonne vertébrale guida le revolver jusqu'à la cervelle. Cette fois, il ne le raterait pas. Drew, en admettant qu'il ait senti la main, avait dû sans doute penser que c'était celle d'Amy. Néanmoins, il était douteux qu'il s'en fût aperçu, car il approchait de cette brève extase qui se caractérise — comme nulle autre sensation, sauf peut-être l'extrême douleur (et sans doute la nausée) —, par une profonde indifférence pour tout ce qui vous entoure ; quels que soient les sentiments de chaleur, de tendresse qui peuvent venir lécher les rives de ces petites îles en dehors du temps, sur le fleuve du temps, personne n'est jamais aussi seul que dans cet instant de contact le plus intime. Amy, cependant, sentant que quelque chose lui frôlait le genou, ouvrit les yeux et vit Jeff, le pistolet à la main. Elle poussa un cri et frémit de surprise. Mais là encore, Drew, en admettant qu'il ait vu quelque chose, avait dû sans doute interpréter ce cri d'alarme et sa brusque contorsion comme une sorte d'évidence d'un plaisir semblable au sien. Peu lui importait. De toute façon, il lui restait si peu de temps, car Jeff appuyait déjà sur la détente.

Il tira deux fois. Au premier coup, Drew frémit simplement, spasmodiquement, mais, au second, il fit un bond qui lui fit quitter le matelas. Il tomba sur le dos, trébucha de côté et roula par terre aux pieds de Jeff. Pendant ce temps, Amy, soulagée de son poids, avait sauté du lit dans l'autre direction. C'est alors qu'elle commit une première erreur. Elle se précipita vers le coin le plus éloigné au lieu de se diriger vers la porte. Ses pieds nus faisaient des bruits sourds sur le tapis et Jeff se retourna pour se diriger vers elle en contournant le pied du lit. Personne ne parlait. Amy, blottie dans un coin, comme si elle avait honte de sa nudité, le regardait approcher comme un homme qui cherche à attraper un dindon dans une cour de ferme. Plus il approchait, moins elle avait de place pour le

contourner. Plus vite elle atteindrait la porte, meilleu-
res seraient ses chances de s'en tirer. Elle décida de s'y
précipiter et c'est alors qu'elle commit sa seconde
erreur. Elle se dirigea vers la droite, le plus loin
possible de la main qui tenait le revolver. Elle faillit
réussir. Elle avait presque pu passer quand Jeff, de sa
main libre, lui effleura les cheveux et s'y agrippa. Il la
saisit : « Jeff ! » cria-t-elle, mais il la traînait inexora-
blement contre sa hanche, la main gauche toujours
crispée dans ses cheveux. Ils restèrent ainsi un instant,
immobiles comme des danseurs qui exécutent une
danse de mort, puis il la frappa deux fois avec le
pistolet, une fois sur la joue droite et une fois sur
l'arête du nez, puis, lui ébréchant les dents, il lui
enfonça le revolver dans la bouche. En bas le phonographe grinçait. Il restait encore quatre balles.

9.

MISS AMANDA

On fit au major Barcroft des funérailles militaires.
Le colonel Tilden, accompagné par ce qui restait de
son état-major, se mit au port d'armes pendant qu'un
clairon sonnait faux l'extinction des feux et que six
gardes nationaux de la batterie locale, en bottes lacées
et culotte kaki, chemises d'ordonnance olivâtres et
casques en forme de plonge tiraient trois maigres
salves au-dessus de la tombe. Le cimetière était bondé.
Les spectateurs se pressaient autour du dais funéraire
et s'éloignaient en files sans cesse plus minces en
direction de la grille par laquelle le corbillard était
entré avec le cercueil recouvert d'un drapeau. Parmi
eux, il y avait des vétérans — dont certains — les
quelques grisonnants appuyés sur leurs cannes, la
bouche tremblante et les yeux larmoyants, venus
honorer ce vieux soldat qui avait accompli avant eux
une si longue marche vers la mort — avaient fait partie
de sa compagnie dans les « Second Mississippi », il y
avait plus de quarante ans ; mais la plupart étaient des
légionnaires qui portaient de confortables petites tu-

niques bleues et des petits képis à lisérés jaunes coquettement inclinés sur l'œil. Plusieurs avaient passé à travers le feu, comme l'indiquaient les képis d'outre-mer, les rubans et les fourragères et avaient vécu au milieu des balles bourdonnant au-dessus de leurs têtes comme les cordes pincées d'un gigantesque instrument de musique. D'autres, tel était le cas de l'homme qu'ils venaient juste d'enterrer, n'avaient jamais vu de bataille.

Tendant le cou et insistants, ils circulaient, se poussaient du coude et marchaient sur les tombes, déçus d'avoir manqué l'attraction principale, l'élément qui les avait attirés avant tout ; car Amanda n'était pas là — elle était à l'hôpital dans le pavillon des isolés où le Dr Clinton l'avait fait enfermer la veille. Elle était complètement ahurie, ne s'intéressait à rien de ce qui se passait autour d'elle, ne parlait à personne et ne semblait pas se rendre compte de ce qui venait d'arriver, ni même de l'endroit où elle se trouvait. Elle était étendue sur le petit lit de fer et regardait droit en face d'elle ; et ses yeux étaient secs et vides. Un groupe de femmes, y compris celles qui, le jour précédent, avaient été les premières à arriver sur la scène de Lamar Street, se tenaient dans le couloir, portant des fleurs fraîchement coupées comme des billets d'entrée. C'était un bourdonnement perpétuel, tel un essaim d'abeilles, jusqu'au moment où la porte s'ouvrait, l'infirmière et le docteur entraient et sortaient, imposant le silence. On la voyait, couchée là-bas, avec son visage au profil triste. Puis la porte se refermait, et les murmures recommençaient : « Vous l'avez bien vue ? Vous avez vu son *visage* ? »

Trois étages au-dessus, dans une chambre du coin, avec salle de bains privée, téléphone, et une pancarte : « Interdit aux visiteurs » sur la porte, Harley Drew se remettait de ses blessures. Au rez-de-chaussée, les femmes parlaient de cela aussi, de ce qui s'était passé à Briartree l'avant-veille dans la nuit : comment Jeff, avec Amy sur la hanche, le bout du pistolet dans la bouche, une balle restée dans le barillet et trois autres dans le chargeur, ayant soudain perdu courage ou changé d'avis, l'avait laissée tomber, avait renoncé et, contournant le corps de Drew, s'était rendu au téléphone de chevet et avait appelé le docteur à Ithaca, à cinq kilomètres plus au sud. Assis sur le lit, la tête dans les mains, il s'était mis à pleurer. Puis, il avait repris le téléphone et appelé une clinique de Bristol. « Dites-lui que j'ai dit : vite !» hurla-t-il dans l'appareil, comme si un appel à longue distance exigeait une voix plus forte. « Dites-lui que je le prie d'amener une infirmière et tous ses instruments. Elle est assez mal en point, je crois. » Amy était prostrée, à peine consciente, une joue ouverte, l'os du nez presque complètement aplati, la lèvre fendue avec, dans la bouche, des morceaux de dents, comme du sable et du gravier. Elle aurait voulu se traîner jusqu'à sa coiffeuse et se regarder dans la glace, mais elle avait peur de ce qu'elle verrait.

Le docteur d'Ithaca arriva au bout d'un quart d'heure. Il s'appelait Kidderman. C'était un vieux médecin de campagne qui travaillait autant avec les mules qu'avec les hommes. Il fit ce qu'il put pour Amy, désinfecta les coupures, tamponna les taches de sang en attendant l'arrivée de l'autre docteur et de l'infirmière. Tout cela parce qu'Amy avait insisté : elle ne jeta qu'un coup d'œil sur lui, sur sa cravate graisseuse, et sur les croissants gris au bout de ses ongles, et elle décida que le médecin de Bristol ferait beaucoup mieux l'affaire. Cependant le Dr Kidderman qui n'était pas du tout offensé — qui était plutôt soulagé de n'avoir pas à tenter une opération aussi délicate — se rendit près du corps qui gisait nu près du lit dans une flaque de sang coagulé et de sperme ; il se pencha pour un examen de routine avant de le recouvrir d'une couverture et s'écria soudain d'une voix étonnée : « Qu'est-ce que vous me racontez, mort ? Cet homme n'est pas mort du tout. »

Il y avait dans sa voix de la colère et aussi des reproches à lui-même autant qu'aux autres. Puis il se mit au travail avec une adresse inattendue. C'était beaucoup plus dans les cordes du Dr Kidderman qui, pendant plus de quarante ans, avait passé la seconde moitié de presque chaque samedi soir et la première moitié de chaque dimanche matin à rafistoler les survivants des bagarres au rasoir ou au pistolet qui éclataient et se répandaient dans tous les dancings noirs et les bouges autour d'Ithaca. Quand il eut essuyé le sang caillé qui emmêlait les cheveux tout autour des blessures, il constata que les deux balles avaient sillonné le crâne. On aurait dit que Drew avait été adroitement frappé sur la nuque par un tisonnier rougi. La fente la plus profonde avait été faite par la seconde balle et c'était celle qui l'avait commotionné. S'il avait été un des clients du médecin des bouges, on lui aurait fait deux douzaines de points de suture, entouré la tête de plusieurs mètres de gaze et on l'aurait renvoyé chez lui sur un brancard. Dans le cas présent, on téléphona pour avoir une ambulance qui arriva peu après que le clinicien et son infirmière eurent commencé à travailler sur Amy. Et Drew, toujours inconscient fut transporté à l'hôpital de Bristol.

Il ne reprit connaissance que dans l'après-midi. Peu avant 5 heures, il remua faiblement les paupières, les ouvrit, les ferma, puis les rouvrit. Il regarda l'infirmière à son chevet et les murs de plâtre gris de la salle d'hôpital. Il resta un moment silencieux. Il avait l'air assez calme, puis il dit : « Qu'est-ce qui m'a frappé ? »

C'était certes la question la plus naturelle et la plus

attendue. Le rire qui éclatait chaque fois qu'on racontait cela en ville était sans commune mesure avec les mots eux-mêmes. « Où est-ce que je suis ? », aurait été tout aussi bien et aurait provoqué la même hilarité, les mêmes petits coups de coude dans les côtes — vu l'endroit où il se trouvait quand on lui avait tiré dessus. Drew était dans la position du comédien favori dont l'entrée en scène est saluée par un rire incontrôlable avant qu'il ne parle ou ne fasse la moindre grimace, dont le portrait sur une affiche suffit à provoquer les rires. La gaieté réside dans l'attente de la gaieté : ils attendaient, la bouche toute prête à s'esclaffer. Certains, pourtant, dodelinaient de la tête avec un regret ironiquement sérieux : « Tout ce que je peux dire, c'est qu'il a raté l'occasion de s'offrir la mort rêvée. J'espère que, le moment venu, je m'en irai de la même manière. »

Ce fut également une espèce de contrepoint au scandale de Lamar Street. Ils avaient beau s'efforcer, ils ne pouvaient rien trouver de comique dans cette histoire mais uniquement de l'horreur. Aussi passaient-ils d'un sujet à l'autre avec l'agilité de trapézistes. Quand ils en avaient assez de méditer tristement, ils pouvaient rire et, quand ils étaient fatigués de rire, ils pouvaient se remettre à méditer tristement. Bristol n'avait pas eu cette chance depuis l'année 1911 quand Hector Sturgis, fils de la vieille Mme Sturgis, s'était pendu dans le grenier de sa mère après que sa femme eut été trouvée asphyxiée dans une chambre d'hôtel en compagnie d'un commis voyageur. Pendant toute une semaine, les commérages allèrent bon train ; mais après cela, des déformations étaient apparues ; le plus petit fait dans l'un ou l'autre de ces événements fut prétexte à des variations jusqu'au moment où, pour finir, quand la semaine fut terminée, les thèmes originaux avaient disparu comme cela arrive dans certains morceaux de Brahms. Les gens ne croyaient plus à rien de ce qu'ils entendaient dire ou de ce qu'ils disaient eux-mêmes. Dans les deux cas, ils avaient tué l'affaire, ils lui avaient donné la mort à force d'en parler.

Maintenant, ils n'avaient plus qu'une chose à attendre : la lecture du testament du major Barcroft, l'annonce de l'importance de sa fortune. Les opinions différaient beaucoup sur ce point-là, d'autant qu'il n'avait plus eu de compte en ville depuis 1928 quand Harley Drew était allé travailler à la Planters Bank. Les estimations allaient d'un demi-million — la somme qu'il possédait à ses débuts quand le père de sa jeune femme était mort — jusqu'à trois ou même quatre millions, selon que vous ajoutiez foi aux rumeurs de pertes (comme c'était le cas lors de l'achat de marks allemands après la guerre) ou aux rumeurs de coups sensationnels qu'il aurait faits par des coups de téléphone à Memphis. On croyait plus généralement cela cependant, car le major avait toujours été un homme tranquille qui ne discutait jamais ses transactions avec personne, et c'était l'avis général que les hommes pouvaient savoir taire leurs succès, se contenter de rayonner de satisfaction, mais, que jusqu'alors, personne n'avait trouvé le moyen de taire ses pertes, ne fût-ce que pour le plaisir de pouvoir tempêter très fort ou de refuser d'admettre ses faiblesses. L'exagération faisait également son chemin. A la fin de la semaine, ils s'informaient mutuellement qu'il y avait eu parmi eux un as de la finance. En même temps, ils frémissaient tant et plus devant l'étrange réaction de sa fille.

Des échos montaient jusqu'au troisième étage de l'hôpital où Drew restait étendu à plat ventre sur son lit de fer, pendant que les deux blessures longitudinales commençaient à guérir ; la première cicatrisation approchait et c'étaient de constantes démangeaisons pires que de la douleur — du moins, le pensait-il, maintenant que la douleur était atténuée. Quand il apprit la mort du major Barcroft, le matin de ses funérailles, sa première réaction fut du chagrin (du chagrin pour lui-même) accompagné du regret que sa mort ne fût pas arrivée un an et sept mois plus tôt, n'importe quand, avant cette dernière entrevue au début d'octobre de l'avant-dernière année, quand il lui avait lancé : "Je ne vous épouserai pas !", en regardant Amanda derrière son épaule et en passant rapidement devant elle, tout en franchissant l'escalier et en s'éloignant dans Lamar Street, pour finalement sortir de sa vie. Elle était en bas maintenant, lui dit son infirmière. Le corridor était plein de femmes porteuses de fleurs qui se poussaient les unes les autres pour mieux voir chaque fois qu'on ouvrait la porte. C'est ainsi qu'il se tenait au courant de son état. Le lendemain matin, elle prit son petit déjeuner et, dans l'après-midi, elle demanda ce qu'il y avait pour dîner. Elle semblait se tirer d'affaire ; du reste, le docteur avait dit qu'elle pourrait peut-être rentrer chez elle deux ou trois jours après. L'infirmière lui parla aussi des suppositions quant à l'importance de la fortune du major Barcroft, et Drew restait couché sur le ventre, dévoré de regrets et de démangeaisons sur sa nuque rasée.

Mais attends. Attends, pensait-il. Tout n'est pas perdu, se disait-il, comme l'Ange déchu de Milton. Amy était perdue — ça ne faisait aucun doute ; mais Amanda ? Non. Il pourrait se faire pardonner. S'il connaissait les femmes (et les femmes, je les connais, se disait-il), elle avait dû l'aimer beaucoup plus après leur séparation, car, depuis quand les mauvais traitements avaient-ils fait autre chose à l'amour sinon que le fortifier, du moins en ce qui concernait les femmes. Elle l'attendait maintenant, au rez-de-chaussée — elle l'avait attendu depuis le jour de son abandon — et maintenant qu'elle était débarrassée du père, elle se demandait sans doute, même dans son état d'hébé-tude, pourquoi Drew n'était pas arrivé en courant. Mais, sans doute, entendrait-elle parler des coups de feu. Cela le faisait hériter. Néanmoins, cette hésitation ne l'empêcha pas de poursuivre son raisonnement. Avoir, dans la chambre à coucher d'une femme, reçu du plomb lancé par un mari furieux, n'était pas un sérieux handicap. Il sortirait la vieille excuse envers Cynara : « Entre sa poitrine et la mienne s'interposa votre ombre » ou quelque chose comme ça : « Entre le quelque chose quelque chose et le vin » il chercherait le passage et le citerait s'il n'était pas trop grossier. Il se rappela ainsi sa vieille résolution de rester romantiquement audacieux, mais jamais impudent, comme, tout au début, il avait dit : « j'aimerais *beaucoup* vous revoir » sans oublier d'ajouter, « si vous me le permettez ». En ce qui concernait sa liaison avec Amy, il pouvait alléguer qu'il s'efforçait de noyer son remords dans un geste de désespoir, une sorte de suicide spirituel, un flirt avec la mort. Ce qui était bougrement le cas, pensait-il, sentant un feu de démangeaisons dans ses blessures.

Il était de nouveau sur pied maintenant et, figurativement, il se frottait les mains et gloussait de soulagement à l'idée d'être arrivé au bout du hiatus de ces trois jours alors qu'il gisait, sans aucun plan, sur son lit étroit, sans aucun but dans la vie, n'ayant qu'une douleur et des démangeaisons à la nuque pour occuper son esprit, pour l'empêcher de considérer son double échec et la douzaine de précieuses années investies et gâchées ici à Bristol. Il poursuivit son raisonnement, pensant rapidement au vieil engrenage familial, répétant son discours de réconciliation. "Je ne pouvais pas vous entraîner dans une vie de pauvreté, je vous l'avais dit. Mais je vois maintenant que j'avais tort. Tort. Amanda. Vous êtes tout ce qui a été ou sera jamais, et tout vaut mieux que la séparation !". Il pensait qu'il pourrait même s'agenouiller en parlant. Juste au moment où il dirait : "Vous êtes tout ce qui a été", il se laisserait tomber à genoux et tendrait les bras. Il ne faudrait pas que ce soit trop sentimental, pensa-t-il, songeant à tout ce qui était en jeu. Pendant les deux jours qui suivirent, il y travailla, allongeant, révisant, polissant. Aux endroits qui lui paraissaient appropriés, il mettait des indications scéniques, comme, par exemple ; *s'agenouiller ; tendre les mains ; verser une larme si possible ; ici un sanglot.* Ce serait son chef-d'œuvre, et son moral montait en proportion de la fortune qu'on prêtait au major Barcroft.

Amanda rentra chez elle le samedi, mais Drew dut garder le lit, furieux contre ce retard. Il s'imagina des jeunes gens se précipitant par centaines pour profiter de ce qu'elle avait à leur offrir. Il fit toute une scène, cette nuit-là, et exigea d'être relâché le lendemain matin. Mais le docteur fut très ferme. Drew était hors de danger aussi longtemps qu'il resterait tranquille, mais le moindre coup sur la nuque pourrait avoir des conséquences sérieuses, même fatales. « Vous croyez que ça me fait quelque chose ? » cria Drew. Mais, en fait, ça lui faisait quelque chose et même beaucoup. Cela le calma. Il passa le dimanche à s'impatienter, puis, le lundi, sa seconde infirmière vint prendre son service ; elle avait l'air mécontente.

— Qu'est-ce qu'il y a ?
— Oh, le sale vieux !
— Quel sale vieux ?
— Ce major Barcroft. Vous savez ce qu'il a fait ?
— Quoi ? dit Drew qui sentit que le cœur lui manquait.

Alors elle le lui dit. La ville entière attendait la lecture du testament, mais il se trouva qu'il n'en avait fait aucun. Les testaments, ça peut s'annuler. D'ail-

leurs, il n'y en avait pas besoin d'un, car lorsque avec
l'autorisation d'Amanda on ouvrit le coffre dans le
bureau du major (c'était le lundi matin après le samedi
de son retour. On cherchait le testament), on trouva
dans un tiroir dont il avait mis la clé dans la poche
gauche de son gilet, quatre mille dollars en billets de
cent et un titre de propriété représentant vingt-cinq
pour cent des parts dans un bâtiment du bas de la ville.
Les quarante billets neufs et le titre de propriété
étaient encerclés d'un caoutchouc, et une feuille de
papier était glissée sur le dessus. On y voyait écrit au
crayon en caractères bien nets et militaires : *Pour
Amanda. C'est tout.* C'était daté 11-II-1939, six semaines après la première crise cardiaque.

Personne ne pouvait y croire. Au cours des semaines
précédentes, on n'avait discuté que sur le point de
savoir s'il y aurait trois ou quatre millions, et certains
parlaient déjà de cinq ou de six. On s'attendait à une
surprise sur l'importance de la somme, mais on ne
prévoyait pas une surprise dans ce sens. Deux des
hommes coururent chez le voisin et téléphonèrent à la
banque du major Malcolm Barcroft, son héritière ;
quel était le montant du compte ? Un bourdonnement
se fit entendre au bout du fil, le même que Harley
Drew avait identifié une fois comme un ricanement,
mais à présent c'était un ricanement de fantôme, car le
banquier répondit bientôt d'une voix courtoise et
mielleuse. Le major Barcroft n'avait plus de compte. Il
l'avait liquidé, clos, sept mois auparavant, au moment
de la donation. Pendant un moment, ils ne saisirent
pas le mot, puis ils comprirent donation. Quelle
donation ?

Voilà, c'était censé être un secret — il avait donné en
vrai gentilhomme, sans fanfare, mais maintenant qu'il
était mort... Et puis, on entendit bien pis. Il y avait un
peu moins d'un an, il avait commencé à liquider son

portefeuille pour tout convertir en espèces. Le produit représentait un peu plus de cent cinquante mille dollars, tout ce qui restait du demi-million dont il avait hérité ; la rumeur au sujet des reichsmarks était vraie, et il y avait eu d'autres placements tout aussi malheureux. Un chèque de cent cinquante mille dollars fut envoyé pour fonder une bibliothèque d'histoire et de tactique militaire à l'école du Tennessee où il avait été « cadet-captain », cinquante ans auparavant ; il n'y était jamais retourné, écrivait le major dans la lettre qui contenait le chèque, mais il s'était toujours rappelé ces années d'école comme les plus heureuses de sa vie. Cela laissait quatre mille dollars qu'il demanda à la banque de lui envoyer par lettre recommandée, quarante billets neufs et craquants. Il liquida ainsi son compte et c'est la somme que reçut sa fille : quatre mille dollars comptant et un titre de propriété représentant vingt-cinq pour cent des parts dans un bâtiment des bureaux — le même dont Henry Stubblefield était copropriétaire ; cela lui rapporterait un peu moins de deux cents dollars par mois. *Pour Amanda*, avait-il écrit, *c'est tout.*

L'infirmière savait à peu près correctement les choses — du moins quant aux chiffres, et au fur et à mesure que Drew écoutait, couché, il devenait de plus en plus pâle, même dans la pâle lumière de l'hôpital. « C'est pas un péché et un crime ? », s'écria-t-elle. Mais il ne dit rien. Il resta là couché presque un quart d'heure, atterré et chagrin. Le major l'avait vaincu sur terre et maintenant, il le vainquait encore du fond de sa tombe. Puis il dit : « Est-ce que vous pourriez sortir une minute ? Il faut que je donne un coup de fil pour affaire. » Elle sortit et il saisit le téléphone. Il appela la banque de Memphis, la même que les gens avaient appelée de Lamar Street, ce matin-là. Il parla au même banquier, celui dont la voix était si courtoise et mielleuse.

« Mr. Easely : Harley Drew, de Bristol. Très bien et vous ? Très bien. Mr. Easely, j'ai réfléchi. Si la place est encore disponible, j'accepterais volontiers votre offre. »

Le lendemain après-midi, le docteur enleva les points de suture, et le mercredi matin, Drew sortit de l'hôpital. En bas, dans le bureau, quand on lui présenta la note, il eut envie de dire : "Envoyez-la à Jeff Carruthers, à Briartree", pensant au plaisir qu'il éprouverait à voir sa tête quand il demanderait à Amy de la lui lire. Mais cela était impossible pour plus d'une raison. Il paya donc et sortit dans la lumière du soleil d'un Bristol qui ne brillait plus ni de promesse ni de désir. Les arbres même étaient vilains. Le soir, quand il dit à Mrs. Pentecost qu'il allait partir, elle se contenta d'incliner la tête d'un air pincé et distant, comme une épouse qui commence à être habituée à l'évidente infidélité de son mari et à sa trahison. Le lendemain matin, dans le bureau de Tilden, il annonça son départ de la banque et démissionna de sa charge dans la garde. « Sûr qu'il m'en coûte de te voir partir, Harley », lui dit Tilden. Il dit cela sans conviction, pourtant, et la poignée de main fut presque aussi courte que celle avec le major Barcroft, le premier jour à Cotton Row. Drew passa le reste de la journée à régler toutes ses affaires. Il vendit le plus de choses possible, y compris sa Ford et donna les bricoles à la cuisinière.

Le vendredi, il prit le train de midi pour Memphis et arriva à la gare alors que celui-ci était déjà là. Il se hâta de monter. A part ses cannes de golf, il n'avait pas plus de bagages qu'il n'en avait quand il était arrivé, il y avait douze ans de cela. En fait, il n'avait guère changé. Il portait toujours des tweeds taillés dans un style de ville et il avait à peine vieilli. La plus grande différence était le bandage qui lui recouvrait la nuque. Cela ajouté à la pâleur due à la perte de sang et à la semaine de convalescence passée sans sortir. Il longea le couloir et s'assit juste au moment où le train, après une secousse, se mettait en marche ; il ne regarda pas derrière lui. Ce fut la dernière fois que Bristol le vit en chair et en os.

Pendant une triste mais plus courte période, Amanda fut de nouveau l'objet de l'attention générale. Elle se déplaçait une fois de plus parmi les têtes qui se retournaient, des regards perçants, laissant derrière elle une traînée de murmures furtifs, dissimulés derrière des mains. Une infirmière était venue de l'hôpital avec elle pour des soins de vingt-quatre heures, mais c'était une simple précaution de la part du Dr Clinton. Amanda la garda une semaine puis la laissa partir. A ce moment-là, le fils de la cuisinière, le cornettiste de jazz, qui était revenu de Harlem pour soigner sa tuberculose, avait de gros ennuis. Il avait tué un joueur dans un tripot et avait été mis en prison, où il attendait son procès, et Nora alla vivre chez sa patronne dans Lamar Street : « Ces gens-là, ils n'donnent jamais de temps libre à personne », avait-elle dit et c'était plus vrai que jamais. Elle dormait dans la cuisine, sur un lit de toile pliant, avec, sous la tête, par terre, un gros revolver nickelé acheté par correspondance, comme un défi à tous les rôdeurs du Delta, noirs ou blancs, hommes ou bêtes.

Amanda était plus éloignée que jamais de la vie en ville. Ce n'était pas seulement à cause du rempart qu'élevait son histoire (surtout le dernier chapitre, la veillée mortuaire) ou à cause du pistolet de Nora, armé, tout prêt, sur le plancher de la cuisine : c'était simplement qu'elle n'avait jamais eu d'amis et qu'elle n'en avait pas maintenant. Elle vivait seule dans la grande maison avec ses chambres à hauts plafonds remplie pour elle de souvenirs de défunts dont les formes se distinguaient encore dans les fauteuils défoncés où ils s'étaient assis, et les parties usées du tapis que leurs pieds avaient foulé. Tout lui revenait maintenant, le père sévère et la sœur invalide. Parfois la nuit, elle se réveillait, avec dans les oreilles, le bruit des hurlements de sa sœur. Elle se levait alors, nouant déjà la ceinture de sa robe avant de se rappeler que Florence était morte depuis bientôt deux ans, puis, branlant la tête, comme pour se faire un reproche, elle retournait se coucher. Ce n'était pas toujours dans ses rêves que tout cela lui revenait. Parfois, l'après-midi, aux abords de 5 heures, quand les ombres commencent à s'allonger, elle se rappelait à elle-même — parlant très haut dans la grande chambre du premier, d'une voix qui résonnait un peu parce qu'elle était seule dans la vaste maison, à l'exception de Nora, en bas dans la cuisine : « Il faut que je mette mon chapeau pour aller chercher papa. » Puis elle s'arrêtait, se rappelait. Elle se grondait d'être si étourdie. « Tu deviens *vieille* », disait-elle, mi-souriante, mi-sérieuse, car, dans son esprit, comme dans les yeux des enfants quand ils regardent tout le temps qui s'est écoulé entre eux-mêmes et les adultes, elle se considérait comme vieille à l'âge de quarante-deux ans.

Son seul intérêt extérieur était le temple. Florence en avait trouvé les rites excitants, quand elle prenait le Christ blanc entre ses lèvres et buvait son sang rouge ; mais Amanda y voyait plutôt un calmant. Ce qu'elle aimait surtout, c'était le sentiment d'appartenance, le sentiment d'être une unité parmi tous ces gens qui s'agenouillaient, la tête sur le dossier des bancs devant eux, puis se levaient tous ensemble comme des animaux à pattes multiples pour murmurer les réponses ou confesser leurs divers péchés et méchancetés. Alors qu'autrefois elle n'assistait qu'aux services réguliers du dimanche, parfois elle commença à aller aux vêpres du mercredi. Puis elle ne manqua jamais plus un dimanche ni un mercredi. Mr. Clinkscales était ravi. C'était là le sentier qui la ramenait au monde, si bien que, vers la fin de ce premier été, quand on l'invita à faire partie de la Confrérie de l'Autel, elle accepta. Au début, elle eut très peur. Tout cela était si nouveau pour elle, la société des femmes de son âge — elle n'avait jamais connu rien de pareil jusqu'à ce jour ; voyant ainsi leurs dents étincelantes, leurs robes gaies, coupées de façon à faire ressortir le corps au lieu d'en cacher les appas, leurs bouches fardées et leurs bras poudrés, Amanda était comme une touriste puritaine séparée de son groupe, égarée en toute innocence sur les terres d'un palais oriental, jusqu'au moment où, désespérée et prise de panique, elle se trouve dans un sérail, une pièce voûtée garnie de coussins de soie, parfumée de nuages d'encens, et vouée à la débauche. Toute surprise, son premier mouvement avait été de fuir. Mais après quelques réunions, elle s'était habituée et avait commencé à comprendre que ce qu'elle avait pris pour la volupté n'était que du modernisme.

Mais maintenant, les racontars avaient cessé. La flambée avait été trop forte pour durer et, bien qu'à Bristol on se rappelât toutes les tragédies de sa vie, ce sujet de conversation était devenu légèrement rebattu, pour ne rien dire des potinages. Après qu'elle se fut mêlée à elles pendant un certain temps, les épouses commencèrent à dire à leurs maris : « Amanda Barcroft était à la Confrérie de l'Autel cet après-midi. Tu sais, elle n'est pas aussi étrange que je le croyais. Évidemment, il lui est arrivé un tas de choses extraordinaires et elle a cette horrible expression hantée dans les yeux, mais elle est vraiment assez gentille. Tout au moins, on peut voir qu'elle *s'efforce* de l'être, tu comprends. »

De plus, comme cela arrive toujours, on eut d'autres sujets de conversation. Des nouvelles de Jeff et d'Amy Carruthers avaient filtré de Baltimore. C'est là où ils étaient allés pour de la chirurgie esthétique après que le docteur de la clinique de Bristol, malgré son allure soignée et le brillant arsenal de ses instruments, eut prouvé qu'après tout il n'était pas si habile que ça. Elle aurait pu aussi bien accepter les services du Dr Kidderman qui avait fait un travail préliminaire si efficace sur Harley Drew. Ils étaient restés à Briartree en attendant que les coupures guérissent, l'une au coin de la pommette droite, l'autre presque à travers la lèvre supérieure, descendant en diagonale d'un des coins du nez. Les deux cicatrices étaient d'un rouge vif, plissées sur les bords par un rétrécissement des points de suture, comme la couture sur les balles de base-ball, mais en moins net. Le haut du nez, une fois la sensibilité disparue, s'aplatit chaque matin davantage devant le miroir jusqu'au jour où elle aurait pu cesser de se regarder, mais sans le pouvoir, tant elle était fascinée par le spectacle de son visage saccagé. Elle ne sortait pas de sa chambre où les stores restaient baissés et elle se faisait servir ses repas sur un plateau. C'était Jeff qui les lui apportait, car elle ne permettait à nul autre d'entrer dans sa chambre, même pas aux domestiques. Elle ne voulait pas être vue.

Elle resta là un peu plus de deux mois. La chambre était devenue incroyablement sordide. Puis ils se rendirent à Baltimore — où Jeff avait pris rendez-vous par téléphone. Ils partirent à la mi-juillet presque au plus fort de l'été, mais Amy descendit, cachée sous des voiles épais, et les rideaux étaient fermés sur les vitres arrière de la voiture. Deux chauffeurs dormaient à tour de rôle. Ils firent tout le trajet sans s'arrêter. Ils se nourrissaient de sandwiches dans des restaurants en bordure de la route qui servaient à manger dans les voitures et Amy n'absorba qu'un minimum de liquide car elle ne pouvait utiliser que les toilettes des postes d'essence peu éclairés au beau milieu de la nuit.

Le docteur, un spécialiste, qui avait réparé et refait quelques-uns des visages les plus célèbres de la nation : vedettes de cinéma qui avaient passé à travers des pare-brise ou plongé dans des piscines vides ou trébuché sur des bouteilles de whisky ou qui, comme Amy, avaient provoqué un homme violent, l'examina sous une vive lumière, tandis qu'une infirmière, blanche et silencieuse, évoluait dans les ténèbres derrière son épaule. Amy avait terriblement honte. C'était le premier homme qui l'examinait ainsi depuis que le docteur de Bristol était revenu à Briartree, à la fin de mai et avait enlevé les points de suture : « Hum », fit-il. Ses yeux brillaient comme les yeux du savant fou au cinéma.

Il lui toucha le visage :

— Ça vous fait mal ?

— Non.

— Hum ! et ici ?

— Non plus. Mais elle fit une grimace.

— Hum. Il réfléchit. Lumière du haut, dit-il, sur un ton de nouveau impersonnel.

Un interrupteur cliqueta et la lumière s'alluma au plafond. Il se leva :

— Très bien, Mrs. Carruthers. Demain. Vous voulez que tout soit fini demain ?

Le lendemain, dans la salle d'opération, les cinq têtes masquées autour de la table ressemblaient à une grande foule dans un stade. Elle se réjouit quand l'anesthésiste lui rabattit le cône sur le visage. Puis, elle se réveilla et elle regarda entre les interstices d'un bandage qui lui faisait comme une visière. Jeff était assis sur une chaise près du lit. Elle se sentait mal et elle aurait voulu demander quelque chose, mais quoi ? — et elle se rendormit sans avoir eu le temps de penser. Peu après, elle s'éveilla de nouveau, et il était toujours là : « Tu m'as bousillé la figure », lui dit-elle. Mais Jeff ne dit rien. Il s'était endormi.

— Voilà, dit l'infirmière, c'est fini. Le docteur a dit que tout irait très bien.

Et c'était presque vrai. Quand Jeff et elle revinrent à Briartree, deux mois plus tard, pour un rapide voyage, juste le temps de préparer les bagages, bien qu'elle portât encore une voilette, ce n'était plus le voile épais qu'elle avait quand ils étaient partis, et il fallait regarder de près pour distinguer les cicatrices roses comme trois petits bouts de fil pourpre qu'on aurait lavés dans du savon trop fort, au point que la couleur n'aurait pas résisté. Une sur la pommette, une sur la lèvre et une autre sur son nez dorénavant patricien. Ses dents étaient aussi droites, aussi égales et d'un blanc aussi mat que des touches de piano. Puis ils repartirent. On apprit plus tard à Bristol qu'elle s'était débarrassée de son voile. Les maquillages très prononcés étaient à la mode à cet époque : le sien dissimulait les légères cicatrices et elle était maintenant d'une beauté qui dépassait celle qui autrefois faisait son orgueil ; elle ressemblait à Néfertiti et à ce modèle, unique apparemment, qui vous regarde sur toutes les pages de *Vogue*. Non que les coupures eussent réellement modifié son visage. La différence venait de l'absence de toute expression, ou plutôt de l'absence de tout changement d'expression, car elle n'en avait plus aucune ; le sourire, qui autrefois lui abaissait les lèvres, avait disparu.

Mais tout cela n'était en fait que des on-dit en ce qui concernait Jordan County. Leur visite fut très brève.

Ils n'y passèrent même pas deux jours qu'ils employèrent à rassembler quelques petits objets personnels. Puis, ils s'en allèrent pour toujours. Ils avaient vendu Briartree, et jusqu'à la dernière chose qui s'y trouvait, aux frères Wisten, propriétaires d'un magasin de Bristol connu dans tous les journaux du comté, comme étant "le meilleur des magasins à bon marché entre Memphis et La Nouvelle-Orléans" — ce qui était vrai, bien qu'autrefois ce n'eût été qu'une de ces boutiques près de la digue, au bout de Marshall Avenue, et que leur père eût très bien su enjôler les Noirs pour les faire rentrer à l'intérieur — mais les "garçons" qui maintenant avaient dépassé la cinquantaine, avaient fait un meilleur usage de leur habileté et étaient maintenant propriétaires de Briartree. Quant à Jeff et Amy, bien qu'ils ne fussent jamais retournés à Jordan County, Bristol continua à entendre parler d'eux dans quelque partie du pays. Jeff avec sa collection de disques, ses chemises de polo, ses souliers à semelles de caoutchouc, son revolver, et Amy dont le masque funéraire était beau, froid et immobile, signé Max Factor.

La vente eut lieu en septembre et, à cette époque, le fils de Nora, Duff Conway avait été jugé et condamné. Pendant tout l'été et l'automne, quiconque passait devant la prison entendait le son du cornet doux et clair. Puis, en octobre, le bourreau apporta la chaise électrique portative (ma vieille "shocking-chair", comme il l'appelait) et il l'installa dans une des cellules du rez-de-chaussée. Des fils sortaient des électrodes, passaient à travers les barreaux jusqu'à un générateur installé dans la partie sombre de la cour. Ce soir-là Amanda était seule dans la maison. Nora engagea un camionneur et attendit dans Jail Alley avec un cercueil en bois de pin qui reposait dans le camion comme une ombre à six faces, longue et pâle. Le corps lui fut livré peu après minuit. On l'enterra au début de l'après-midi et Nora était de retour à Lamar Street juste à temps pour préparer le repas du soir.

Amanda se trouvait dans le salon quand elle entendit ouvrir la porte d'entrée. Elle se leva pour aller dans le vestibule, et c'était Nora. Elles se trouvaient à une distance où elles auraient pu se toucher et elles se regardaient. Amanda aurait bien voulu lui poser au moins la main sur le bras, mais elle ne le fit pas. Elle se contenta de rester là, debout, consciente d'appartenir à la conspiration blanche : « Je suis désolée », murmura-t-elle, hésitante. « Oui, Ma'am », dit Nora qui retourna à la cuisine. Elles étaient là, deux femmes affligées, la cuisinière et la maîtresse, mais, de même que Nora avait sa cuisine et la préparation des repas pour s'occuper l'esprit, Amanda avait l'église et ses devoirs à la confrérie de l'Autel. Jamais personne n'avait aussi bien astiqué l'ange de cuivre debout, pieds nus, au pied du lutrin, cariatide qui tenait la Bible en équilibre sur sa tête. Elle enleva même les traces vertes à l'odeur acide de pâte à polir des rainures, entre les plumes des ailes. L'ange brillait au soleil matinal du dimanche ou reflétait la lueur des cierges aux vêpres du mercredi. Et Amanda regardait tout cela avec l'œil d'un propriétaire. C'était sa possession. Et parfois Mr. Clinkscale l'observait d'abord discrètement, l'ange ensuite, puis elle de nouveau, et il la félicitait d'un sourire.

Puis ce fut novembre, presque l'anniversaire de sa rencontre avec Harley Drew. La batterie locale de la garde nationale fut mobilisée et la moitié de la ville sortit et s'aligna dans Marshall Avenue pour lui dire adieu en agitant les mains. Le colonel Tilden venait en tête dans sa voiture de commandement, bouffi et sévère, et tout le monde acclama quand apparurent les obusiers avec les canonniers assis, au port d'armes, les avant-bras levés, l'air tout fier, balançant leurs têtes rondes comme des œufs, toutes semblables sous les chapeaux de campagne fraîchement mis en forme. Amanda regardait du haut du perron de la bibliothèque. La bataille d'Angleterre faisait rage, et elle était venue ici pour en suivre le cours dans les journaux, car elle avait résilié son abonnement au journal de Memphis pour raison d'économie. Elle n'achetait plus que l'édition du dimanche qu'elle lisait avant et après le temple presque aussi avidement que Florence le faisait autrefois. Elle n'avait jamais lu beaucoup, mais maintenant elle rattrapait le temps perdu — et elle ne lisait pas seulement les journaux, car elle avait observé que les gens entraient et sortaient, prenaient des livres, les remettaient en place, et un jour en sortant, elle s'arrêta au comptoir des prêts à domicile. « Pourriez-vous me suggérer quelque chose qu'à votre avis je pourrais lire avec plaisir ? »

Tout étonnée, la bibliothécaire leva les yeux : « Lire ?... Un livre ? Voyons..., eh bien... » elle sembla réfléchir en se frappant les dents avec un crayon. « Voyons. *Jane*, je crois », finit-elle par dire et, se levant, elle passa dans la pièce voisine. Amanda se rappela un gros volume bleu dans la bibliothèque de son père. *Les vaisseaux de guerre de Jane*. Mais la femme revint avec un petit livre couleur d'arsenic qu'elle estampilla et qu'elle lui glissa sur la table : *Orgueil et préjugés*. Amanda le prit et se hâta de rentrer chez elle.

Après le déjeuner, elle alla dans le salon et s'installa dans un fauteuil pour lire : mais à chaque page qu'elle tournait, elle se redressait, horrifiée. Finalement, elle dut renoncer. Le livre lui donnait l'impression de n'être qu'une série d'informations sur la guerre entre les hommes et les femmes, vue selon l'optique des femmes. Le lendemain, elle le rapporta et le posa sur le comptoir de la bibliothécaire qui sourit : « Ça vous a plu ? » Amanda secoua la tête : « Oh », dit la bibliothécaire, en cessant de sourire « Voyons... est-ce que vous désirez en essayer un autre ? » Amanda fit un signe d'acquiescement dubitatif et l'autre femme — elles étaient à peu près du même âge — prit un gros livre rose sur l'étagère près de son bureau : « Essayez celui-là », dit-elle.

C'était *la Foire aux vanités* et, après le déjeuner, Amanda alla dans le salon. Elle y était encore quand Nora l'appela pour dîner. Becky Sharp lui semblait beaucoup moins immorale que les Bennet — les femmes Bennet tout au moins. Elle revint après le dîner, et elle lisait encore quand Nora lui annonça qu'il était l'heure d'aller se coucher. Le lendemain matin, après le petit déjeuner, elle était de nouveau dans son fauteuil : « Vous allez vous arracher les yeux », dit Nora quand elle vint l'avertir que le déjeuner était servi. « Attendez que j'aie fini mon chapitre », dit Amanda.

Ce même jour, elle était de nouveau à la bibliothèque et y prenait *les Newcomes* et *Pendennis* ; elle ingurgita tout Thackeray en une semaine et, la semaine suivante, la moitié de Dickens. Et ce fut le début d'une période de lecture dévorante. Vers la fin, la bibliothécaire jouait avec l'idée de lui recommander Proust : « Ça devrait l'occuper un moment », dit-elle. Elle sourit ironiquement : « Mais je ne crois pas qu'elle lise vraiment tous ces livres. Pas à cette vitesse. Ni qu'elle fasse grande attention à ce qu'elle lit, en tout cas. » Cette dernière remarque était en partie vraie. Dans Balzac, James, Faulkner : *Eugénie Grandet, Catherine Sloper, Emily Grierson* elle lisait sa propre histoire sans s'en rendre compte. Quand elle lisait, elle ne pensait pas, elle vivait. Rien *dans ces œuvres* ne s'appliquait à l'extérieur, et elle préférait qu'il en soit ainsi. Si un auteur connaissant les trucs de son métier tentait d'accroître la vraisemblance de son livre en faisant insister le narrateur sur le fait que son histoire était *vraie*, était véritablement arrivée, Amanda n'en était pas pour autant impressionnée. Il lui semblait tout simplement que ces choses arrivaient à de véritables personnes, rien de plus. Ces gens vivaient le mieux qu'ils pouvaient, sans jamais vraiment bien comprendre leurs triomphes ou leurs échecs. La réalité, c'était surtout de l'insensibilité (et en proportion : plus la tragédie était profonde, plus l'insensibilité l'était aussi), tandis que dans les livres, les personnages comprenaient vraiment ; plus la tragédie était profonde, plus la sensibilité l'était aussi ; ils souffraient ou s'exaltaient selon une gamme complète de sentiments et l'émotion qui convenait était toujours là, toute prête. Elle lisait tout le temps, faisant la navette entre Lamar Street et la bibliothèque, les bras chargés de livres : la loi des rendements décroissants ne jouait pas dans son cas. A part les courses au marché, ses devoirs à la Confrérie de l'Autel, et les heures au lit, elle passait autant de temps dans son fauteuil que l'avait fait Florence.

Elle ne lisait les nouvelles de la guerre que le dimanche, et même uniquement comme en hommage à son père. Au début de l'été, un mois à peine après l'anniversaire du décès du major, les Russes furent attaqués ; ils se joignirent aux combattants et furent débordés. L'armée allemande pénétra dans les steppes et de terribles incendies ravagèrent les cabanes aux toits de chaume. Amanda ne leva presque jamais les yeux de son livre. L'été s'épuisa, déclina vers l'automne. Maintenant les nuits étaient plus fraîches et un autre anniversaire de sa première rencontre avec Harley Drew passa. Elle continua à lire. Et puis un matin, au début de décembre, un dimanche, elle se leva, passa sa robe de chambre et descendit chercher le journal. Il était sur la véranda tout en haut des marches, à côté d'une bouteille de lait. Elle prit les deux choses et rentra dans la maison en lisant les en-têtes. CONTRE-OFFENSIVE DE L'ARMÉE ROUGE ; ENVOYÉS JAPONAIS VOIENT HULL.

Comme elle traversait le vestibule, entendant le café qui filtrait dans la cuisine, la section centrale du journal, épaisse et sentant fortement l'encre, se détacha et tomba à terre ; c'était la section des mondanités, et quand elle se pencha pour la ramasser, elle vit la photographie.

C'était le récit d'un mariage sur trois colonnes qui avait été rédigé, sans aucun doute, immédiatement après la cérémonie ; la mariée et son époux étaient flanqués des demoiselles d'honneur dont les bouches peintes, les yeux et les ongles ressortaient en noir sur le papier. La mariée, une forte et opulente matrone, l'air indéniablement très riche — des diamants aux doigts, des perles à la gorge — ne regardait pas l'appareil mais son conjoint ; elle l'observait, furieusement possessive. Le marié, qui souriait en face de l'objectif était Harley Drew.

Cet après-midi-là — d'après notre heure — les bombes tombèrent sur Pearl Harbor, et maintenant les femmes avaient une raison supplémentaire d'apprécier Amanda. L'énergie déployée pour que le cuivre de l'ange du Lutrin devienne l'une des gloires du temple épiscopalien allait s'épanouir dans d'autres directions. Il y eut des réunions pour plier des bandages, d'autres pour raccommoder des vêtements pour les réfugiés, pour faire des paquets de livres et de magazines poussiéreux qu'on envoyait aux soldats par-delà les mers. Au début, toutes les femmes étaient pleines d'enthousiasme, puis peu à peu, cette ferveur particulière se refroidit, surtout quand la nouvelle base aérienne fut créée au nord de Bristol ; alors, la plupart des femmes de l'âge d'Amanda (et même plus âgées : en fait, les plus actives dans ce domaine, avaient dans les cinquante ans) préféraient contribuer à l'effort de guerre en divertissant les jeunes recrues dont beaucoup avaient l'estomac capricieux mais aussi les joues roses et les cheveux ondulés. Ils s'étaient baptisés "les garçons volants" et plus tard après Ploesti, Schweinfurt et l'Himalaya — quand le rose de leurs joues eut pâli (ou jauni à cause de la quinine) et que leurs cheveux ondulés se furent raidis (par manque de soin ou peut-être simplement sous l'effet de la peur) — ils allaient se rappeler ces quelques semaines passées à Bristol comme une sorte de seconde enfance confuse et généreuse, une époque où aucun métal ne venait leur hurler aux oreilles et où les fleurs noires de la D.C.A. ne s'épanouissaient pas à gauche et à droite de leur appareil, mais où leur plus grand souci était un instructeur grincheux. Bien qu'Amanda n'assistât pas aux thés et aux dîners dansants organisés pour aider les aviateurs à supporter les rigueurs de la guerre, elle était toujours disposée à se joindre au groupe où on pliait des bandages. Elle était donc la bienvenue de Dieu (c'était l'expression qu'on employait) pour les femmes chargées à tour de rôle de recruter des volontaires.

Elles se réunissaient dans la salle d'armes, vacante depuis plus d'un an maintenant, après la mobilisation de la Garde. Installées à de longues tables faites de planches posées sur des chevalets, elles se livraient à des manœuvres de pliages très compliqués avec leurs mains et elles remplissaient l'air de leurs bavardages et de la fumée de leurs cigarettes. Ce fut le premier réel contact d'Amanda avec les potinages, auxquels elle se mêla en participante ou du moins en auditrice et dont elle n'était plus le sujet. Elle aimait cela, les voix claires, bavardes, les étranges histoires des vies triangulaires de ces gens qu'on voit tous les jours dans la rue — c'était principalement ce dont il s'agissait : la femme de qui avait été vue avec le mari de qui la semaine précédente — et avec le temps elle avait appris l'art d'ajouter à l'occasion un petit détail au murmure malicieux de l'endroit. Si bien qu'à la fin de la première année de guerre, ces membres de la Confrérie de l'Autel qui, autrefois avaient dit à leurs maris « Tout au moins, on peut voir qu'elle *s'efforce* de l'être. Tu comprends ? », rentraient chez elles après avoir fini de plier des bandages et disaient sans explications ni atténuations, et sans le moindre étonnement : « Amanda Barcroft me racontait aujourd'hui... »

Et pourtant sa vie n'était pas tellement différente. Tout cela n'était qu'accessoire. Elle continuait à lire, à faire son marché et à accomplir ses devoirs religieux. Nora — qui, alors qu'il y avait trois chambres à coucher vides dans la maison, continuait à dormir dans la cuisine sur la toile tendue d'un lit de camp ; chaque fois qu'elle bougeait, c'était un craquement tel qu'on aurait dit une boîte pleine de souris effrayées — continuait à être sa seule vraie compagne. Elles vivaient seules et ne recevaient jamais personne, blanche ou noire. Puis quelque chose vint changer tout cela. Vers la fin de novembre (un anniversaire de plus), l'agent d'un entrepreneur vint la voir et lui proposa ce qu'elle estima être une grosse somme pour la maison et le terrain de Lamar Street. Sa première réaction fut de répondre ce que Bertha Tarfeller avait répondu dans des circonstances similaires des années auparavant : "Oh, je ne pourrais jamais faire ça" : puis elle réfléchit et pensa : Après tout, pourquoi pas ? et elle lui dit : « Il faudra que j'en parle à mon homme d'affaires, monsieur. » C'est ainsi qu'elle parlait maintenant. Comme dans les livres. Le lendemain matin, elle se rendit au bureau d'un homme qui, autrefois, avait géré les affaires légales de son père, le juge Nowell. Il était mort, maintenant, mais son fils était là — un politicien d'avenir, une des lumières du corps législatif de l'État, bien qu'il fût handicapé par le fait qu'il avait étudié à Harvard.

— Mais certainement Miss Amanda, dit-il par-dessus le bureau luisant de son père. Il l'appela Miss, mais cela n'avait pas d'importance ; il avait cinq ans de moins qu'elle et elle commençait à entendre tous les gens de son âge l'appeler ainsi. Elle portait sa robe du dimanche et était assise les mains sur les genoux.

— Cela vous fera du bien de partir, lui dit-il. Nous n'avons pas la conscience bien tranquille, du reste — la ville, je veux dire — à vous voir vivre ainsi toute seule, entourée de vagabonds, d'ouvriers qui rôdent à toute heure de la nuit. Certainement, vendez.

Et, le soir même, quand l'agent de l'entrepreneur vint la voir, elle lui dit qu'elle désirait vendre. C'était un lundi. Nowell fit tous les arrangements. Amanda déménagea le jeudi, après avoir choisi ce qu'elle voulait garder, et le reste fut vendu aux enchères, le lendemain, par un homme qui arriva de Memphis avec un petit marteau en bois dans sa poche. Cela dura toute la journée. La moitié des femmes de Bristol était là et même quelques hommes. Bien que, cette fois-ci, il n'eût pas été nécessaire d'attendre un enterrement pour être admis dans la maison, il y régnait néanmoins une atmosphère de hâte, comme s'il s'agissait de vandales en train de violer une tombe, et la plupart des gens continuaient à parler en mettant la main devant leur bouche. Tout d'abord, ils faisaient un tour d'inspection, visitaient toutes les chambres, même quelques-unes que personne n'avait encore jamais vues.

Dans le bureau du major, ils trouvèrent la carte toujours sur le mur ; les épingles marquaient la position des armées au début de mai 1940, juste avant le commencement de la "drôle de guerre". Ils montèrent même l'escalier poussiéreux qui menait au grenier où, se confiaient-ils, les uns aux autres, Florence vivait enfermée derrière des barreaux. La vente, qui avait commencé à 10 heures et continua même après le coucher du soleil se faisait sur la véranda où il y avait de la place pour toute la foule qui débordait sur la pelouse et sur le trottoir dans les deux sens le long de Lamar Street. Les enchères allaient bon train car le commissaire priseur, un gros homme jovial, les cheveux coupés en queue de canard, et portant une veste croisée, savait comment opposer les acheteurs les uns aux autres. Ce jour-là, commencèrent des querelles qui allaient durer une dizaine d'années. On acheta tout ce qui était offert : les fauteuils lourdement capitonnés dont les pieds étaient en forme de serres crispées sur des boules, les faïences, l'argenterie, les tapis, même les chandeliers en verre taillé. Tout passa sous le marteau.

A la fin de la semaine, la maison était complètement vide et il y eut même quelqu'un qui s'amena une nuit, déterra les oignons d'iris et arracha les buissons. Les enfants lancèrent des pierres contre les fenêtres pour le plaisir d'entendre les bruits de casse et, sur les marches et les portes, ils écrivirent à la craie les vieux mots anglo-saxons de quatre lettres. Le dimanche fut froid et pluvieux. De bonne heure, le lendemain matin, les démolisseurs vinrent avec leurs machines, comme pour faire un tableau de l'âge mécanisé, où les seuls individus qui auraient échappé à la bombe s'appliqueraient à détruire le monde. Tirant, poussant les murs avec des cordes et des leviers, ils rasèrent la maison en quatre jours. Quand le bruit des marteaux pilons eut cessé et que la poussière se fut dissipée, il ne restait plus qu'un terrain vague plein de débris et marqué par endroits par les cicatrices plus pâles des massifs de fleurs. La maison avait disparu pour obéir à quelque prophétie d'Isaïe.

Les choses en restèrent là pendant trois jours. On eût dit des photographies de Londres pendant la guerre. Le dimanche fut pluvieux et froid tout comme le précédent — on était maintenant en décembre. Le lundi matin, avant même que les démolisseurs n'arrivent, l'entrepreneur fit creuser le sol pour commencer les fondations d'un nouveau bâtiment. Il fut terminé en six semaines, dans un style moderne, avec des lignes pures, dégagées, et tout au bout, une bouche caverneuse pour engloutir les automobiles qui monteraient la rampe en ciment. La façade, large et basse, de briques voyantes portait une inscription de quarante centimètres de haut qui la traversait d'un bout à l'autre MAXEY'S GARAGE. SERVICE INSTANTANÉ. Seul restait du temps du major un des quatre grands chênes d'autrefois. Le garagiste l'entoura d'un banc circulaire et, quand il faisait beau, les travailleurs aux heures de repos venaient s'y asseoir et regardaient passer les voitures. On appelait cet arbre : Le chêne Barcroft. C'était une des curiosités de Bristol, même après que la plupart des gens ne se rappelèrent plus d'où lui venait ce nom.

On avait tant d'autres sujets de conversations, surtout maintenant que la guerre touchait à son paroxysme. Et pas seulement la guerre, car les vieilles histoires fleurissaient toujours, parfois avec les mêmes personnages, aussi longtemps qu'elles alimentaient les conversations. Amy et Jeff Carruthers par exemple. Depuis leur départ, Bristol avait entendu dire bien des choses de bien des coins ensoleillés du pays — la Floride (une histoire de boisson lancée dans une boîte

313

de nuit de Miami, mais on ne sut jamais exactement ce qui s'était passé, ni qui l'avait lancée, ni même contre qui on l'avait lancée) — la Californie du Sud (cette fois, c'était dans un magazine de cinéma : "Quel est le jeune mâle fou d'amour pour quelle héritière de tabac ?") et quelques pages plus loin, une photographie avec cette légende : *Elsa Maxwell en compagnie de Jeff et Amy Carruthers, les charmants Caroliniens (lui est aveugle). Dans le fond, Gary Cooper. Paulette Godard danse avec son Buzz* — et enfin Santa Fe. C'est de Santa Fe que venaient les rapports les plus complets — trop complets même, pleins d'exagérations, de contradictions, car maintenant la légende avait commencé à prendre un caractère mythique. Ils y avaient acheté une maison, un truc en briques de deux étages avec du mobilier espagnol colonial, des tapis indiens et des idoles accroupies dans des niches. On aurait pu garer une voiture dans la cheminée du salon et il y avait une douzaine de chambres à coucher, la plupart toujours occupées à en croire la rumeur publique. On y venait de partout : la clique internationale que la guerre obligeait à rester de ce côté-ci de l'eau. Et puis la même histoire recommença : de nouveau Amy devait s'ennuyer. Cette fois, c'était un véritable cow-boy, un bouvier sorti du ranch, pas une imitation de la variété de l'Arkansas, et de nouveau, on entendit des coups de feu (mais sans effusion de sang, le cow-boy ne saigna pas comme l'avait fait Drew, il se contenta de perdre un des talons d'une paire de bottes de quarante dollars, emporté par un coup de feu) et Jeff et Amy vendirent la maison et s'en allèrent : en Amérique du Sud, dit-on, sans préciser davantage. En fait, il y avait beaucoup de choses qui restaient dans le vague — d'après une version, c'était Amy qui aurait tiré le coup de feu. Quand les habitants de Bristol apprirent cette dernière histoire, ils commencèrent à comprendre qu'ils s'étaient peut-être trompés quant au sens dans lequel s'orientait la jalousie de Jeff à Briartree, et cela ouvrit de nouveaux champs de spéculation.

Mais pas pour Amanda qui écoutait et chassait tout de son esprit. Elle préférait les histoires qu'elle trouvait entre les couvertures des livres. Pour elle, le couple Carruthers était tout simplement deux personnages qui avaient tué Harley Drew, et rien de plus. Elle emporta quelques meubles — son lit, deux lampes avec leurs abat-jour de soie, le fauteuil et un chiffonnier en bois de rose. Elle loua une chambre au dernier étage d'un hôtel tout neuf, une espèce de tour de huit étages, trois fois plus haute que tout ce qu'on voyait à Bristol. Elle en avait fait enlever les quelques meubles en acier et en plastique qui s'y trouvaient pour les remplacer par ceux qu'elle avait rapportés de Lamar Street. Maintenant qu'elle n'avait plus de soucis de maison ni de courses au marché pour se distraire, la lecture l'occupa encore plus qu'autrefois. Elle n'avait plus de responsabilité, plus d'attaches, pas même Nora à qui elle avait donné un chèque de cent dollars comme indemnité de licenciement. C'était probablement le geste le plus généreux qu'un Barcroft eût jamais fait, mis à part le legs du major à l'école du Tennessee qui, du reste, n'avait pas été réellement un témoignage de générosité, car il avait été plus ou moins amené à le faire.

Elle se plaisait dans cet endroit. Les montées et les descentes en ascenseur qui lui coupaient la respiration, le branle-bas des clients de passage, les longs couloirs sombres recouverts de tapis sur lesquels s'ouvraient tant de portes, et toutes sortes de choses intéressantes qui se passaient derrière, comme par exemple, la nuit où un homme et sa femme, dans la chambre voisine, se traitèrent de noms si affreux et finalement, aux premières lueurs de l'aube, se mirent à se lancer des objets à la tête ; Amanda serrait son oreiller contre elle et écoutait, et elle le regretta quand quelqu'un dans le hall se plaignit et que le gardien appela un policier qui les mit à la porte. Il y eut d'autres incidents, moins violents, mais non moins intéressants ; les hommes d'affaires par exemple qui, dans la salle à manger, se murmuraient des choses à l'oreille, ou des couples d'adolescents qui sortaient de l'école, après avoir bu du malt, et rentraient chez eux en se tenant par la main — ils rapprochaient également leurs têtes et chuchotaient. Bientôt, elle commença à aller passer quelques instants dans le hall avant de sortir, ou après être rentrée. Elle s'y plaisait. Parfois il y avait de petits échanges, presque des conversations, avec des gens de passage qui lui demandaient des conseils sur les restaurants, les cinémas, et ce qu'il y avait "à faire", même des voyageurs de commerce (qu'autrefois on appelait "vendeurs" et maintenant "représentants", bien que, dans un cas comme dans l'autre, Amanda sût qu'une femme perdait sa réputation si elle sortait avec l'un d'eux) qui la remerciaient et, chose assez étrange, qui étaient toujours polis. Beaucoup lui rappelaient Harley. Ils avaient la même odeur de tabac et de tafia, et prenaient grand soin de leurs ongles et de leur coiffure. Puis, peu à peu Amanda fut distraite de sa lecture et entra dans l'orbite de la vie quotidienne de Bristol ; elle se joignit au nombre des curieux.

Ce qu'elle aimait le plus, c'était l'heure de la fermeture journalière quand, assise dans un fauteuil près de la grande fenêtre, elle voyait la ville étendue à ses pieds avec les gens qui circulaient sur le dessin de son damier en quittant leur travail. Elle restait là assise, quand le jour baissait, et elle les regardait. Elle identifiait leurs petites silhouettes une par une, donnait à chacune son nom, se rappelant leur histoire, et elle suivait leurs pas sur le trottoir lorsqu'ils rentraient chez eux. C'était comme si, rêvant, telle une gargouille, son image s'était imprimée depuis si longtemps sur la rétine publique, qu'elle avait enfin été absorbée, qu'elle était maintenant devenue une partie de l'œil énorme et qu'à son tour elle regardait le dehors comme toutes les autres l'avaient fait.

Elle commença aussi à s'intéresser à la nourriture. Assise dans la salle à manger de verre et de marbre quelque peu sonore, elle examinait soigneusement et avec beaucoup de délibération le menu tandis que la serveuse attendait, debout, le crayon et le calepin tout prêts ; il en était toujours ainsi, mais les serveuses étaient tellement habituées qu'elles ne s'impatientaient même plus. Elle commandait le menu complet de « la table d'hôte » et, conséquemment, elle s'était mise à engraisser. Elle n'avait plus rien du roseau maintenant. Elle était presque dodue et, quand ses toilettes grises, ornées de dentelles, ne lui allèrent plus, elle les remplaça par de nouvelles, faites sur mesure dans des teintes plus douces, grises ou brunes. Elles lui allaient bien. « *Mon Dieu*, Miss Amanda », disaient les femmes aux réunions de la Confrérie de l'Autel et lorsqu'elles se réunissaient pour plier des bandages « vous avez vraiment très bonne mine, ces jours-ci ». Et bien qu'au début elle eût été troublée par ces compliments, elle finit par se rengorger un peu, tout en les remerciant et en assujettissant son lorgnon sur le nez. Ce lorgnon était une addition récente, le résultat d'un surmenage ; les verres n'avaient pas de monture pareils à ceux de son père et, comme lui, elle le portait au bout d'une fine chaînette d'or qui pendait, telle une toile d'araignée ou une parabole lumineuse, à un bouton de son corsage. Tout cela combiné avec le gris qui commençait à apparaître dans ses cheveux amenait les gens à remarquer qu'elle ressemblait de plus en plus au major Barcroft.

Une heure avant le repas du soir, elle descendait par l'ascenseur et prenait un siège dans le hall près des portes de la salle à manger, afin d'être une des premières à entrer quand on annoncerait que le dîner était servi. De cette façon, assise et n'ayant rien à faire, elle avait repris les habitudes de sa sœur concernant le journal. Elle sentait qu'elle pouvait se permettre ce luxe, maintenant que la vente de la maison de Lamar Street avait augmenté ses revenus. Chaque soir, entre 6 h 30 et 7 heures, elle était là, assise avec le journal de Memphis grand ouvert sur ses genoux. De temps en temps, d'autres résidents de l'hôtel venaient lui parler, lui souhaiter le bonsoir. Elle faisait un signe de tête cérémonieux le lorgnon scintillait, et elle se replongeait dans son journal. Dans la section des mondanités, elle trouvait fréquemment des notes qui parlaient des allées et venues de Harley Drew.

Il avait fait un beau mariage. Sa femme, veuve d'un fabricant de cosmétiques, et qui avait douze ans de plus que Drew, lui avait apporté non seulement la richesse, mais une haute position sociale, et maintenant —bien que sa femme, disait-on, tînt les cordons de la bourse et veillât à ce qu'il obéît — il s'épanouissait exactement comme il avait dit que tel serait le cas quand il aurait de l'argent. Dans la chronique mondaine, on parlait toujours de lui comme d'un "sportif, un homme du monde et un courtier en coton", et on voyait sa photographie dans toutes les affaires les plus importantes. L'été de la guerre, par exemple, Amanda vit, sur une coupure de journal, trois colonnes où on le montrait entouré de jeunes filles le jour de leur entrée dans le monde, et conduisant le grand cotillon annuel. Il portait l'uniforme de colonel dans la « Tennessee Home Guard ».

TABLE

1

2

3

ACHEVÉ D'IMPRIMER SUR LES PRESSES
DE COX & WYMAN LTD (ANGLETERRE)

N° d'édition : 1536
Dépôt légal : jauvier 1985